How-nual　Shuwasystem Industry Trend Guide Book

図解入門
業界研究

最新

自動車業界の動向としくみがよ～くわかる本

業界人、就職、転職に役立つ情報満載

［第4版］

黒川 文子 著

秀和システム

はじめに

現在、世界の自動車メーカーはＣＡＳＥ革命という大変革期を迎え、安全快適で利便性の高い次世代のモビリティサービスを構築するために、新たな競争が始まっています。究極のエコカーとなる電気自動車や燃料電池車の出現によって、自動車産業自体の変化も起きています。さらに、主たる自動車市場も新興国へ移行しつつあります。現在は、自動車市場も自動車の製品技術も転換期にさしかかっているのです。このような経営環境の中で日本の自動車メーカーは、国内の雇用維持や自動車市場の縮小への対処に悩んでいますが、国内の工場と雇用を維持するという社会的責任もあります。

次世代エコカーの販売は、多くの自動車メーカーにとって重要な課題です。というのは、各自動車メーカーが販売する全車両の平均ＣＯ$_2$排出量が規制値を下回らないと、罰金を科される地域があるからです。自動車メーカー各社には、全種類のエコカーを販売するのか、それともあるエコカーに特化するのか、環境技術を自社で開発するのか、それとも他社の技術供与に頼るのかといった多くの選択肢があります。自動車メーカーの戦略次第で、企業の業績が左右されるのみならず、存続が危ぶまれることにもなりかねません。

自動車産業の転換期ともいえる現状を受けて、できる限り最新データを用いて解説していますが、今回の第四版では次のような新しい項目を設けました。「テスラの台頭と中国ＥＶメーカーのシェア拡大」、「日本の自動車メーカーのＥＶ開発とＭａａＳ戦略」、「全固体電池、水素エンジン、安全技術の進歩」、「カーボンニュートラルに向けての自動車業界の対応」、「自動車メーカーを悩ます半導体や部品の供給ひっ迫」、「自動車メーカーのＥＳＧ経営」、「ステランティスの誕生（ＰＳＡとＦＣＡの経営統合）」、「トヨタグループの拡大と共同開発」、「コロナ禍での新興国の動向と商品戦略」、「日本メーカー各社の全面的ＥＶ戦略と全方位戦略」などです。本書が自動車業界の関係者、これから就転職を考えている方々の参考になれば、何よりの幸せです。

二〇二二年三月

黒川　文子

How-nual 図解入門 業界研究

最新自動車業界の動向としくみがよ～くわかる本［第4版］●目次

第5章 自動車産業が直面する「キーワード」

第6章 世界で進む業界再編（提携とその戦略）

第7章 新興国（新たな市場への戦略）

第8章 自動車産業界の将来像とその可能性

第9章 自動車産業に求められる人材

Data 資料編

第1章

市場拡大（開発進むエコカーとその最新技術）

将来の「地球温暖化」を憂慮し、各国で環境意識が高まっています。このままガソリンエンジン車を使い続けることは無理であり、エコカーへシフトしていくでしょう。近年、ハイブリッド車、電気自動車、燃料電池車と多様なエコカーが出てきています。本章では、開発が進むエコカーとその最新技術について解説します。

1 テスラの台頭と中国EVシェア拡大

テスラの時価総額はトヨタの三倍。脱炭素化の時代は、企業の競争力や価値を販売台数で決められなくなりました。中国では補助金により多くのEVメーカーが設立され、世界のEVの半分は中国で売れています。

●テスラの台頭

テスラの株式時価総額は、二〇二二年一月には約一二〇兆円に達し、トヨタの三倍になりました。二〇二一年、テスラは約一〇〇万台を販売しただけですが、走行中にCO_2を排出しないEV（電気自動車）しか販売しないため、脱炭素化の時代には、それが企業価値に反映されています。近年、企業の競争力や価値を販売台数で決めることができなくなっています。

当初、テスラの収益源は**CO_2排出権のクレジット***収入でしたが、競合メーカーが規制をクリアする中、現在、クレジット収入が減少し、むしろEVの販売で収益を上げています。既存のEVメーカーは、EVの販売で赤字になることが多いですが、テスラは営業利益率が七〜八%とガソリン車並みに利益を上げることができます。テスラの低コスト実現には、EVの世界販売台数首位メーカーとして、電池調達面で価格優位に立てること、広告宣伝費を使わず、ディーラー網を持たないで直販を行うことが寄与しています。

さらに、テスラはソフトウェアのアップグレードを**OTA***で行い、収益を上げています。テスラのモデル3ではハードウェアとソフトウェアを完全に切り離し、**FSD***のソフトをオプション販売し、レベル4の自動運転を可能にしています。

●中国EVメーカーのシェア拡大

中国は世界最大のEV市場であり、二〇二一年には約二四〇万台に達する見込み。一年でEVの販売台数

用語解説

＊**CO_2排出権のクレジット**　テスラは、販売する車がすべてEVであるためCO_2の排出量はゼロである。このためCO_2排出に課される罰金を払う必要がなく、排出権ゼロの枠をクレジットとして他社に売ることができる。クレジット販売はテスラにとって大きな収入源である。

が約二倍に増加するという急発展市場です。世界のEVの二台に一台は中国で売れています。中国市場ではテスラやNIOなどが販売する高級EVと、低価格EVに二極化しています。上汽通用五菱汽車が二〇二〇に発売した約五〇万円の「宏光MINI」という格安EVに人気があります。低価格・小型EVが新たなトレンドとなったことが、この急激なEV市場の発展の原動力となっています。

EVメーカーへの補助金により、約三〇〇社の国産EVメーカーが設立されました。高級EVを販売する**NIO**は、中国のテスラとも呼ばれています。NIOはバッテリーは充電済みのものと交換できます。バッテリー交換スタンドを七〇〇カ所以上整備しています。

中国政府は二〇三五年に五〇%をEVなどの新エネルギー車にし、残りはHV（ハイブリッド車）などにする方針です。ガソリン車を購入する際、ナンバープレートの取得が困難であり、上海では費用も一八〇万円ほどかかります。一方、EVなどの新エネルギー車の場合は、すぐに無料で政府から発行されます。

中国市場のメーカー別の新エネルギー車（NEV）販売台数順位

順位	メーカー	2021年1～11月（台）	主力モデル	分類
1	BYD	491,245	秦	中間価格車
2	上汽通用五菱汽車	376,498	宏光 MINI	低価格車
3	テスラ中国	250,141	モデル Y	高価格車
4	長城汽車	113,274	ORA 黒猫	低価格車
5	広汽埃安	110,287	AionS	中間価格車
6	上汽乗用車	102,385	CLEVER	低価格車
7	小鵬汽車	82,155	P7	高価格車
8	NIO	80,940	ES6	高価格車
9	奇瑞汽車	77,270	eQ	低価格車
10	理想汽車	76,404	理想 ONE	高価格車

（出所）週刊エコノミスト、2022.1.18、p.26

用語解説

＊**OTA（Over the Air）**　これまで自動車は販売店や整備工場で部品の交換や追加をしてきたが、通信機能を備えた「つながる車」では、OTAによって遠隔操作するだけで車の性能を高められる。OTAは、技術革新の激しい自動運転分野で多く活用される。

＊**FSD**　Full Self-Drivingの略。

2 国内メーカーのEV開発とMaaS戦略

脱炭素社会に向けて自動車のCO_2排出規制が強化される中、日本の自動車メーカーはEV開発に投資し、欧州メーカーなどに対抗しようとしています。トヨタは二〇三〇年までEVに四兆円を投資します。

●日本の自動車メーカーのEV開発

日産自動車は、今後五年間で二兆円を投資して電動化を加速すると発表しました。日産は二〇一〇年に世界初のEVの量産車「リーフ」を発売し、二〇二一年一月末時点での世界の累計販売台数は約五六万台で、二〇二一年発売の新型EV「アリア」は五三九万円と高価格です。また日産は三菱自動車と共同で、国内で軽自動車のEVの販売も計画しています。日産の自動車事業では赤字が続いており、EVへの投資を支える営業キャッシュフローが十分にあるか懸念されます。

トヨタは二〇三〇年までに新車のうち、三〇車種のEVを三五〇万台販売すると公表しました。トヨタは年間の販売台数の約三分の一をEVにすることになり、並大抵のスピードではできません。最高級車市場では市場ニーズが急速に変化しており、トヨタは二〇三五年までにすべてのレクサス車をEVにする計画です。EVで利幅を確保することは難しいですが、高級車ならば販売価格を高く設定でき、利幅を確保しやすいのでしょう。もちろん、トヨタのEVの技術的基盤も堅固であり、二〇二二年発売の新型EVの航続距離は約五〇〇キロメートルと長くなっています。

ホンダは二〇四〇年に販売する全車両をEVとFCV（燃料電池車）にすると公表しました。ホンダの主要なEV開発拠点は中国、広州市にあり、中国で五車種の新型EVを発表しました。すべて中国向けで二〇二二年から順次発売されます。広州市の四輪研究開発センターでは、新しいエンブレムがつけられた新型EV

を開発しており、ホンダは第二の創業ととらえています。二〇万台の生産能力を持つEV専用ラインを武漢と広州の二カ所に新設し、二〇二四年から稼働させます。米国でもGMと提携し、二〇二四年にはGM主導で開発したEVプラットフォームやバッテリーを採用したEVのSUVを北米向けに投入する予定です。

●MaaS戦略

MaaS*は、従来の交通手段・サービスに、自動運転やAIなどの様々なテクノロジーを掛け合わせた次世代の交通サービスで、都市部の交通の混雑を解消し、ユーザーの利便性を高めます。乗合タクシーやバスを手軽に利用できるようにすれば、公共交通機関の乏しい地域でも移動手段を確保できます。

トヨタはMaaSの実験場として、モノやサービスがネットを介してつながる都市「**ウーブン・シティ***」を静岡県に建設中です。二〇二一年二月に着工されました。将来的に約七一万平方メートルの街を作る計画で、自動運転、ロボット、スマートホーム技術などを試験的に導入し、有用性を検証します。

日本の自動車メーカーの EV 開発計画

トヨタ	2030 年までに世界で 30 車種の EV を 350 万台販売 電動化に 8 兆円投資
ホンダ	日本で 2024 年に軽自動車の EV を発売
日産	電動化に 2 兆円を投資 新型 EV「アリア」を 2022 年に発売 2028 年までに全固体電池 EV を発売
マツダ	2021 年に「MX-30」の EV モデルを発売した
スバル	初の EV「ソルテラ」を 2022 年に日本で発売
三菱自動車	日産と共同開発した軽自動車の EV を 2022 年に発売
ダイハツ	2030 年までに国内の新車販売をすべて電動車にする 2025 年までに軽自動車の EV を発売
スズキ	2020 年代中頃に軽自動車の EV を発売

用語解説

＊**MaaS**　Mobility as a Serviceの略。

＊**ウーブン・シティ**　プロジェクト初期はトヨタの従業員や関係者をはじめとする2,000名程度の住民の入居を想定している。技術やサービスの新たな価値を見いだし、将来は、一般入居者の募集や、観光施設としての運営も期待される。

3 電気自動車（EV）と各国の燃費規制

電気自動車は、CO_2を排出せず環境に良い車です。中国の「新エネルギー車（NEV）」法や、米国・欧州の燃費規制に対応するためにも、電気自動車の販売は重要です。

●電気自動車へのシフト

近年、**電気自動車（EV）***へシフトする動きが各国で見られるようになりました。ノルウェーは、二〇二五年にすべてのガソリン・ディーゼル車の新車販売を禁止すると発表しました。イギリス、フランスも二〇四〇年をめどにガソリン・ディーゼル車の新車販売を禁止する方針を表明しました。ノルウェーでは政府が様々なEV購入インセンティブを整備しており、その結果、二〇一七年の新車販売の二九％がEVと**プラグインハイブリッド車（PHV）***でした。

中国は二〇一九年に自動車メーカーに製造・販売する自動車の一〇％を「**新エネルギー車（NEV）**」にするよう義務付ける規則を導入しました。「NEV」には、EV、燃料電池車（**FCV***）、PHVなどの電動車が入ります。米国カリフォルニア州もZEV規制により、同州での販売台数の一定の割合をEVなどにするよう義務付けています。このように、世界の先進国や中国では、ガソリン・ディーゼル車からEVに切り替える動きが進んでいます。その理由は、EVがCO_2を排出しないため、地球温暖化を抑制し、環境に良いと考えられているからです。日本でもEVの普及が進んで新車販売の一定割合を占めるようになるのではないか、と考えられています。

●厳しい燃費規制

特に欧米や日本の自動車メーカーがEVの開発に注力しているのは、中国の「**NEV規制**」によるとこ

用語解説

＊**電気自動車（EV）**　一般的に、車載電池に充電し、電気モーターを動力源として走行する。現在主流のリチウムイオン電池は走行距離に限界があるため、「全固体電池」などの次世代電池の開発が行われている。EVとはElectric Vehicleの略。

＊**FCV**　Fuel Cell Vehicleの略。

ろが大きいと思われます。中国の新車販売台数は二〇一七年に二八八七万台に達し、世界の自動車販売の約三割を占めます。中国市場で生き残っていくためには中国政府の方針に従わざるを得ません。

欧州ではCO_2排出量に対する規制が世界で最も厳格であり、地球温暖化抑制のためにCO_2削減に取り組んでいます。二〇二一年には、CO_2を九五グラム／キロメートル以下にするという厳しい数値を自動車メーカーに課しています。これは燃費に換算すると約二四キロメートル／リットルに相当します。二〇三〇年にはその三割削減（三四キロメートル／リットル）を目標としており、EVシフトを加速させる狙いです。

日本の二〇二〇年の燃費目標は二〇・三キロメートル／リットルであり、CO_2の排出量では一一二グラム／キロメートルに相当し、中国の一一七グラム／キロメートルとほぼ同程度です。北米の燃費規制がそれほど厳しくないのは、自国の自動車メーカーの実力を考慮しているからです。将来、米国も燃費を急速に良くするように仕向けており、二〇二五年の規制はCO_2の排出量を九七グラム／キロメートルとしています。

EU、日本、北米の企業平均燃費（CAFE）規制の推移

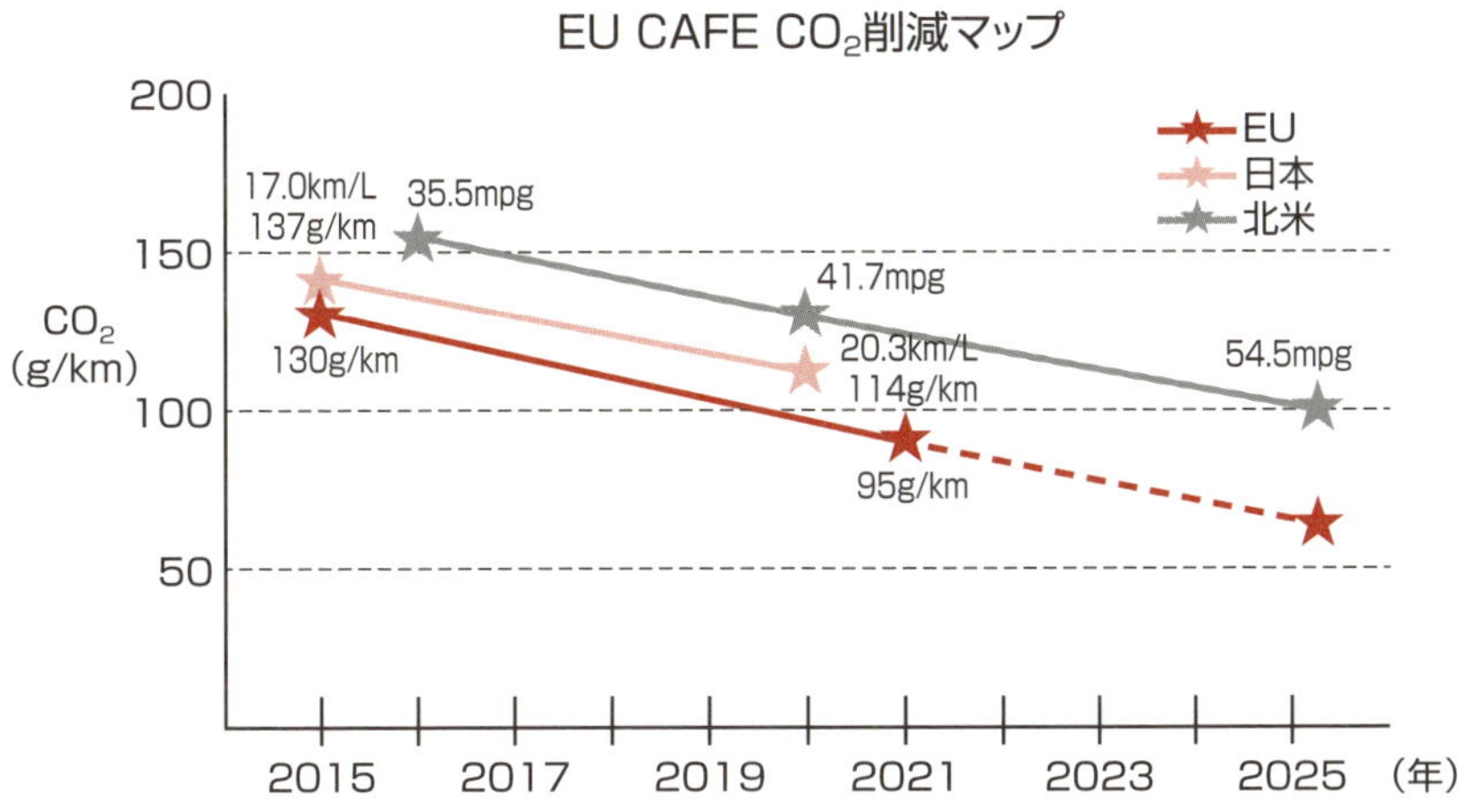

測定方法が異なるため、北米·日本は参考値

（出所）car.autoprove.net

用語解説

＊**プラグインハイブリッド車（PHV）**　外部電源から充電できるハイブリッド自動車で、最初、電気自動車として走行可能であり、遠距離走行ではガソリンエンジンとモーターの併用によってハイブリッド自動車として走行する。PHVとはPlug-in Hybrid Vehicleの略。

4 無人運転実用化を目指す自動運転車

自動運転により、交通事故の減少、渋滞の回避、CO_2の削減が見込まれ、ライドシェアなどで活用されるでしょう。将来的に無人運転の実用化を目指しています。

●自動運転車とは

自動運転の実現により、「**交通事故の減少**」、「**渋滞の回避**」、「**CO_2の削減**」、「**高齢者・過疎地域対策**」が見込まれます。自動運転車は、行き先を指定するだけで走行することができます。自動運転車の活用方法としては、宅配などのサービス、移動型の小売店、ライドシェアなどが考えられます。

自動運転システムは、「**情報収集**」「**分析・認識**」「**行動決定**」「**機構制御**」という四つの機能を持ちます。情報取得には多種多様なセンサーを用いて、より正確な情報を得る必要があります。そして、情報を認識してそれを分析し、瞬時に車を操作できるソフトウェアが重要な役割を果たします。異業種の企業であるグーグル、エヌビディア、ウーバーなどは、自動運転システムの外部販売をし、自動運転技術のプラットフォーマーとしての役割を果たすことができます。

自動運転のレベルは次のように定義されます。

レベル1（運転支援）
アクセル・ブレーキ・ハンドル操作のいずれか一つをシステムが対応する状態。

レベル2（部分自動運転）
同時に複数の操作をシステムが対応する状態。

レベル3（条件付自動運転）
システムが要請したときはドライバーが対応しなければならない状態。

レベル4（高度自動運転）
特定状況下のみドライバーが全く関与しない状態。

レベル5（完全自動運転）

●自動運転車の走行と法規制

自動運転車が事故を起こした際の法的責任や損害賠償などに関して、さらなる議論が必要とされます。米国では州単位で自動運転の規制が実施されており、ハンドル、ブレーキペダルのない自動運転車の公道走行が認められている州もあります。GM（ゼネラルモーターズ）はレベル4に対応したハンドルやブレーキペダルのない車を二〇一九年に実用化しました。ドイツでは二〇一七年の道路交通法改正によって、レベル3の自動運転車に運転を任せることができます。

二〇一七年に世界で初めてアウディがレベル3に対応した高級セダンを発表しました。また、EU各国やスイスなど二九カ国が国境をまたぐ自動運転実証について協力することで合意がされています。日本では安全面での配慮が厳しく、サンプル車で安全性を試験し、政府の認証を得ないと自動運転の走行ができないため、国際的な自動運転車の開発競争に遅れをとる可能性があります。

自動運転車で「情報収集」に使われる代表的なセンサーの適性比較

	ステレオカメラ	単眼カメラ	レーザー	ミリ波
100m 先検出	○	×	◎	◎
視野角	◎	◎	△	△
距離精度	○	×	◎	◎
横方向精度	◎	○	△	△
白線検出	◎	○	×	×
雨・雪	○	○	○	◎
霧	△	△	△	◎
夜間	○	○	◎	◎
物体依存性	○	○	△	△
干渉	◎	◎	△	△
安全性	◎	◎	△	○
コスト	△	◎	○	△

（出所）自動運転を支える技術（原出典：東京工業大学 実吉敬二教授のデータ）
http://www.tel.co.jp/museum/magazine/japanese_spacedev/151030_report04_03/

5　ICT端末としてのコネクテッドカー

コネクテッドカーには、通信機器を備えた常時接続型と、スマートフォンで接続するモバイル接続型があり、車での移動をこれまで以上に楽しむことができます。

●コネクテッドカーとは

コネクテッドカー（Connected Car）は、インターネットへの接続機能を備えることによって、車での移動をこれまで以上に楽しむことができる環境を提供する車です。以前から「テレマティクス」が基本的には同様のサービスを提供してきました。トヨタの「T-Connect」、ホンダの「インターナビ」などのテレマティクスは自動車メーカーが独自に行っているサービスで、カーナビの地図の自動更新、オペレーターサービス、メンテナンスサービスなどに対応しています。

コネクテッドカーが注目されるようになったのは、自動運転車の開発が進展し、情報技術がこれまで以上に重要なものになってきたからです。二〇一四年にアップルが車載用OSとして「CarPlay」＊、グーグルが「Android Auto」＊を発表しました。両OSとも、自動車メーカー独自のテレマティクスとは異なり、多くの自動車メーカーが利用できるオープンプラットフォームとなっています。ただし、両OSの機能は、電話、音楽、地図といったスマートフォンのアプリの使用に限定されています。

スマホとつながないと使うことのできない「CarPlay」や「Android Auto」に対し、トヨタのコネクテッドカーはエンジンをかけた瞬間に通信がスタートします。トヨタの「T-Connect」の「eケア」サービスは、車の状況を逐次チェックし、トラブルが発生した際にはすぐにドライバーに伝えるとともに、サービス工場にも連絡して修理の準備をしてもらうことができま

用語解説

＊**CarPlay**　アップル社が開発した、車の運転席に組み込まれたディスプレイと「iPhone」を連携させるシステム。電話・メールの送受信や音楽再生、ナビゲーションなどを、車の前方から目をそらすことなく操作できる。

す。グーグルの「Android Auto」などを利用するモバイル接続型よりも、クルマとサービスを一体で開発した自動車メーカー独自の接続サービスの方が、きめ細かさでは優れています。

●コネクテッドカーの利便性と課題

コネクテッドカーには、情報インフラ整備のためのビッグデータ収集という自動車メーカー側の利点と、ユーザーに利便性をもたらす新サービスを提供するという顧客側の利点の二つがあります。また、コネクテッドカーには通信機器を備えた常時接続型と、スマートフォンなどを使用してインターネットに接続するモバイル接続型があります。

二〇一七年一月からロシア、二〇一八年四月からは欧州で、通信機能を備えた自動緊急通報システムの搭載が義務化されており、普及が加速すると思われます。しかし、二〇一五年にはジープの車載システムをネットワーク経由でハッキングする実験が成功し、一四〇万台のリコールに発展するなど、インターネット接続による新たな課題もあります。

トヨタの次世代テレマティクスサービス（T-Connect）

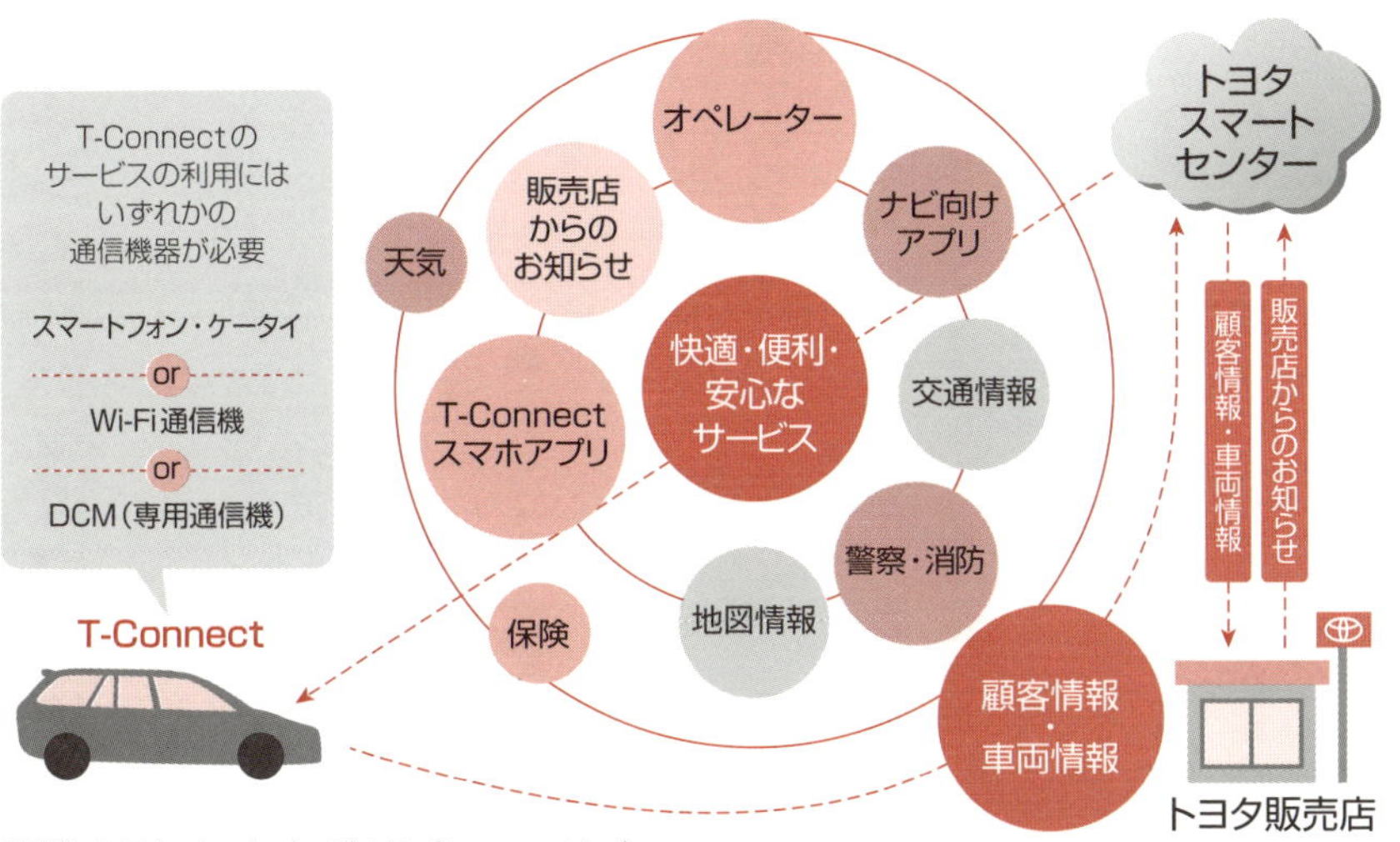

（出所）トヨタ ホームページより（tconnect.jp/）

用語解説

＊**Android Auto**　グーグルが提供する、Androidをベースとした車載機器用ソフト。Android搭載スマートフォンをUSB接続することで、スマートフォン側のアプリなどを車載機器側の画面上で操作できる。

6

全固体電池、水素エンジン、安全技術の進歩

航続距離が二倍に伸びる可能性のある全固体電池や、CO_2をほぼ排出しない水素エンジンも、実用化にはまだ課題が多い段階です。自動運転では、さらに高いレベルの安全技術が必要とされます。

●全固体電池

リチウムイオン電池を超える性能を秘めているのが**全固体電池**であり、一〇年以内にEVへの搭載が始まります。

全固体電池とは、電流発生のためこれまでは液体でなければならなかった「電解質」を固体にした電池です。従来の電池は「液漏れ」を防ぐために丈夫な容器が必要でした。しかし、全固体電池ではそれが不要になるため、形状を薄くしたり、層を重ねたり、折り曲げることもでき、「小さな電池を大量に詰め込んだ電池」を作れば、大容量にもかかわらず素早い充電が可能になります。

全固体電池は材料の組み合わせにより、航続距離が二倍に伸びる可能性を持ちます。トヨタ、ホンダ、BMW、フォードも全固体電池を開発中ですが、実用化できていません。日産は二〇二八年度までに全固体電池を使ったEVを量産する予定です。

●水素エンジン

水素エンジン車はエンジンを使いながら、ガソリンの代わりに水素を燃やすため、CO_2をほぼ排出しません。水素エンジン車は、日本の自動車技術の蓄積を生かすことができます。また、水素の使い道を増やすため、水素社会の実現にもつながります。しかし、水素エンジンのエネルギー効率は低く、航続距離がいまだ六〇キロメートルと短いため、課題が多いです。トヨタは脱炭素燃料による内燃機関活用でスバル、ヤマ

用語解説

＊**ABS**　Anti-lock Brake Systemの略。急ブレーキをかけたときにタイヤがロックするのを防ぐことによって走行の安定性を保ち、ハンドル操作で障害物を回避できる可能性を高めるシステム。日本車に搭載されたのは1982年以降であり、今日ではABSの標準装備が当たり前。

ハ発動機、マツダ、川崎重工と連携をとり、水素やバイオ燃料の可能性を広げて、内燃機関でカーボンニュートラルを目指します。

●安全技術の進歩

乗員や歩行者の保護を目的とした自動車の安全技術は進歩し続けています。衝突安全ボディといったパッシブセイフティ技術だけでなく、ABS*、ESC*のような、事故の被害を回避・軽減するアクティブセイフティ技術もあります。衝突被害軽減ブレーキは、自動車に搭載したレーダーやカメラから障害物を解析して、運転者への警告やブレーキの補助操作を行い、衝突に備えるシステムです。

ACC*は、前を走る車に追従して走行する機能を加えたシステムです。車の横方向の運転支援システムであるLKAS*は、白線からはみ出そうになると警報を鳴らし、ハンドルを切って修正してくれます。今後、完全自動運転を想定した場合、求められる安全技術はさらに高いレベルとなります。

EV 航続距離

社名・車種	航続距離
テスラ（米国） モデルS	652 キロメートル
日産自動車 リーフ	458 キロメートル
トヨタ自動車 レクサス UX300e	367 キロメートル
全固体電池	1000 キロメートル超も

用語解説

*ESC　Electronic Stability Controlの略。突然の路面状況の変化や危険回避のために急激にハンドルを操作した際、車の横滑りを抑制し安定性を確保するシステム。ESCは2012年以降、新型車（軽自動車を除く）には標準装備となっている。
*AAC　Adaptive Cruise Controlの略。
*LKAS　Lane Keeping Assist Systemの略。

7 EVのCO_2排出量と各国の電源構成

EVのCO_2排出量は、各国の電源平均のCO_2排出量によって変わってきます。総発電量に占める原子力発電、水力発電、再生可能エネルギーの比率が高いと、電源平均のCO_2排出量は少なくなります。

●電気自動車のCO_2排出量の計算法

電気自動車（EV）は今後、地球温暖化抑制のため、次第に内燃機関車に代わる存在になっていくと見られています。実際に、EVが内燃機関車よりもCO_2排出量が少ないかどうかを見ていきましょう。まず発電所の電源平均のCO_2排出量を求めます。これは、各国が一キロワット時の電気を発電したときに排出されるCO_2の量であり、全発電所から排出されるCO_2の量を全発電量で割って求められます。そして、EVが一キロメートルを走行する際に消費する電力量に電源平均のCO_2排出量を掛けて得られる値を、「**EVのCO_2排出量**」とする計算法が一般的に使用されています。

各国の電源構成は異なっており、原子力発電、水力発電そして**再生可能エネルギー**＊の比率が高いと、電源平均のCO_2排出量は少なくなります。

●各国の電気自動車のCO_2排出量

フランスは原子力が七一％を占め、スウェーデンは水力五〇％、原子力二五％であり、CO_2排出量の少ない電源構成です。そのため、フランスの発電量一キロワット時当たりのCO_2排出量は二〇二三年に六四グラム、スウェーデンは一三グラムと非常に少ない。このような国ならば、CO_2排出量の少ない発電で作った電気をEVに蓄電できるため、非常に環境に優しい車になります。一方、インドでは発電量一キロワット時当たりのCO_2排出量は七九一グラム、中国では七二一グラムと多い。そのため、インドや中国でEVを一キロメート

用語解説

＊**再生可能エネルギー**　日本では再生可能エネルギーの大半が、固定価格買い取り制度を通して電力会社に売られる。その結果、様々な電源の電気が区別なく供給されてしまうため、消費者は電源の選択をすることができない。

ル走行させる際に排出されるCO_2の量は、フランスやスウェーデンよりも多くなります。日本では、二〇一一年の東日本大震災以降、原子力発電の比率が低下し、LNGや石炭火力発電の割合が増加したため、二〇一三年の発電量一キロワット時当たりのCO_2排出量は五七二グラムであり、欧米諸国や韓国よりも多くなっています。

このように、各国の発電量一キロワット時当たりのCO_2排出量は、発電設備の電源構成によって決まりますが、電気を使う人が使用する電源を選択できる制度があるとよいでしょう。そうすれば、インドであろうと中国であろうと、個人のEVに蓄電される電気はCO_2排出量の少ないものになります。

石炭火力による発電一キロワット時当たりのCO_2排出量は九四三グラムであり、石油火力（七三八グラム）、LNG火力（五九九グラム）と比較しても非常に多い。このため、石炭火力で発電した電力でEVを走らせると、ガソリン・ディーゼル車が排出するCO_2の量とそれほど差がなくなります。

日本とフランスの電源構成の比較

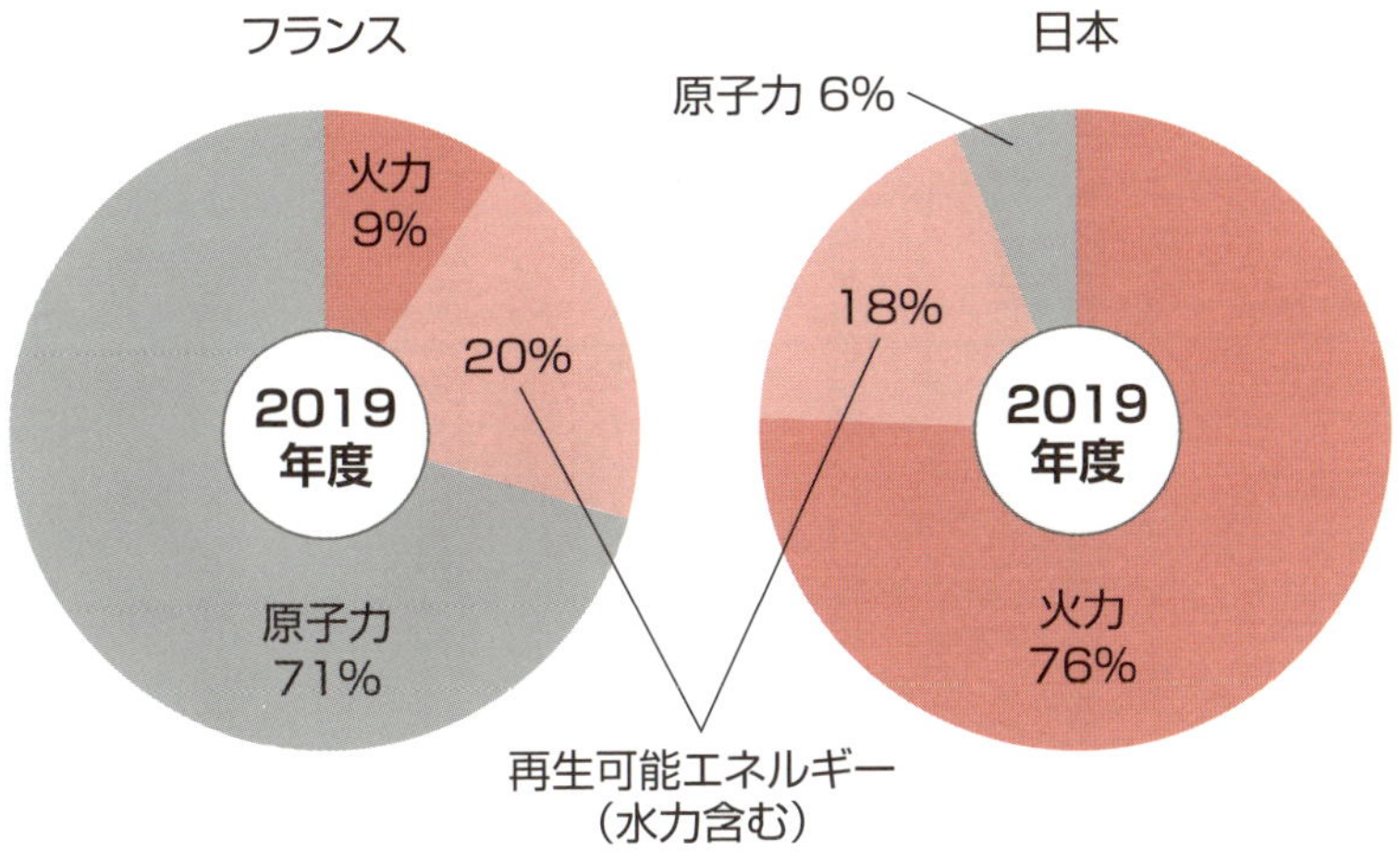

（出所）NHKスペシャル、2021年11月14日放映より

8

PHVと欧州の燃料測定法

プラグインハイブリッド車は、欧州の燃料測定法（ECE R101）によって、CO_2排出量に対する規制をクリアするための車という役割を持つことができます。

●プラグインハイブリッド車のメリット

プラグインハイブリッド車（**PHV**）は、最初はEVとして数十キロ走行し、電気がなくなるとHVとして走る車です。EVの高い販売価格、短い航続距離、充電インフラの未整備という欠点をある程度カバーできるのがPHVです。PHVはEVとHVの中間的な存在であり、両方のメリットを持ちながら、EVにCO_2排出量の少なさでは劣っており、HVには取り扱いの簡単さや販売価格で劣るというデメリットもあります。

欧州におけるPHVのCO_2排出量の算出方法をもとに、多くの自動車メーカーがPHVの開発・販売に参入するようになってきました。特にドイツの自動車メーカーは、ディーゼル車の代わりに欧州のCAFE（企業平均燃費）規制をクリアするための自動車として、電気とガソリンの両方を使えるPHVやEVの開発に目を向けるようになったのです。

●欧州の燃料測定法とPHV

二〇二一年からEUで適用された**CO_2＝九五グラム／キロメートル以下**という厳しい数値をクリアするために、PHVが有利になるような「ECE R101」という欧州の燃費測定法が適用されることになりました。欧州の自動車メーカーのPHVは、この「ECE R101」を満たすのが主な目的であるため、電気のみでの走行が終わったあとはHV走行に切り替わりますが、日本のメーカーのPHVのようにエンジン走行とモーター走行を頻繁に切り替えて「最適制御」し、走行性と燃費性を高めた車よりも劣るといわれています。

欧州の燃料測定法（ECE R101）では、PHVのためにCO_2排出量の軽減係数が採用されます。燃料消費量軽減係数の計算式は、（EV走行距離＋二五）÷二五となります。二五という数字は、一般的な運転距離は二五キロであろうという推定から決められました。例えばSUV型PHVで、CO_2排出量を一四〇グラム／キロメートルとし、電気モーターで三五キロ走行できる車を考えてみましょう。軽減係数は二・四となり、その結果、PHVのCO_2排出量は、一四〇÷二・四＝五八・三グラム／キロメートルとなるため、二〇二一年の欧州の規制をクリアできます。

　ドイツの高級自動車メーカーは、この軽減係数の恩恵を最大限に受けられるPHVの市場へ参入してきています。北米CAFEにおいてもPHVは優遇されており、EV走行だけとしてCO_2排出量を〇グラム／マイルと設定しています。

ガソリン車、ディーゼル車、HV、PHV、EV の生産台数比率の推移

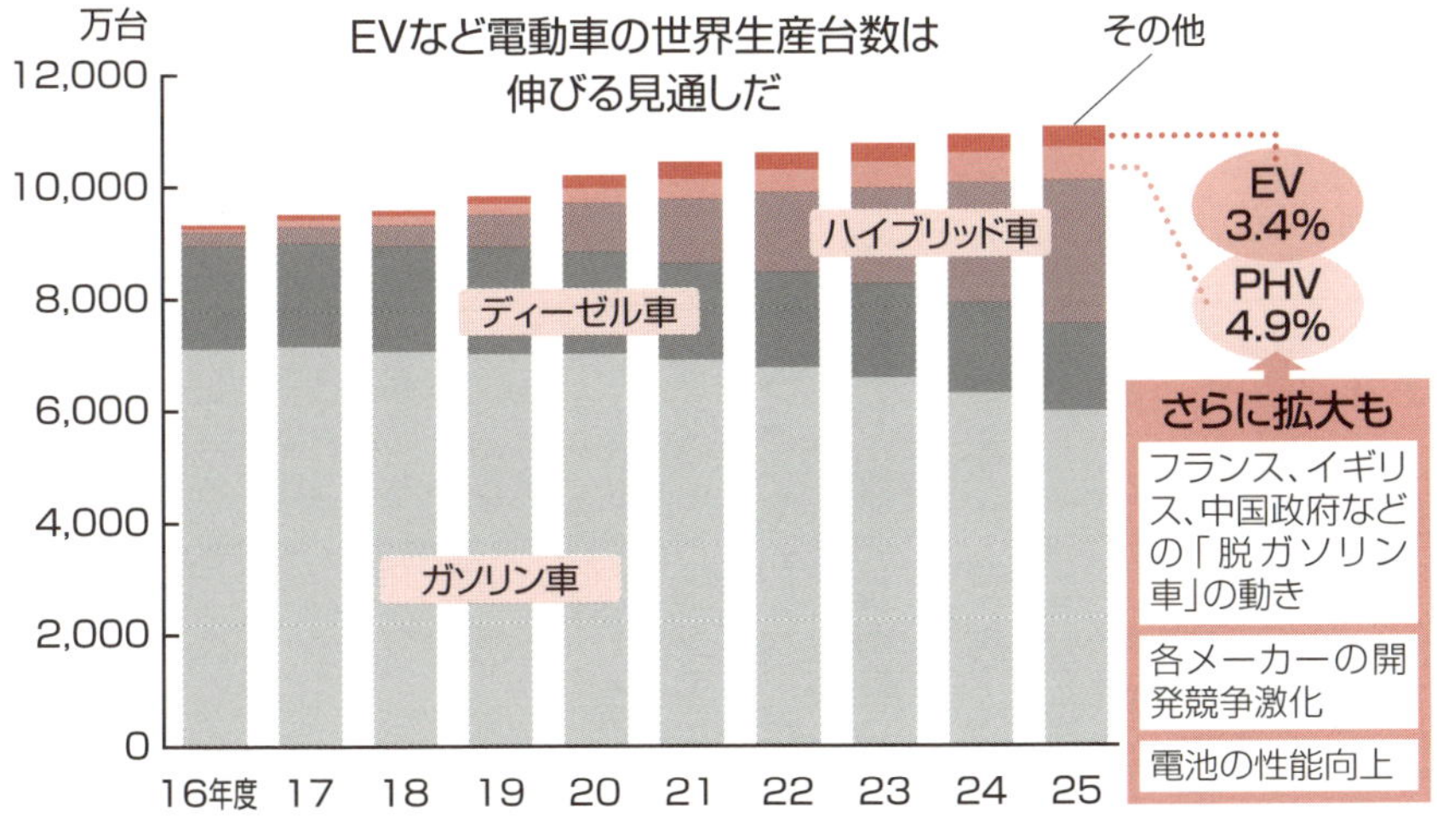

（出所）IHS マークイット

ワンポイントコラム

【VWのディーゼル車の排ガス不正問題】　フォルクスワーゲン（VW）はディーゼル車の販売を促進するため、燃費の良さ、排ガスの少なさ、走行性能の良さを適切な販売価格の中で実現しようとしましたが、うまくできず、排ガス不正に走ったものと見られます。

9 ガソリン車もエコカー並み低燃費

エコカー購入補助金により、ハイブリッド車の販売台数は急増しました。しかし、補助金終了後は、ハイブリッド車並みの低燃費で、かつ低価格な小型ガソリン車との競争が激しくなりそうです。

●エコカー購入補助金終了後の自動車販売術

二〇〇九年、トヨタの国内販売台数に占める「プリウス」の比率は約一五％で、前年の五％から急上昇しました。これは、消費者が急に環境意識に目覚めたというよりも、エコカー購入補助金によるメリットを得ることが主な要因だと思われます。したがって、補助金の終了した二〇一〇年一〇月以降、プリウスの販売台数は減少しました。

ガソリンエンジンでありながら、ハイブリッド車と同等の低燃費を実現した**第三のエコカー**と呼ばれる車が、軽自動車メーカーなどから発売されました。車体の軽量化、アイドリングストップ、空気抵抗の削減などにより、低コストでかつ、低燃費を実現した車です。例えば、ダイハツ「ミライース」、スズキ「アルトエコ」、マツダ「デミオ」などです。

環境に優しい車として、マツダの**クリーンディーゼルエンジン車**も特筆すべきものです。従来のディーゼル車と比較して20％の燃費改善がなされています。

●欧州車の「ダウンサイジング」

ダウンサイジングとは、従来よりも小型のエンジンにターボチャージャーを装着して、不足した出力を補いながら低燃費を実現する技術です。以前はターボを使用すると、パワーは出るものの燃費が悪くなってしまいましたが、ガソリンの希薄燃焼、直噴化などの技術によって燃費を改善できたため、欧州で急速に普及しています。欧州でハイブリッド車よりも「ダウンサイジング」が好まれるのは、日本よりも高速道路を使う頻度が高いため、ハイブリッドシステムではあまり効果が出ず、逆にガソリンエンジンよりも燃費が悪化してしまうからです。

新興国ではハイブリッド車の普及が遅れているため、日本の自動車メーカーが低燃費のガソリン車を販売していく戦略は、新興国を中心に大衆の需要に応えるものであり、販売の増加が見込めます。

●新興国向けの車を先進国でも販売

日産の「マーチ」は、タイで生産し新興国だけでなく先進国にも販売するという点が他の自動車メーカーと異なり、新しい戦略といえます。**タイ**から日本に輸入される「マーチ」は機能をシンプルにし、部品点数を一八％削減し、ドアのサイドパネルも成形工程を五から三に減らしています。車体に必要な鋼板は高性能ハイテン*に代えて、現地鉄鋼メーカーから調達するグレードを下げた鋼板を用いています。マーチの現地調達率は八七％となり、それによって「**儲かる品質**」の車へと変わりました。

CO_2 の排出量比較

	エンジン車	EV
	トヨタ・プリウス 1.8L（2020年）	フォルクスワーゲン e ゴルフ
電池を除く製造時	28	24
電池の製造時	―	11（36キロワット時の電池）
走行時	140	43
合計	168	78（54%少ない）
電池の製造で生じた CO_2 を相殺するまでの走行距離		28,000キロ

	メルセデス・ベンツ C220d	テスラ モデル3
電池を除く製造時	32	28
電池の製造時	―	23（75キロワット時の電池）
走行時	228	40
合計	260	91（65%少ない）
電池の製造で生じた CO_2 を相殺するまでの走行距離		30,000キロ

（出所）週刊エコノミスト　2022.1.18、23ページ

用語解説

*** ハイテン**　高張力鋼ともいう。鉄にシリコンやマンガンなどを加え、冷却工程で強度を強めた鋼板である。通常の鋼板より、薄く、軽く、頑強であり、車のフレームなどに使われる。例えば、通常の鋼板が1mm²当たり約30kgの力にしか耐えられないのに対し、ハイテンでは、100kgに耐えられるものもある。車体の軽量化や衝突安全性の向上に寄与している。

column

電気自動車のCO_2排出量は各国で相違

「日産リーフ」と「同クラスガソリン車」のCO_2排出量をライフサイクルで比較すると、「日産リーフ」は「同クラスガソリン車」よりも40%ほどCO_2の排出量が少ないため、環境に優しい車といえます。またEVのバッテリーは、蓄電池として活用することができ、家庭で発電した太陽光などの再生可能エネルギーを蓄えて使用することができます。

「日産リーフ」を例にとってEVとガソリン車、HVのCO_2排出量を比較してみます。日産リーフの電力量消費率（電費）は高速道路走行など条件によって変わり、7.9～9.6km/kWhの範囲で推移しています。普通にエアコンを使うという条件で、ここでは「日産リーフ」の平均電費を8.5km/kWhとします。

例えばインドでは、発電量1kWh当たりのCO_2排出量は791g。「日産リーフ」の平均電費は8.5km/kWhなので、インドで蓄電すると1km当たりのCO_2排出量は93.06g/km（791÷8.5）となります。インドで使用する「日産リーフ」はHVの新型プリウス（58g/km）よりもCO_2を多く排出します。スウェーデンでEVを走行させると、1km当たりのCO_2排出量は1.53g/km（13÷8.5）となり、ほとんどCO_2を出しません。日本ではEVが1km走るのに排出するCO_2の量は67.29g/km（572÷8.5）となります。日産リーフはガソリン車（147g/km）よりも環境に優しく、HVの新型プリウスよりも環境に悪いといえます。

欧米ではEVが最もCO_2排出量が少なく、日本、韓国、中国、インドではHVが最もCO_2排出量が少ないという結果になりました。EVと比較すると内燃機関車のCO_2排出量は多いですが、中長期的にHVも含めてエンジン車はまだ世界の主流であると考えられており、技術的に進化していくと、EVのCO_2排出量まで近づいていくこともあり得ます。反対に、大型EVでは多くのバッテリーを積むと車両が重くなり、CO_2排出量が増加するという課題もあります。

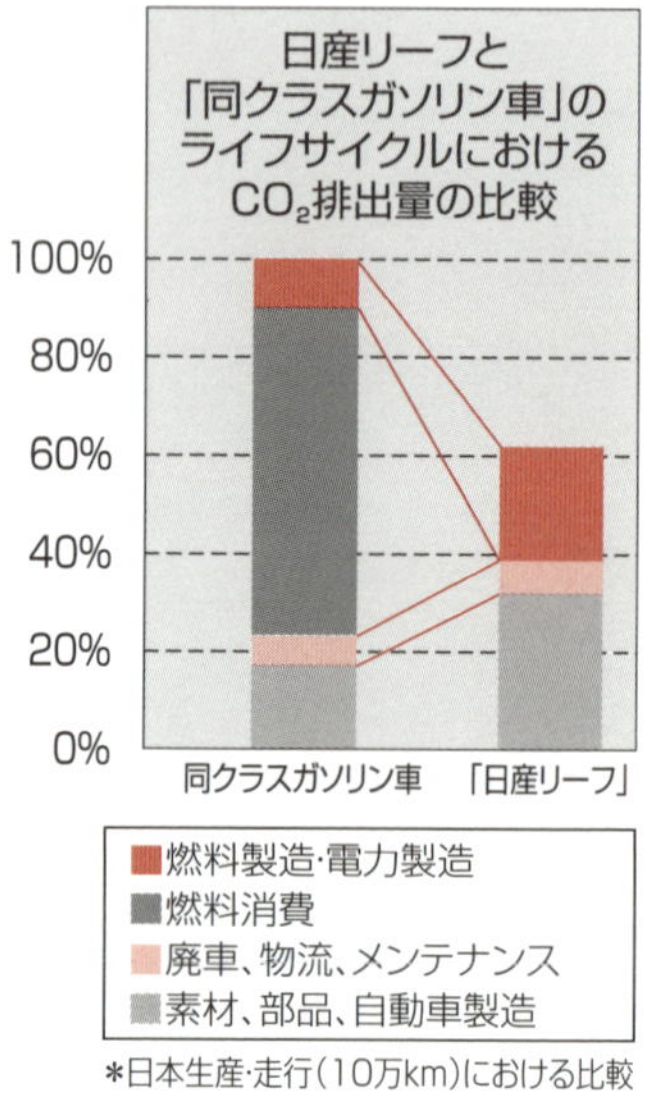

*日本生産・走行（10万km）における比較
（出所）日産自動車ホームページ

第2章

金融危機後の業界の取り組みと今後

2008年の金融危機によって、GM、クライスラー、サーブ、オペルが経営破綻しました。日本の自動車メーカーの多くも赤字に陥りました。その後、経営統合により新しくステランティスが誕生し、各自動車メーカーも電気自動車の開発競争へと突入しました。今後、CASE革命で競争力のある自動車メーカーが業績を伸ばすでしょう。

米国ビッグスリーの悲劇

1

金融危機によって、米国の自動車メーカーの販売台数が減少しました。最終的に、フォードは倒産を免れましたが、クライスラーは二〇〇九年四月に、GMは二〇〇九年六月に破産法を申請しました。

●金融危機の影響

米国の**サブプライムローン**問題に端を発した金融危機は、米国の自動車メーカーのみならず、日本の自動車メーカーにも販売台数の低下という結果をもたらしました。

米国**ビッグスリー**である**GM**、**フォード**、**クライスラー**は金融危機によって弱体化し、「ビッグスリーならぬデトロイトスリーだ」といわれるまでになってしまいました。GMとクライスラーは二〇〇九年に米連邦破産法*を適用されましたが、GMは米国政府主導のもとで再生を果たしました。一方、クライスラーはフィアットの完全子会社となりました。唯一、フォードは破産を免れ、所有するボルボ・カーズなどを売却した上で、業績を好転させることができました。

●ビッグスリーが経営危機に陥った原因

ビッグスリーがこのような経営危機に陥った原因は、一九九〇年代の原油価格の下落を背景に、燃費が良くても利幅の薄い車を生産するよりも、収益率の高いSUV（スポーツタイプの多目的自動車）やピックアップ・トラックの生産に傾注したことにあります。しかも大型のSUVの販売は、自動車メーカーだけでなく、販売店、クレジットカード会社にとっても大きなメリットがあったのです。こうした車種構成が主要原因となって、ビッグスリーは経営危機に陥りました。原油価格の暴騰によって、高価格で燃費の悪いSUV車の売上が急激に落ち込み始めたからです。その結果、

用語解説

＊**連邦破産法**　アメリカ合衆国の連邦法で、個人や企業の倒産処理の手続きを定めたものである。1978年に全面的に改正され、現在の原型となった。連邦破産法第11章は、日本の民事再生法に相当する。

ビッグスリーの業績も悪化して赤字に転落しました。

●高い労働コスト

車種構成以外の問題として、高い労働コストが挙げられます。GMは医療補助や年金制度などを積極的に充実させた結果、財務の悪化を招いてしまいました。米国の自動車産業の場合、工場別に**全米自動車労組（UAW）**＊に所属しており、労組はストライキを頻繁に行っていました。メーカーは労組の要求にある程度応じざるを得なかったのです。GMは業績悪化に伴い、手持ち現金が急速に減少していきました。経営悪化で企業格付けも大幅に下げられ、社債は「ジャンク債」にまで引き下げられて、GMは資金繰りができなくなりました。ついに、クライスラーは二〇〇九年四月、GMは六月に破産法（**連邦破産法一一章**：日本の民事再生法に相当）を申請しました。フォードは倒産を免れましたが、二〇〇八年、フォード所有のジャガーとランドローバーが、インドのタタ・モーターズへ売却され、保有していたマツダの株式三三・四％のうち、約二〇％がマツダや広島銀行などに売却されました。

米国の自動車販売台数（2008年8月～2010年6月当時）

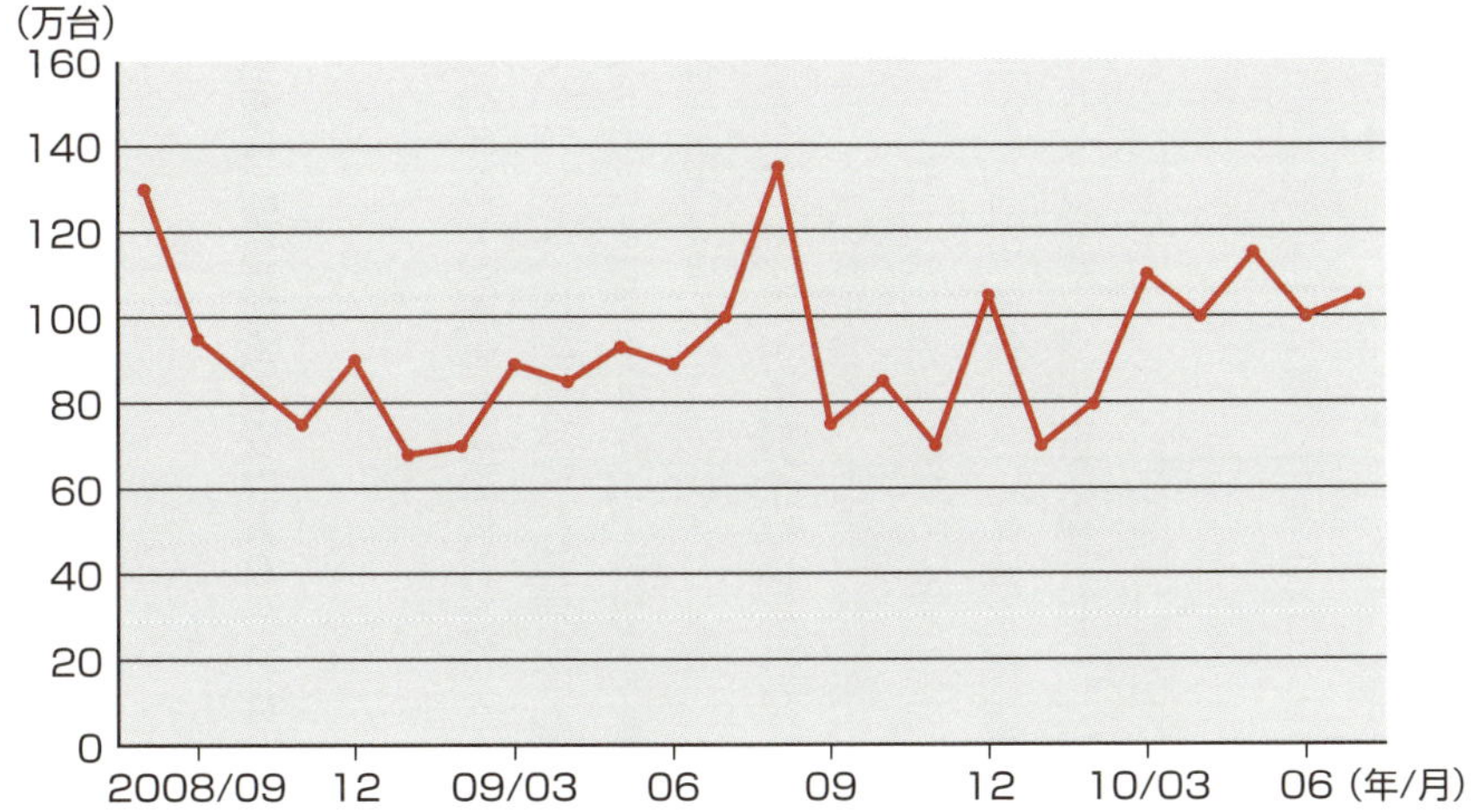

(出所) 米オートデータ

用語解説

＊**全米自動車労組（UAW）**　全米自動車労働組合（United Auto Workers）は、アメリカ合衆国の自動車産業、農業、航空宇宙産業に従事する労働者の組合である。現在、約55万7000人の組合員がいる。

2 米国ビッグスリーの財務悪化

ビッグスリーは企業活動に必要な手持ち現金がなくなりかけ、政府に「緊急融資が受け入れられない場合、倒産する可能性が高い」と訴えました。

●手持ち現金がショート

一九九七年、GMのキャッシュフロー*は一六四億五〇〇〇万ドルで、実にトヨタの三倍もありました。金融危機後、GMとクライスラーの財務内容は急激に悪化しました。GMの一〇〇%完全子会社だった**GMAC**はGMの自動車ローンを扱っており、二〇〇四年にはGMの利益の七八%を占めていましたが、その後、資金運用に失敗して二兆円もの大損失を出しました。

GM自体も、二〇〇一年の米国同時多発テロ後に販売台数が落ち込み、在庫が増加しました。その解決策として、販売店への**インセンティブ**の上乗せや値引き販売をしましたが、二〇〇五年までに企業収益は一気に悪化しました。さらに、GMは**レガシーコスト**といわれる巨額の年金や退職者医療の債務を抱え、債務超過に陥っていました。自動車会社が社員の医療保険にかかる費用を負担するのですが、退職後も家族を含めて医療保険が適用できるシステムなのです。

また、ビッグスリーの労働賃金は極めて高く、一時間当たり七三・二〇ドルです。米国の製造業の平均労働賃金が三二・五九ドルですから、二倍以上も高いのです。こうしたコスト高に加え、米国の自動車デザインは魅力がなく、燃費や環境に配慮されたものでもなかったために、顧客のビッグスリー離れを引き起こしていたのです。

GMは、二〇〇七年度決算で三兆円という巨額の赤字を出してしまいました。その前後から、資本提携していた自動車メーカーの株式を売却し、必死で財務体

用語解説

＊キャッシュフロー　主に企業活動によって「外部から得られた現金収入」から「外部への現金支出」を差し引き、手元に残る資金の流れを指す。

質の改善に努めています。二〇〇五年一〇月に富士重工株をトヨタへ売却、二〇〇六年にはいすゞ自動車株を売却し資本提携を解消しました。二〇〇八年一一月にはスズキとの資本提携を完全に解消しました。

二〇〇七年のGMの自動車販売台数は九三七万台で、トヨタの追い上げをかわして世界一でした。しかし二〇〇八年、ガソリン価格高騰や世界金融危機の影響で、北米での売上が大きく落ち込んだ結果、GMは、七七年間も守り続けた販売台数世界一の座を二〇〇八年度にトヨタに明け渡すことになりました。

●プライベート・ジェットで公聴会に

二〇〇八年、ビッグスリーへの公的資金援助の可否をめぐる公聴会が開催され、ワゴナーGM会長、ロバート・ナルデリ・クライスラー会長、アラン・ムラリー・フォード社長が証言し、緊急融資が受け入れられない場合、倒産する可能性が高いと訴えました。

しかし、彼らがこの公聴会にプライベート・ジェットで駆けつけたことで、政府への支援要請という会社の一大事にふさわしい行動ではないと非難されました。

世界51カ国での主要自動車メーカー／グループの販売台数順位

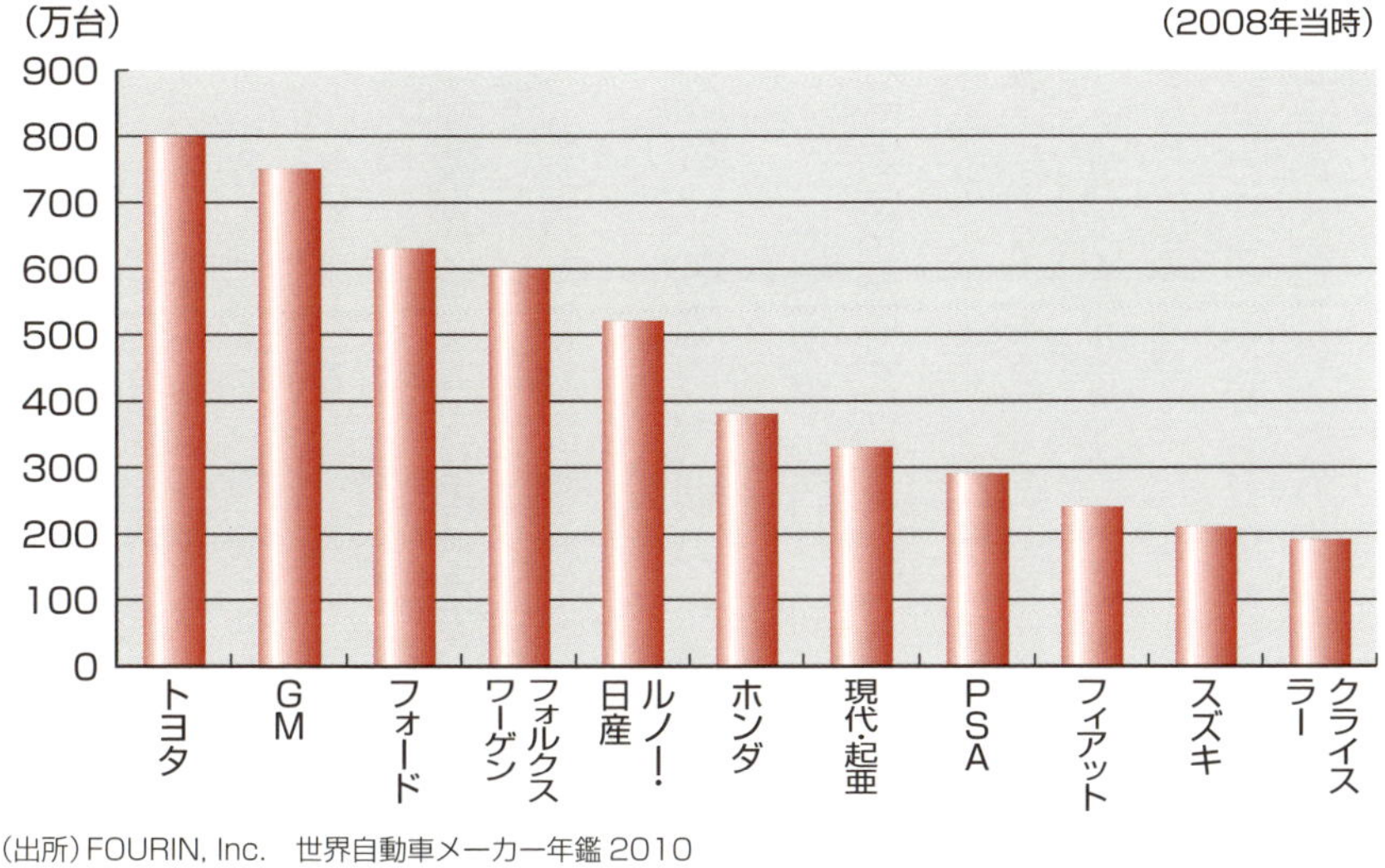

(出所) FOURIN, Inc.　世界自動車メーカー年鑑 2010

3 米国市場のLT頼みが悲劇の始まり

ビッグスリーにとって、ライト・トラック（LT）の生産は利益の上がるビジネスでした。安全性と燃費に関しては、乗用車ほど規制が厳しくなかったからです。

●ライト・トラックの販売が優勢に

米国では「**ライト・トラック**（ピックアップ・トラック、バン、ミニバン、SUVを含む）」と呼ばれるセグメントの車が、二〇〇〇年頃より販売台数で乗用車をしのぐようになり、二〇〇四〜〇五年には、新車販売台数の五六％を占める九〇〇万台以上も販売され、ピークを迎えました。この高価格なライト・トラックの主な購入者は、米国中間層と高所得者でした。

ビッグスリーにとって、ライト・トラックは利益の上がるセグメントでした。その理由は、第一に開発コストが低いからです。車の開発は、共通の一つのシャシーの上に取り付けるパーツを差別化するだけで済みます。例えば、SUVは最近までピックアップ・トラックの開発から発展したもので、より長い室内をつけ、既存のアンダーボディの上に数列の座席をボルトでとめたものでした。

●大型SUVは燃費規制の対象外に

第二に、SUVには乗用車の厳しい規制が適用されず、トラックの規制が適用されていたので、燃費が悪くても改善せずに済みました。ビッグスリーはライト・トラックをより大きくすることで、安全性と燃費の基準をクリアせずに済んだのです。フォードの「エクスカージョン」やGMの「ハマー」がこれに当てはまります。また、六〇〇〇ポンド以上の積載量の車であれば、所得税から控除されました。これは、農家が農機具を控除された規則に由来します。

ビル・クリントン元大統領は自動車産業に約一〇億ドルの補助金を与えて、燃費の良い技術の研究を推進しましたが、ビッグスリーはハイブリッド車などの革新的な車を発売できず、ただ、よりパワフルで重量のある車を作る戦略を追い続けるだけでした。

二〇〇三年一二月に米国運輸省は、一九九六モデル年以降据え置かれてきた小型トラックの**企業平均燃費（CAFE）規制***を、二〇〇五モデル年に一ガロン当たり二二マイルとする強化案を発表しましたが、一ガロン当たり一五マイルという燃費の悪い大型SUVは、その規制の影響も受けずに済みました。

このように米国では、小型車を製造するメリットもなく、大型車を作るペナルティもなかったのです。そのため、ビッグスリーは日本メーカーと小型車セグメントで競争することは避けられました。しかし、この政策がのちのビッグスリー倒産劇につながったのです。ビッグスリーは、利幅の大きい大型車販売にこだわり、市場のニーズに応えられませんでした。金融危機の勃発と石油価格上昇の過程で、ガソリンを大量消費する車を誰も買わなくなったのです。

米国市場の乗用車とライト・トラックの販売台数

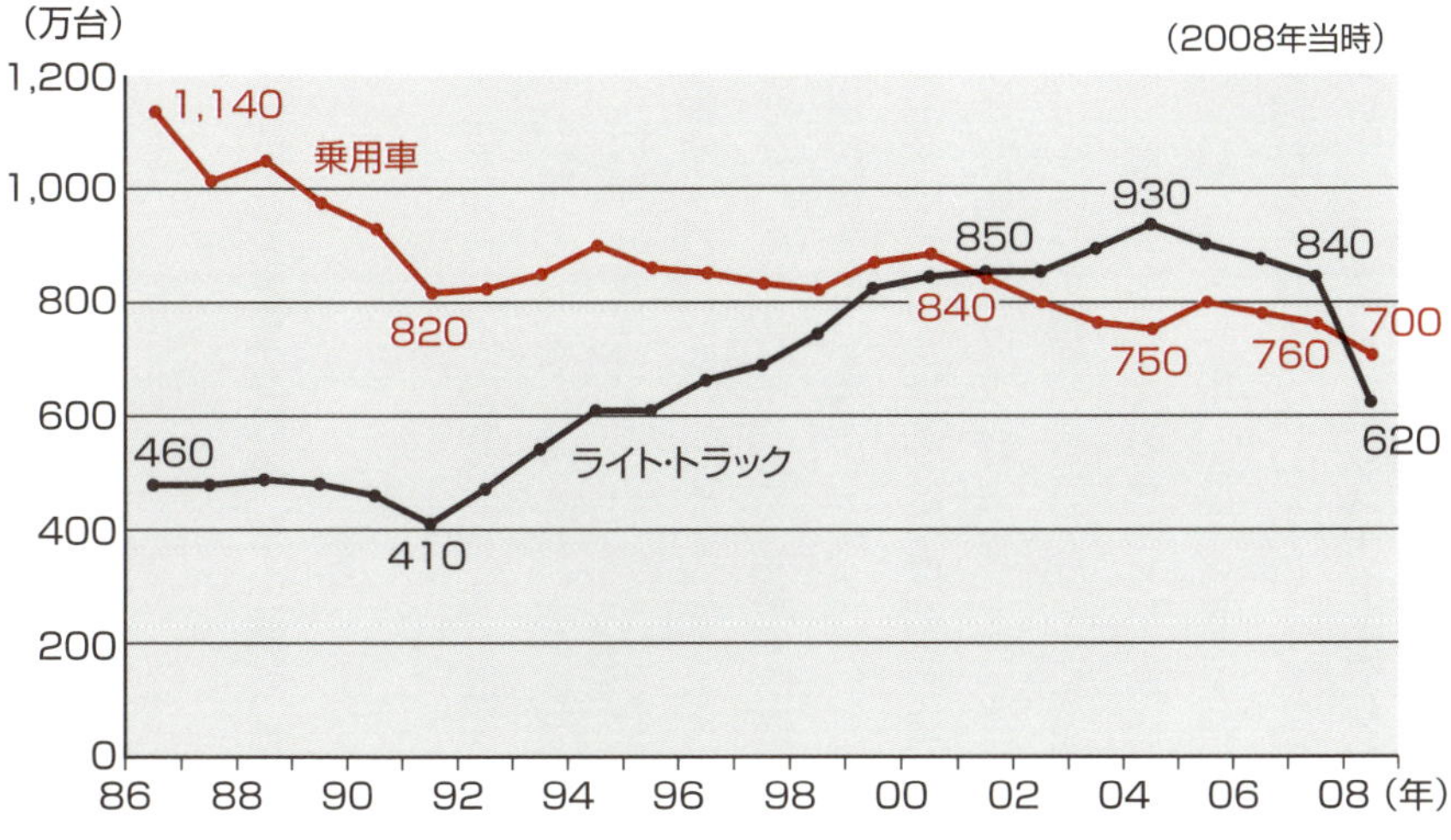

（出所）世界自動車産業フォーラム　2009年3月6日

用語解説

***企業平均燃費（CAFE）規制**　米国では、1973年頃の石油危機を契機に、乗用車・小型トラックに対する企業平均燃費規制が導入された。従来の乗用車の基準値11.7km/Lと小型トラックの基準値9.4km/Lがともに、2020年には、14.9km/Lに引き上げられる法案が成立した。CAFEとはCorporate Average Fuel Economyの略。

4 米国ビッグスリーの製品開発面での弱さ

ビッグスリーの車には、長年、エンジンやプラットフォームの進化がほとんど見られず、車の機能、性能、燃費で見劣りがします。

●軽視された製品開発

金融危機によってGMとクライスラーの二社が二〇〇九年に破産法申請に追い込まれ、残るフォードも経営危機に陥りました。このような事態に陥った背景には、短期、中期、長期の三つの原因が考えられます。

短期的原因は、資金繰りが困難になったことです。中期的原因は、収益の上がるライト・トラック・セグメントに傾注したことです。長期的には乗用車開発の手抜きが原因と思われます。

ビッグスリーの車には、長年、エンジンやプラットフォーム*の進化がほとんど見られず、車の機能・性能・燃費で日本車と比較して見劣りします。規模の経済を過度に追求した結果、一つのプラットフォームから多数のモデルを作って部品の共通化を推進するために、デザインが軽視されました。それにもかかわらず、ビッグスリーの開発生産性とコスト競争力の低さは目立ちます。車のエンジンにパラダイムシフトが起こっているにもかかわらず、ハイブリッド車や電気自動車などへの環境投資を怠ってきました。これらすべては、株主利益を最重要視し、長期的な製品開発投資を犠牲にして、短期的に利益を追求した結果ともいえます。

ビッグスリーは製品開発で車のデザインや品質、信頼性を高めて商品力を向上させ代わりに、販売促進に重点を置きました。また、車の販売よりも金融ビジネスで大きな収益を上げてきました。ローン事業を、GMは**GMAC**に、フォードは「**フォード・クレジット**」に、クライスラーは「**クライスラー・クレジット**」に行

用語解説

＊**プラットフォーム**　車のフレーム、サスペンション、ステアリング、パワートレインが含まれ、自動車の基本部分である「車台」と呼ばれる部分を指す。複数のモデルで共有され、車の開発コスト削減に寄与している。

わせました。そして、二〇〇七年からの金融危機でローンが焦げ付き、深い痛手を負いました。

●遅ればせながら小型車開発へ

しかし、ビッグスリーの最大の問題は、燃費の良い小型車を開発・販売できなかったことでしょう。GMやフォードは自社で低燃費小型車を開発できないため、他のメーカーと提携することでそれを補完しようとしました。今回の経営危機を教訓に、GMやフォードは、EVや戦略小型車の設備を刷新しました。GMは二〇三五年までにすべての乗用車、SUV、ピックアップ・トラックをEV、FCVにする努力をすると公表し、フォードも、二〇三〇年までに欧州で販売するすべての乗用車、商用車の三分の二をEVかプラグインハイブリッド車にするとしています。

　米国バイデン政権は二〇三〇年までに新車（乗用車と小型トラック）の五〇％以上を、EVと燃料電池車にする方針を示しました。GMは自社開発のモジュール式EVプラットフォームによって、様々なEVを開発しようとしています。

2016年発売のシボレー・ボルト

（写真提供）ゼネラルモーターズ・ジャパン株式会社

5ドアハッチバックタイプの電気自動車。シボレーとLGグループが共同で開発した。『モータートレンド』誌の2017年度カー・オブ・ザ・イヤーをはじめ、数々の賞を受賞している。

5 GMが破産し、新生GM誕生

新生GMはブランド数を絞り、労働者やディーラーも削減し、工場も四七から約三〇へと削減してスリムになりました。そして、社内力学よりも顧客の声を重視するようになりました。

●GMの株が急落し、ついに破産

金融危機により、二〇〇八年一〇月のGMの新車販売台数は前年同月比四五％減となり、GMは経営危機に陥りました。米国政府はGMとクライスラーにつなぎ融資を実施しました。しかし、二〇〇九年五月にはGMの株価が〇・七五ドルまで急落し、一九三三年以来七六年ぶりに一ドルを割り込んでしまいました。

二〇〇九年六月、GMは連邦破産法第一一章の適用を申請しました。負債総額は約一六兆円であり、製造業としては世界最大です。米国政府がGMの大株主となり、実質的に国有化されて再建を目指します。二〇〇九年七月、優良資産譲渡を完了し、破産法管理下から脱却して「**新生GM**」が正式に発足しました。

●スリムな新生GM誕生

新生GMは一〇一年目に迎えた第二の創業となり、社名を「**ゼネラルモーターズ・コーポレーション**」から「**ゼネラルモーターズ・カンパニー**」に変更しました。政府によりCEOのワゴナーが更迭され、新たにヘンダーソンが就任しました。GMは三つの「C」を変革の最重要課題に据えています。それは「顧客重視(Customer)」「車(Car)」「企業文化(Culture)」です。開発を終えたばかりの「ビュイック」の小型SUVは、事前公開で顧客の反応がよくなかったために、発売が中止されました。また、GMは経営委員会を設置し、意思決定を速め、顧客目線の徹底化を図っています。このように、GMの企業体質が変わり、顧客の声を重視するようになってきました。

新生GMでの最大の変化は「資本構成」と「財務内容」です。ポンティアック、サターン、ハマーを廃止し、オペルも切り離して、シボレー、キャデラック、ビュイックなどの四ブランド主体となりました。これに伴って販売台数も縮小し、労働者数、ディーラー数も削減しました。工場も四七から約三〇に減少しました。例えば、トヨタとの合弁工場であるNUMMI*からGMは撤退しました。NUMMIでは乗用車「ポンティアック・バイブ」を生産していましたが、経営再建のため「ポンティアック」ブランドを廃止したからです。工場労働者の時給も二八ドル以下になりました。

旧GMの幹部の多くは会社を去りました。二〇一四年には大手自動車メーカーでは初の女性CEOが誕生しました。しかし、二〇一四年にGMは大規模なリコールを発表、エンジンが停止してハンドルが動かなくなったり、エアバッグが作動せず死亡事故につながる欠陥が見つかったからです。新生GMの成否は、商品力を高めて安全で魅力的な車を発売できるかどうかにかかっています。

GMの破産前後の純利益の推移

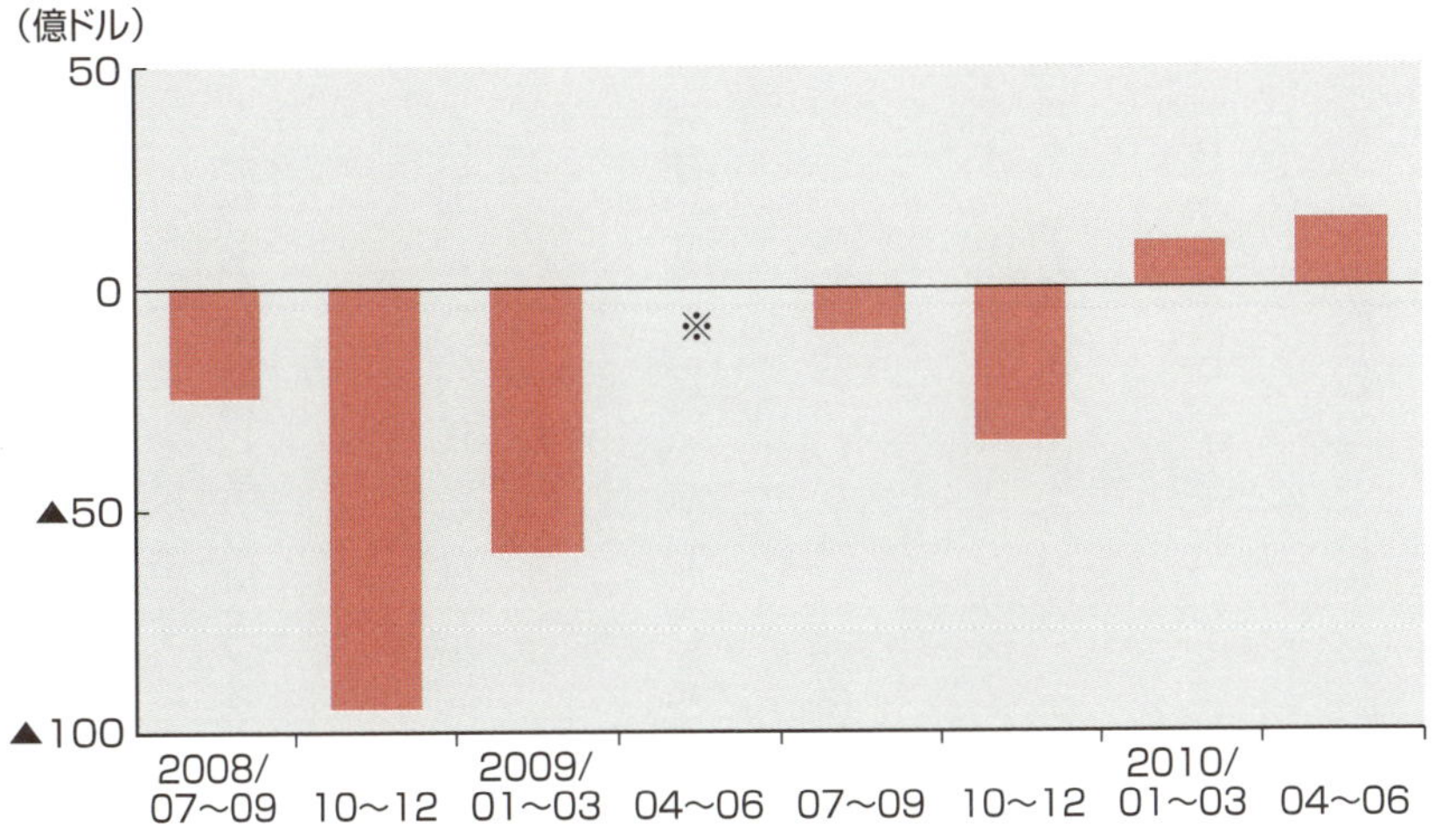

※連邦破産法11条適用に基づく法的整理のため、決算発表なし

(出所)GM社公表資料

用語解説

＊**NUMMI**　トヨタとGMは、1984年にカリフォルニア州フレモントに折半出資でNUMMI(ヌーミ)合併工場を設立した。しかし、GMの再建計画に基づき、同工場で生産されていたGMの「ポンティアック・バイブ」の生産が打ち切られた。トヨタも同様に2010年に「カローラ」や小型トラック「タコマ」の生産を打ち切った。

6 クライスラー破産、フォード経営危機

クライスラーは破産し、技術開発の空洞化の穴を埋めるために、フィアットと提携しました。フォードは経営危機を乗り越えて回復基調に。

●クライスラーは破産

クライスラーは過去にも経営危機に陥ったことがあり、ビッグスリーの中で最も将来性に不安があります。石油危機後、小型車の開発が遅れ、一九七八年に赤字を出し、翌年に総額一五億ドルの政府融資保証を受けました。**小型車Kカー***を投入できたのは、一九八〇年です。一九九八年にはダイムラー・ベンツとの合併によって技術開発をダイムラーに依存するようになりました。二〇〇七年の合併解消後、クライスラーの技術の空洞化が露呈し、ハイブリッド車などの環境技術開発にも遅れをとってしまいました。二〇〇七年にダイムラーからクライスラー株を引き取ったサーベラスは投資ファンドで、目的はクライスラー株を高値で転売することにあったため、長期的な技術開発は無視され、さらなる技術の空洞化が起きました。

クライスラーは、金融危機の中で二〇〇九年四月に米連邦破産法第一一章を申請しました。新生クライスラーは優良事業を引き継ぎましたが、二〇〇九年八月の米国市場シェアは七・四%しかなく、日産や韓国の現代自動車にも抜かれました。新生クライスラーも単独では生き残れないとの判断のもと、イタリアのフィアットとの資本・業務提携で再生を図ることになりました。

新たな持株比率はUAWが五五%、フィアットが二〇%、米国政府が八%です。フィアットが二〇%の株式取得に支払った金額はゼロでした。その代わり、フィアットの小型車技術やエンジンをクライスラーに

用語解説

＊**小型車Kカー**　クライスラーは、1970年代のオイルショックを乗り越えるため、リー・アイアコッカをフォードより迎えて、厳しいコスト削減を行い、1980年、念願の小型車Kカーを市場に投入することができた。

提供し、欧州や南米など北米以外の市場にも進出可能になりました。新生クライスラーのCEOには、フィアットの**セルジオ・マルキオーネ**が就任しました。二〇一四年、米国市場でフィアット・クライスラー・オートモービルズは大幅に販売を伸ばし、順調に業績を伸ばしています。

●フォードは経営危機

フォードは、ビッグスリーの中で唯一、政府の支援を受けませんでした。それは、CEOムラーリーの的確な経営判断によります。まず二〇〇六年に、二三五億ドルの資金を調達し、金融危機が深刻化する前の二〇〇八年三月には、インドの**タタ・モーターズ**に「**ジャガー**」と「**ランドローバー**」を売却するなど、着々とリストラを進めたからです。一方で、債権者からは一兆円規模の債務免除を受けました。フォードは「フォード二〇二〇ビジョン」を定め、世界販売台数九四〇万台を目標に取り組みました。しかし、二〇二〇年の結果は四一八万七〇〇〇台でした。

2007年当時の米国小型自動車市場シェア

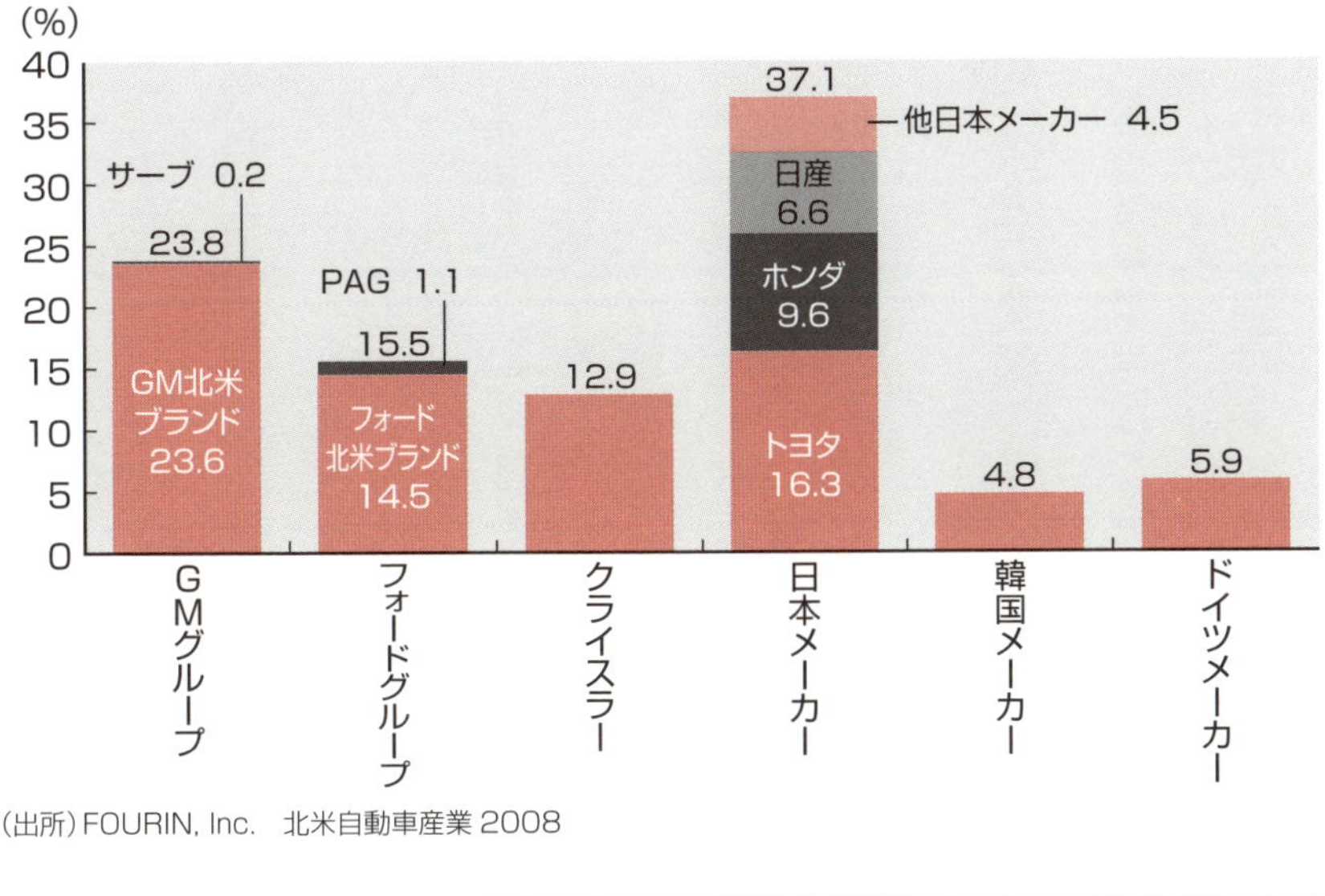

(出所) FOURIN, Inc.　北米自動車産業 2008

金融危機と日系メーカーの業績悪化 7

金融危機によって販売台数が低下し、これに円高が加わったため、わが国の自動車メーカーは業績に深刻な影響を受けました。

●金融危機後の過剰設備と過剰人員

サブプライムローン問題に端を発した金融危機は、米国のみならず、日本の自動車メーカーにも販売台数の低下をもたらしました。これに円高が加わり、わが国の自動車メーカーは深刻な影響を受けました。

過去、激しい円高トレンドや各国での経済変動をしなやかにかわした日本車メーカーのファンダメンタルズの底力を、なぜこのときは示すことができなかったのでしょうか。それまでにも販売台数の落ち込みや円高はありましたが、トヨタは赤字決算にはなりませんでした。このときは海外での工場建設件数の増加により、設備投資と人件費という固定費が最大になったためと考えられます。過剰設備と過剰人員に陥って内部留保を食いつぶしてしまったのです。

一方、ホンダは二〇〇八年度、黒字でした。企業規模でトヨタにかなわないため、「生産を上回る販売、販売を上回る開発」という合言葉が示すように、過剰な設備投資や生産能力の保持を避けてきたからです。既存設備の改造と休日勤務で対応し、設備投資を抑えてきたため、需要が落ち込んだ場合、過剰設備になりにくかったのです。

●金融危機後の過剰在庫

二〇〇九年三月の米国における**販売在庫日数***は、トヨタ六四日、ホンダ九二日、日産六二日でした。在庫日数が延びると販売店の費用がかさみ、一〇〇日を超えると危険といわれます。資金回収までの期間が長くな

用語解説

***販売在庫日数**　月末の在庫台数を、その月の１日当たりの平均販売台数で割った値。

り、工場の稼働率を低下させます。在庫日数の適正水準は六〇日以下です。ホンダの在庫日数が長いですが、トヨタや日産と異なり、大型トラックやSUVに進出せず燃費の良い車を中心に据えていたため、問題になりませんでした。北米市場ではトヨタ、日産がピックアップ・トラックで利益を得ようとしましたが、ビッグスリーと同様に販売が低下しました。高額なピックアップ・トラックの購入者は、住宅価格上昇によってカーローンを組んだ人が多く、二〇〇八年には住宅価格下落などの理由で売れなくなったのです。自動車ローン希望者の四〇%がローン対象外になりました。

一方、日本の自動車メーカーは在庫調整のため、二〇〇九年初頭まで急激に生産台数を減らし、**派遣切り**も問題になりました。今後、日本の自動車メーカーは、米国市場で環境対応車をより多く販売していく必要があります。国内では、小型車が軽自動車にシェアを奪われました。ホンダはN-BOXで軽自動車のシェアを急激に高めました。日産は三菱自動車から**OEM供給**を受けていましたが、二〇一一年に合弁会社を設立し、軽自動車を共同開発して販売しています。

日本の自動車メーカー 8 社の生産台数（当時）

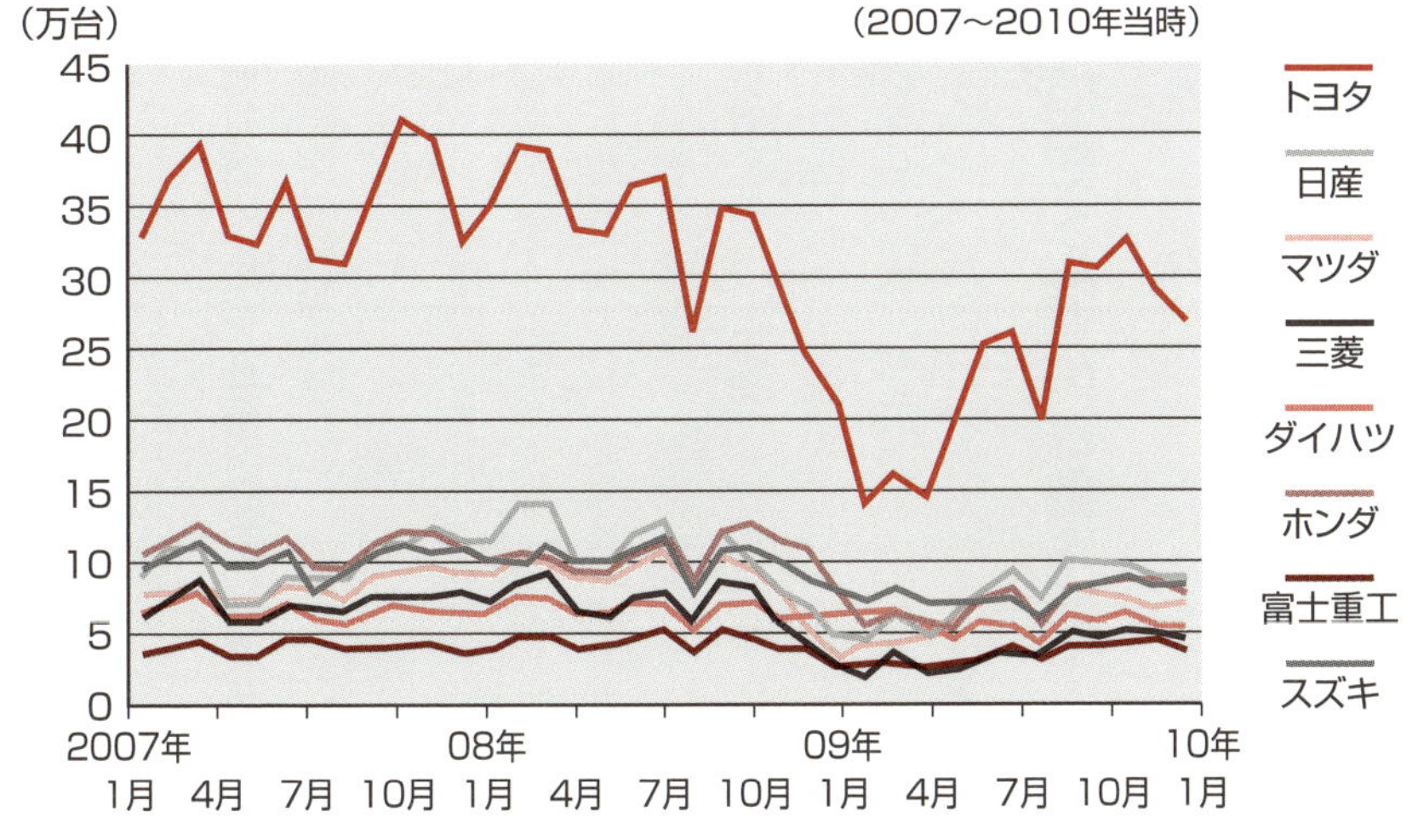

（出所）日本自動車工業会データベース

8 トヨタ、販売台数で世界一に

トヨタは二〇〇八年に世界販売台数で一位になりましたが、金融危機によって急激に販売が落ち込み、拡大戦略に伴う過剰な設備投資が災いして、二〇〇九年三月期に営業赤字に転落しました。

●「グローバル・マスタープラン」に基づく拡大戦略

トヨタは二〇〇八年度に世界販売台数で念願の一位になったにもかかわらず、二〇〇九年三月期に七一年ぶりに連結、単体ともに営業赤字に転落しました。トヨタはシェア一位になることを渇望していましたが、それがかなった年に赤字に陥ったのは皮肉なことです。

二〇〇八年秋以降の金融危機によって販売台数減少と円高がトヨタを直撃しました。トヨタは一ドル一〇〇円以上の円高になれば固定費をカバーできません。一円の円高で四〇〇億円の損が出ました。

急激な設備投資を伴ったトヨタの拡大戦略は、「**グローバル・マスタープラン**」に基づくものでした。このプランは、二〇〇二年に策定された、世界シェア一五％を目標とした中長期的な生産・販売計画でした。二〇〇八年に販売台数でGMを超えて世界一位になるために、九八五万台を目標にしました。

その実現のために、トヨタは二〇〇四年から二〇〇九年の五年間で海外生産工場を五つ新設し、従業員数は二〇〇四年比一・二倍の三二万人、総資産も一・五倍、生産能力は一〇〇〇万台へと急拡大したのです。

●金融危機で工場の稼働率低下

トヨタの国内生産台数は、二〇〇八年夏がピークで、一日約一万八〇〇〇台でした。二次、三次部品メーカーがこれに合わせて設備を増強したところを金融危機が襲い、国内生産台数は、一日約七〇〇〇台にまで落ち込みました。二〇〇九年一〜三月平均のトヨタの工場稼働率は、欧州で五五％（生産能力八二・五万台）、アジアで四八％（生産能力一三七・六万台）、日本で五三％（生産能力三八五万台）、米州で四一％（生産能力一九四・五万台）と半減しました。

二〇〇九年二月、世界中の七四の生産ラインのうち、二七ラインで二直を一直へ変更しました。しかし、**生産調整**をするタイミングが遅れ、二〇〇八年春から在庫増になりました。テキサス工場ではピックアップ・トラックの「**タンドラ***」を一車種専用ラインで生産しており、車種変更が難しいため、二〇〇八年八月から「タンドラ」の製造ラインを三カ月停止しました。

これによって、従業員の給料と設備投資の費用を垂れ流し、手元資金を約二兆円失いました。北米市場では二〇〇七年、小型車の販売が増加しましたが、トヨタはその流れを読めず、大型・高級車路線へ走りました。二〇〇九年には大規模リコールが発生し、トヨタは危機的状況に陥りました。しかし、その後二〇一一年に再び世界販売台数一位となり、急速に業績を改善させました。

トヨタの営業損益変化要因

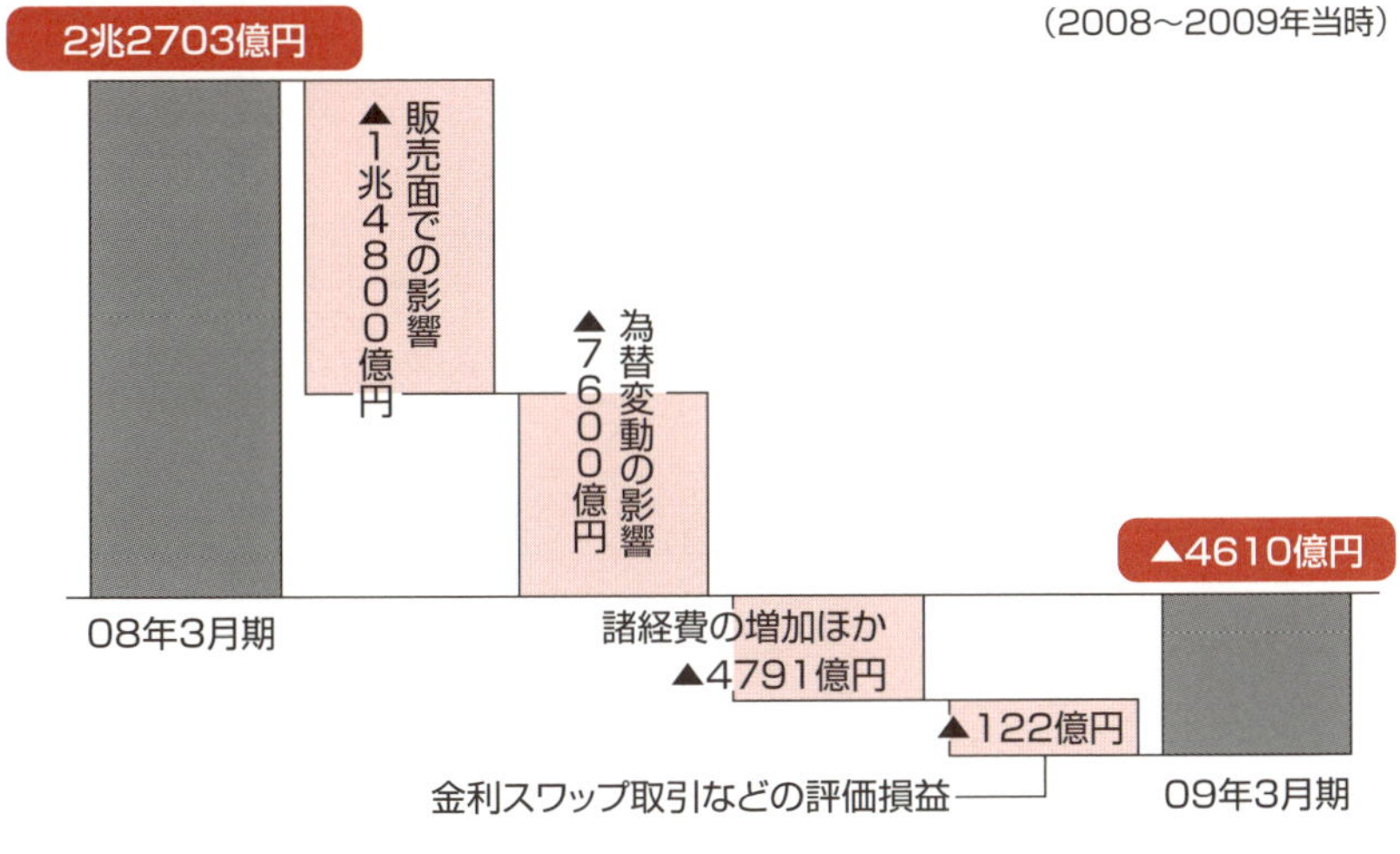

(出所)トヨタ自動車株式会社決算報告書

用語解説

*タンドラ (Tundra)　北米トヨタが販売するフルサイズピックアップ・トラックで、車名はツンドラからとられた。リアにはトヨタマークが使われておらず、「TOYOTA」と英語表記されている。タンドラは、ビッグスリーの車と競合しないようにやや小さめに作られているため、販売面で不利となった。

9 金融危機と欧州自動車メーカー

欧州自動車産業も金融危機の影響を受けて販売が減少しました。各国政府は早い段階で買い替え優遇などで自動車産業を支援し、需要を回復させました。

●サーブとオペルが経営破綻

欧州自動車産業も、北米や日本と同様に金融危機の影響を受け、二〇〇八年の生産台数は一八四二万台で対前年比七％減、新車市場は六一六万台で八％減となりました。ドイツ、イギリス、フランス、スペインなどでは減産や解雇が相次ぎました。

二〇〇九年二月にはGM傘下のサーブが経営破綻しました。GM傘下のオペルも経営危機に陥り、工場で働く約四〇〇〇人の雇用を維持するため、売却することになりましたが、二〇〇九年一一月、GMは独オペルの売却を急きょ撤回し、オペルは自力再建することになりました。GMが売却を撤回した理由は、米国でのGMの販売が前年比プラスに転じ、中国でも二〇〇九年一～九月の販売台数が過去最高を記録するなど、経営環境が改善した上に、オペルの中・小型車技術を今後GMが必要とするからです。

二〇〇八年秋頃からの急激な販売不振に対し、ドイツとフランス政府は早い段階で自動車産業を支援しました。ドイツでは**新車買い替え優遇**で需要が回復しました。しかし、ドイツで売れたのは小型車で、ダイムラーやBMWの販売は大幅なマイナスでした。値引き競争も加速しており、フォルクスワーゲンは販売台数こそ回復しましたが、二〇〇九年一～三月期の最終利益は前年同期比七四％減となりました。フランスはルノーとプジョー・シトロエンにそれぞれ三〇億ユーロの低利融資を行いました。

イギリスの乗用車の新車販売台数も、二〇〇八年一一月、前年同月比で三六・八%減と落ち込みました。イギリス政府は二〇〇九年五月、一〇年以上の中古車を廃車にして新車を買うと二〇〇〇ポンド（約二八万円）支給するという廃車助成金*の制度を導入しました。

その後、二〇〇九年末からの欧州債務危機により、欧州自動車メーカーの販売はさらに落ち込み、工場閉鎖やリストラが行われています。

● EVへシフトする欧州

欧州では**クリーンディーゼル**の信仰が厚かったのですが、フォルクスワーゲンがディーゼルエンジンを載せた車の排ガス規制を逃れるため、不正なソフトウェアを使っていたことが問題になり、環境対応車がディーゼルエンジン車から電気自動車にシフトしています。

電気自動車には、フランスやドイツが積極的に投資しています。**EUの排ガス基準**は厳しく、CO_2排出量をキロメートル当たり九五グラムまで削減する必要があり、それをクリアできない場合、各社は罰金を支払います。大型車を持つBMWやベンツ、ボルボなどは、排ガス基準のクリアに困難を極めています。

ロシアにおける日系自動車メーカーの生産拠点（2009年当時）

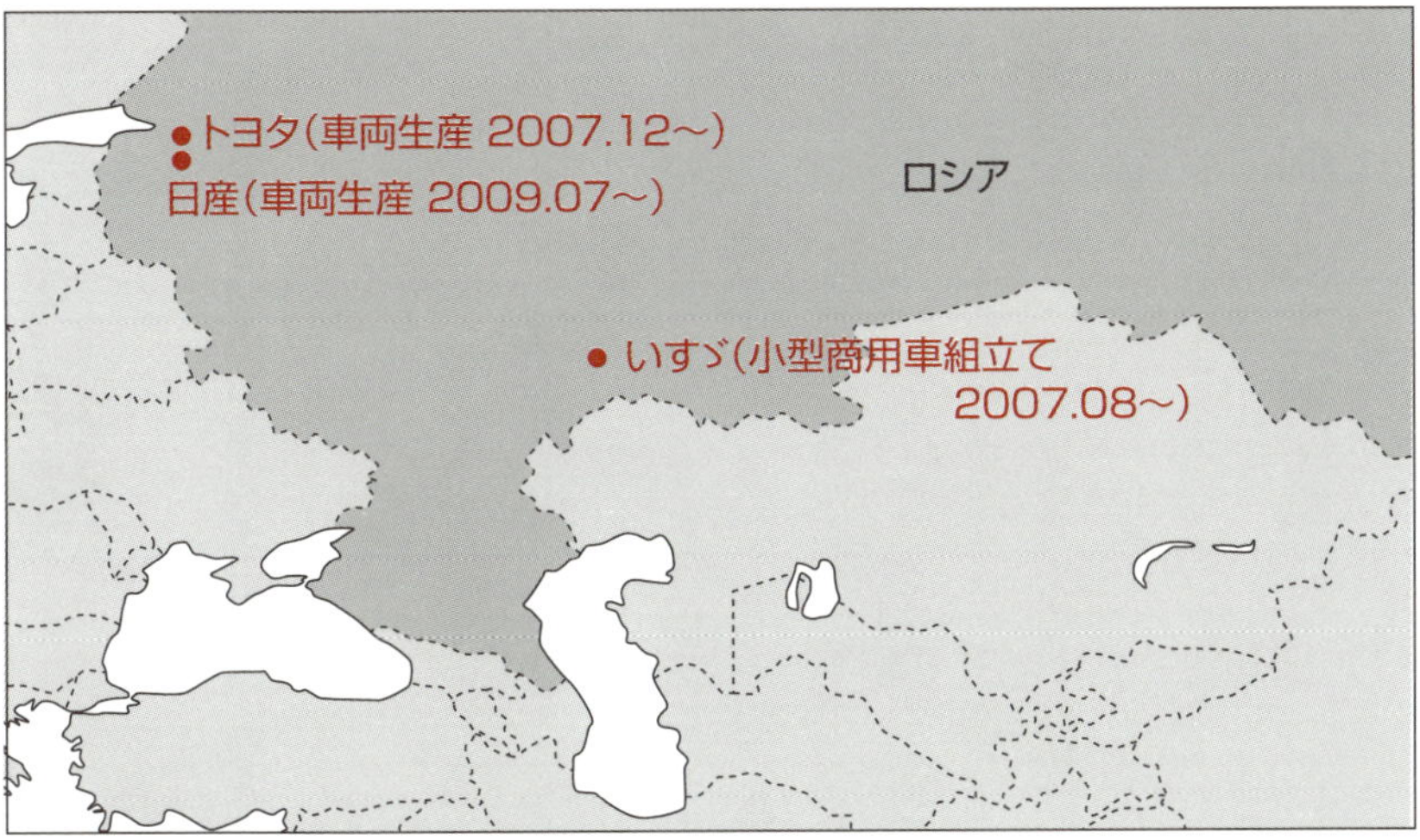

（出所）日本自動車工業会

用語解説

*廃車助成金　乗用車買い替えの際、環境標準を満たしている新車の購入を条件に、古い車の廃棄に対して補助金を支給する制度。

金融危機後の米国自動車市場

10

販売台数で世界一の座を中国市場に明け渡した米国市場では、今後、低価格小型車やエコカーが増大するでしょう。韓国の現代自動車の価格優位性も無視できません。

●米国自動車市場

金融危機で企業倒産が増加し、失業率が上昇してローン査定が厳しくなった結果、米国の自動車市場は縮小しました。二〇〇七年まで年間一六〇〇～一七〇〇万台の販売台数を誇ってきましたが、二〇〇九年には約一〇〇〇万台に減少し、世界一の座を中国市場に明け渡しました。自動車業界の刺激策として、多くの国が低燃費小型車への買い替え補助を行った結果、自動車市場が回復しました。

米国では車が移動の手段であり、大都市以外は**公共交通機関**が整備されていません。車は生活必需品であり、米国では車の使用期間が平均一三年なので、買い替え需要が生じます。**オバマ政権**が環境対応車の促進政策をとったため、その後の低燃費小型車やエコカーの販売に追い風となりました。日本のメーカーは今後も米国市場に大きく依存しつつ、新興国市場でも販売を伸ばしていかなければなりません。高級車、大型車で多くの収益を上げてきた日本のメーカーは、新興市場の拡大に伴い、小型車主体の販売への転換を迫られます。金融危機でビッグスリーは大きな痛手を負いましたが、すでに立ち直りつつある米国市場を背景に環境車や小型車の設備投資を進めています。今後は、日本メーカーが得意とする中・小型車セグメントで日米のメーカーの競争が激化するでしょう。

●NUMMIの工場閉鎖

日本の自動車メーカーの米国現地工場がスタートし

てからすでに数十年が経過しており、労働者の高齢化が進んでいます。トヨタやホンダのレガシーコストも将来的には悩みの種になっていきます。

また、近年の米国市場でシェアを拡大してきた韓国の**現代自動車**の価格優位性も無視できません。日米自動車産業の協調のシンボルであったトヨタとGMの合弁工場NUMMIも二〇一〇年四月に閉鎖しました。

GMはすでに、二〇〇九年六月に破産法を申請して同工場から撤退しています。**UAW**の組合員約四五〇〇人が働いていましたが、工場閉鎖決定を受けて、トヨタは生産していた「**カローラ**」やピックアップ・トラック「**タコマ**」を他工場に移しました。NUMMIではトヨタがGMから従業員管理方法を学び、GMはトヨタ生産方式を学習しました。NUMMIの工場閉鎖に伴い、トヨタは従業員に「**財政支援金***」を支払いますが、GMは支払いません。

米国市場ではテスラなどのEVメーカーの参入によって競争が激化していますが、米国の消費者の信頼を獲得することが、競争を勝ち抜く鍵となるでしょう。

日系自動車メーカーによる米国内生産拠点*

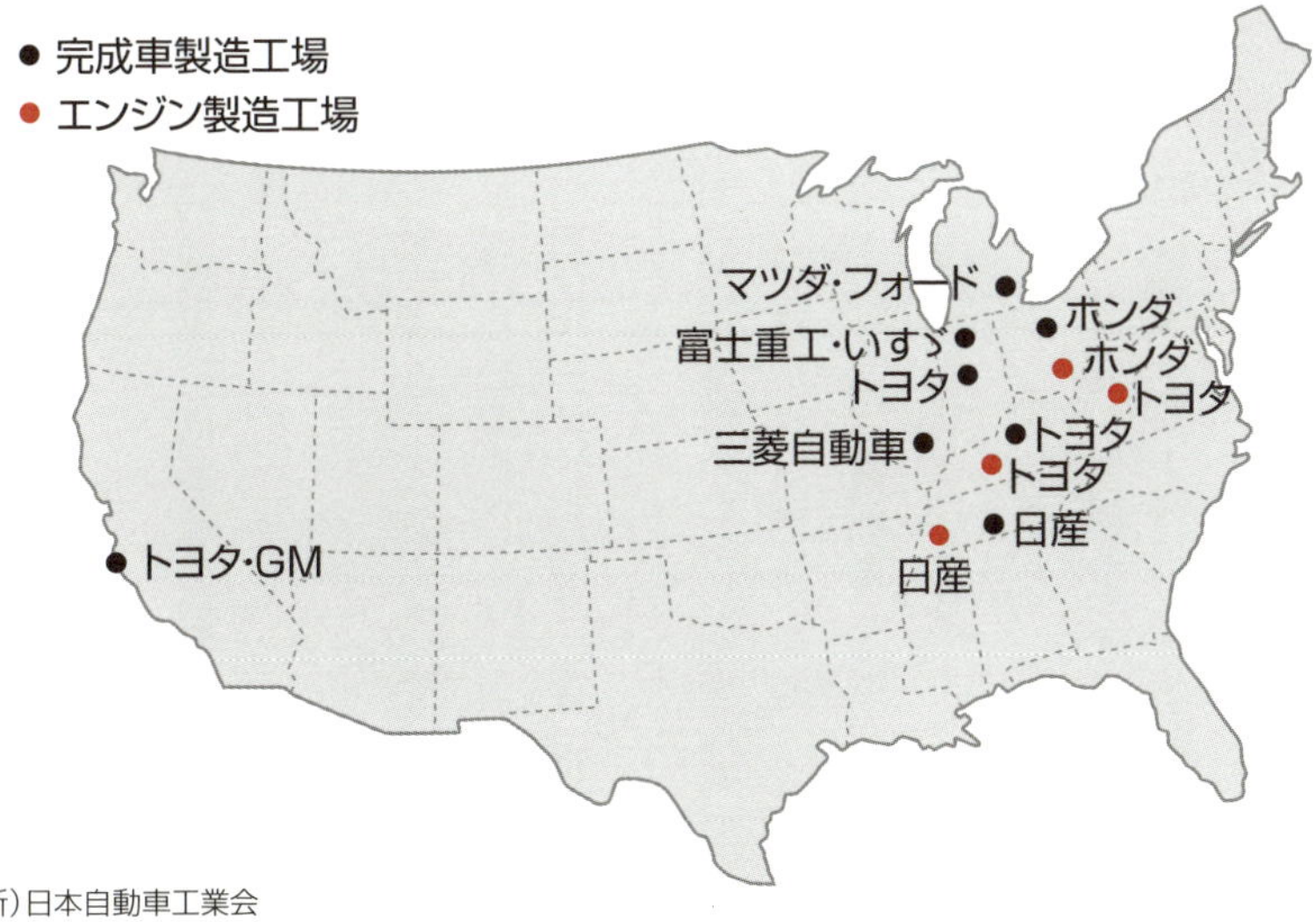

（出所）日本自動車工業会

用語解説

***財政支援金**　トヨタとGMの合弁工場「NUMMI」の従業員約4500人が加入する全米自動車労組（UAW）支部は、同工場の閉鎖計画を承認した。トヨタは、従業員への財政支援金を2億5000万ドル（約226億円）から3000万ドル積み増すことを明らかにした。

***…生産拠点**　図は2008年現在。

11 金融危機後の世界自動車産業

世界の自動車販売は、世界金融危機により急激に落ち込みました。自動車市場も自動車の製品技術も転換期にさしかかっており、自動車メーカーは厳しい競争に直面しています。

●世界的な業界再編へ

二〇〇八年には金融危機の影響を受けて、世界七七カ国の自動車販売は前年比四・七％減の六七九五万台に、世界四六カ国の自動車生産は三・八％減の七一五八万台に低下しました。〇八年第四四半期からほとんどの国で生産・販売が減少した関係で最悪期は〇九年となり、世界の自動車販売は五八〇〇万台へと一〇〇〇万台減少しました。これにより、一三〇〇万台分の過剰能力が新たに発生しました。世界の自動車メーカーは在庫を圧縮する一方で、拡大計画を中止し、工場閉鎖・人員削減を含む生産体制の見直しを進めました。販売減により、各社の固定費負担が増大し、財務体質と製品力の劣る自動車メーカーが経営危機に陥りました。GM、クライスラー、サーブ、オペルは経営破綻しましたが、多くの自動車メーカーも巻き込んで世界的な業界再編が始まりました。その後、世界の自動車販売市場が回復して一六年には九〇〇〇万台を突破。競争の焦点となる低価格小型車や環境技術、自動運転技術等をめぐって競争が始まりました。

究極のエコカーとなる**電気自動車**の出現によって、自動車産業自体の変化も起きています。ガソリン自動車の部品点数は三万点もありましたが、電気自動車では三分の一程度で済みます。日本の自動車メーカーの強みは、系列*の部品メーカーからなる垂直統合型の**ピラミッド構造**にありました。部品生産量の減少により、存続が危ぶまれる部品メーカーも出てくるでしょう。モーターや電池関係のベンチャー企業の新規参

用語解説

＊**系列**　わが国の自動車業界、は一次、二次、三次というように、自動車メーカーとの納入関係をもとに階層化されている。特に一次品メーカーに対して、自動車メーカーは資本参加、役員派遣という結び付きによって、これまで取引関係を強固にしてきた。

入もあるでしょう。その結果、系列は崩壊しかねません。電気自動車ではモーターや電池が車の付加価値を決める主要部品となるため、それを内製できないならば、完成車メーカーでさえ競争力を失います。

●新興国で製造し先進国へ

主たる自動車市場も移行しつつあります。フォルクスワーゲングループの販売台数は、二〇〇九年の上期、中国の市場がドイツの市場を上回りました。新興国で製造した車が先進国に逆流する形が主流になる可能性もあります。実際に、三菱自動車の「ミラージュ」はタイの工場で生産し日本に輸出しています。日産の主力車「マーチ」は、全面的にタイに生産を移管し、コスト競争力をつけて日本でも販売しています。ホンダも、世界での低価格小型車需要の増大を機に、最量販車種「**フィット**」の国内モデルにおける海外部品調達比率を高めました。

販売台数で劣るテスラの時価総額が、大手自動車メーカーをはるかに超えるなど、現在の自動車業界は、市場も製品技術も転換期にさしかかっています。

世界電動車市場規模推移（2008 ～ 2020 年）

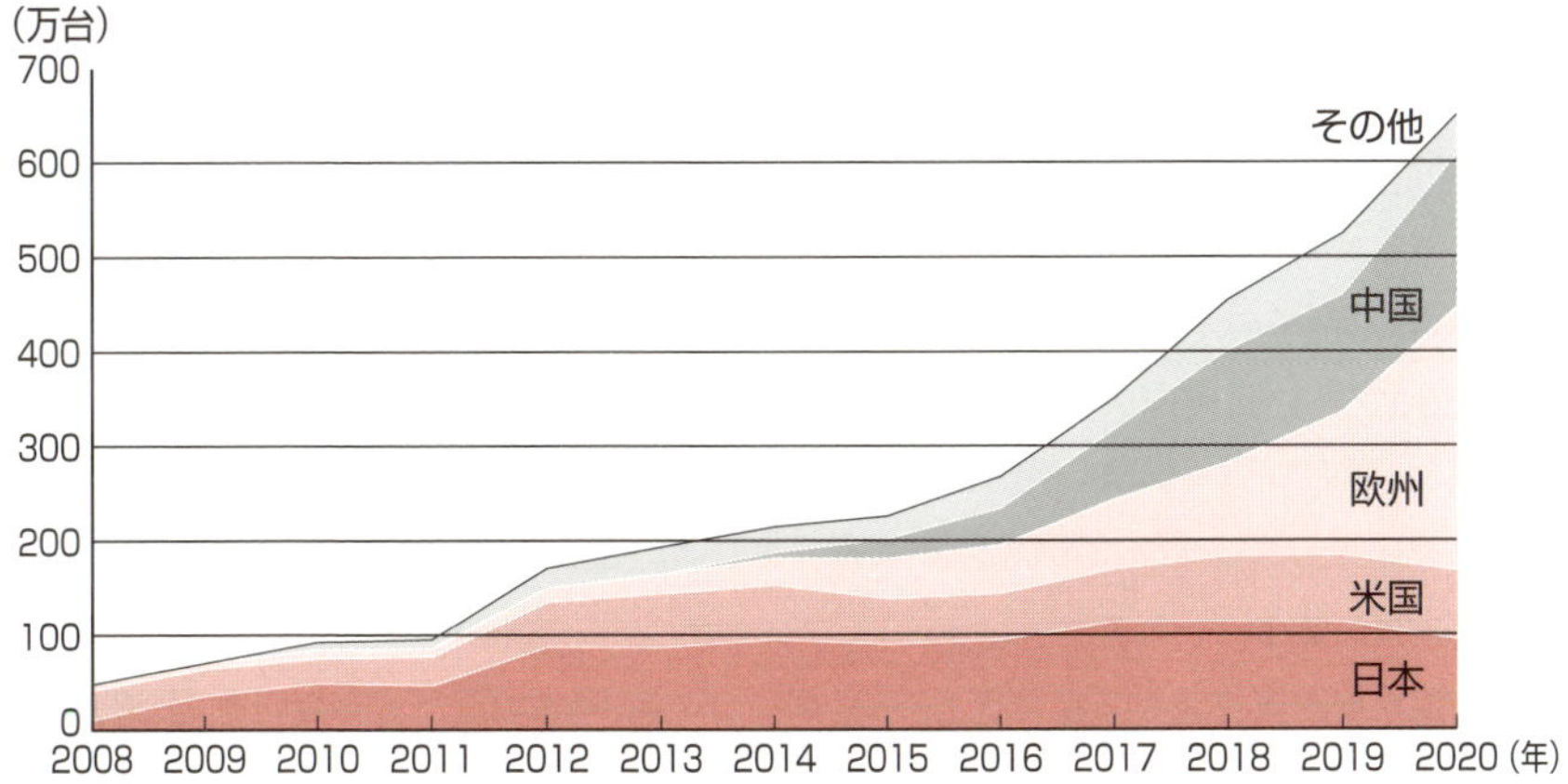

注）小型自動車のハイブリッド車（HV）、プラグインハイブリッド車（PHV）、電気自動車（EV）の販売が対象。HV にマイルドハイブリッド車（MHV）を含む。一部水素燃料電池車（FCV）を含む。中国は 2014 年まで生産台数ベース。各国自工会およびそれに準ずる機関のデータ、各社広報資料、各種報道などの情報から推定算出。

（出所）FOURIN 世界自動車調査月報（22）No.432, 2021.8

column

ハイブリッド車はどのくらいお得か？

ガソリン車と比べて、**ハイブリッド車**はどのくらいお得なのでしょうか。

ハイブリッド車の価格は、同じ排気量のガソリン車に比べ、購入時の政府の一時的減税額を差し引いても30～40万円くらい高額です。これでも以前よりはだいぶ買いやすくなってきました。この30～40万円の価格差を、ガソリン代によって、いつの時点で回収できるかというと、ハイブリッド車の保有期間が短いうちは、むしろ高くつきます。では、保有期間が長くなるとどうなるでしょうか。

ハイブリッド車がガソリン1L当たり38km走行し、年間12,000km走ると、1L150円のガソリンの場合、年間47,400円（316L）くらいかかります。これに対して、1L当たり13km走行するガソリン車で同距離を走ると、同じガソリンで年間138,450円（923L）くらいです。つまり、ハイブリッド車を使用した場合、138,450－47,400＝91,050円が年間の節約額となります。したがって、ガソリン車より40万円高いハイブリッド車を所有して節約感を味わうには、4年から5年以上所有し続けなければなりません。

しかし、車の維持費という場合、「自動車税」や「保険料」など燃料以外の費用がかかります。自動車税は、「2005年基準排出ガス75％低減レベル」と「2010年度燃費基準＋20％」という条件を満たせば、75％の減額が受けられます（2012年4月1日～2016年3月31日）。さらに、自動車重量税（2012年５月１日～2015年３月31日）と、自動車取得税（2012年４月１日～2015年３月31日）は、免税になります。

保険料は、日本の多くの保険会社がハイブリッド車を3％割引にしており、米国では、10％割り引く保険会社もあります。米国では、ハイブリッド車を購入する人は緻密な行動をとる傾向があり、乱暴な運転をしないとされているので、大幅な割引率となっています。

燃料費と維持費を考慮すると、ハイブリッド車を4年以上所有しないと「お得」にはなりません。しかも、所有期間が6年目以降になると、経済的に大きく得をするとは言い切れません。電池交換を考慮しなければならないからです。将来安くなる可能性があるとしても、現状では少なくとも10万円以上の出費を覚悟しなければなりません。

ハイブリッド車以外にも、EV、燃料電池車の検討が必要かもしれません。しかし、現時点では充電設備、メンテナンス費用などに不確定要素が多く、比較が困難です。

第3章

世界の自動車産業の発展

米国、欧州や日本の自動車メーカーは、それぞれの市場ニーズを背景に、特徴のある自動車の開発と生産方式を確立してきました。しかし、企業のグローバル化とともに、世界戦略車が必要とされる一方で、現地専用車も販売されています。本章では、いま、自動車メーカーが生き残るために必要とされるものは何かを考えていきます。

1 フォードの大量生産方式

米国自動車産業の繁栄の基礎を築いたのは、フォード生産方式だといっても過言ではないでしょう。その後、多数モデルとモデルチェンジを実現したGMの「フレキシブル大量生産方式」に対して競争力を失いました。

●フォードの大量生産方式

ヘンリー・フォードが**T型フォード**を一九〇八年に生産開始し、一九一〇年には新設の**ハイランド工場**で大量生産体制を整えました。黒の塗料が最も速く乾き生産性が上がるため、黒色一色に統一しました。また、流れ作業の組立生産方式は、のちに**フォード生産方式**と呼ばれ、徹底した分業によって、熟練工でなくとも作業できるようになりました。それ以前は、ピケット・アベニュー工場で熟練工による「**定置組立方式**」をとっており、部品は互換性に問題があったため、やすりで修正していました。

流れ作業の「フォード生産方式」の出現は、米国製造業の大量生産の基礎となりました。このフォード生産方式の骨子は、①部品の互換性の達成、②成形部品の高速製造、③移動組立方式の三つです。組立工の作業は過度に細分化されていったため、年間の離職率が三八〇％まで上昇しました。問題解決のため、一九一四年には賃金を「一日五ドル制」へと改善しました。一九一九年にはデトロイト郊外に**リバールージュ工場**を完成させて、同一モデルを大量生産してコストを低減させ、価格を一九〇九年の約一〇〇〇ドルから、一九二五年には約三〇〇ドルまで低下させました。これによって、庶民でも自動車の購入が可能になりました。T型フォードは、一九〇八年から一九二七年までに約一五〇〇万台も生産されましたが、約二〇年間に、ライトやタイヤが変化し、ボディも木製から鋼鉄製へと変わるなど、形や技術がかなり変化しました。

用語解説

＊ **JIT（ジャスト・イン・タイム）** 「必要なものを必要なときに必要な量だけ生産する」システム。自動車産業を例にとると、いつ、何を、どれだけ必要かが正確にわかる完成車メーカーが、所定期間に使用する数量の部品だけをサプライヤーに生産してもらう生産方式。

フォード大量生産方式では管理層や専門家が意思決定をし、作業員が手足となって働くことによって、生産性を向上させましたが、二〇世紀後半になって、「過度の分業化」と「現場からの管理層の分離」が米国製造業の競争力を低下させる一因ともなりました。

●GMのフレキシブル大量生産方式

しかし、このフォード大量生産方式は、のちに多数のモデルと定期的なモデルチェンジを実現したGMの**「フレキシブル大量生産方式」**に対して競争力を失いました。その後、無駄を排し系列のサプライヤーとの濃密なコミュニケーションを行い、**JIT（ジャスト・イン・タイム）***を活用した**「トヨタ生産方式」**が、米国メーカーにも取り入れられていきました。

「すり合わせ」型モノづくり*によって高性能高品質な車を製造する日本の自動車メーカーに対して、米国の自動車メーカーはある意味で、フォード生産方式を踏襲しています。つまり、部品の互換性の追求や作業の標準化を信条としており、米国企業が得意とする**「モジュール化」**に結び付いています。

T型フォード（1927年式フォード・モデルTツーリング）

（写真提供）Ford Japan Ltd.

用語解説

＊**「すり合わせ」型モノづくり**　部品間のインターフェースが共通化されておらず、製品開発のたびに特殊な部品を最適設計し、部品間のすり合わせをして、完成品にしていくこと。

2 欧州自動車メーカーの発展

欧州自動車市場は、米国に次ぐ大市場でした。近年は、大衆車メーカーのみならず高級車メーカーもコンパクトカーに参入し、競争が激化しています。

●欧州自動車市場

　ガソリンエンジンの自動車は、カール・ベンツによって発明されました。欧州では、自動車は貴族の趣味として製造されていました。現在、西欧の自動車市場では、フォルクスワーゲン、ステランティス、ルノー、フォードの四社がそれぞれ一定のシェアを保持しています。狭い石畳の街並みが残る南欧では小回りのきく小型車が多いですが、ドイツでは高速性能に優れた比較的大きな車に人気があります。

　ドイツでは石油危機以後、マルク高と労働コストの高騰から競争力が低下しました。このためフォルクスワーゲンでは海外に生産拠点を移す動きが強まり、国内の産業の空洞化が起きました。東西ドイツの統一によって自動車ブームが起こりましたが、一九九三年には景気後退もあって、総生産台数が五〇〇万台から三七五万台にまで落ち込み、フォルクスワーゲン、オペル、ベンツは赤字に転落しました。この頃から、ベンツは高級車路線からフルライン化へ転換し、日本のメーカーが得意とする大衆車分野にも進出していきました。一九九三年に発売されたCクラスの車は大人気となり、その後も小型車のAクラスやコンパクトカー「**スマート**」も生産し、ベンツは従来の技術最優先から顧客重視や低コスト化へと企業体質を大きく変化させました。

　BMWも一九九〇年代に入って三〇〇万円台の三シリーズで販売台数を伸ばし、またフォルクスワーゲンも顧客ニーズを重視、車もカラフルになりました。

　成熟化した欧州市場全体が一〇〇〇～一六〇〇ccク

ラスのコンパクトカーにシフトし、フォルクスワーゲン「ポロ」、スペインのセアト「アザロ」や「ルピノ」、ルノー「トゥインゴ」、フィアット「プント」、フォードの「Ka」、オペルの「ヴィータ」、プジョー「二〇六」が次々に発売され、コンパクトカーが欧州自動車市場をけん引しました。

●製品開発の変革

欧州の自動車メーカーでは、概して製品開発期間が長く、モデルチェンジの周期も七～八年と長めでしたが、デザインの新奇性が自動車メーカーの国際競争力に大きなインパクトを与えるようになり、**コンカレント・エンジニアリング***が導入されるようになりました。

ルノーでは一九九三年に発売された「トゥインゴ」の開発期間が四年に短縮され、売れ行きを伸ばしました。ベンツもまた、一九九〇年代からコストに対する認識を高め、若者を主要ターゲットとしたCクラスの導入で初めて「**ターゲット価格**」を取り入れました。それにより、売れ行きを伸ばしました。

ベンツのスマート・ファクトリー（Industry 4.0の導入）の概念

開発から生産、販売、サービスまでのデジタル化

開発	生産	販売	サービス
車両デザインのデジタル化、3Dプリンターでのプロトタイプ部品の作成、共通プラットフォームによる複数モデルの開発では、Siemensの機構解析シミュレーションソフトを導入。	マシンラーニング、生産のデータクラウド、プレスから最終組立てまでの生産工程のデジタルシュミレーションの導入。	オンラインストアは実店舗の活動を補完し、顧客からの発注やリースの申し込みを受けることができる。	「Mercedes me」でメンテナンスや修理に関する情報提供、ソフトウェアアップデート、修理のための遠隔診断機能の展開。

用語解説

***コンカレント・エンジニアリング**　製品開発の初期から、デザイン、設計、実験評価、生産準備などの各プロセスを同時並行的に進行させて、後工程からの手戻りを減少させ、開発期間の短縮化を図り、コストを削減する効果がある。

モジュール生産とディーゼル車

一九九〇年代後半から、欧州自動車メーカーでモジュール生産が行われ、コスト低減が図られています。近年、環境意識が高まっており、ディーゼルの小型車が省エネカーとして人気があります。

●モジュール生産

一九二〇年代の欧州自動車メーカーは、職人の手作業で少量生産を行っていましたが、一九五〇年代になって大量生産システムへ移行しました。長い製品寿命や細分化された作業が特徴的でしたが、一九九〇年代には、西欧で自動車市場は成熟期を迎えました。

一九九〇年代後半から、利幅が小さい小型車を中心にモジュール生産が導入され、コスト低減が図られています。ベンツが生産する二人乗り小型車「スマート」は、わずか七つのモジュールで組み立てることができます。フォルクスワーゲンでも、ブラジルのレシェンデ工場で一九九六年からトラックをモジュール生産しています。工場内の生産ラインで作業する人は、すべて部品メーカーからの派遣作業員で、生産ラインの設備や機械類もサプライヤーの自前のものです。フォルクスワーゲンのモーゼル工場では「ゴルフ」「パサート」などが、一九九六年から**モジュール生産**されました。近隣のサプライヤーパークには、モジュール部品を**JIT**で納入するサプライヤーの工場があります。フォルクスワーゲンは高賃金で働く自社のドイツ人作業員の雇用を抑え、サプライヤーにモジュール部品の製造から車の組立てさえも任せて、車の価格競争力につなげています。モジュール生産は、モジュールとしてのエンジンや標準部品を組み合わせて、バラエティに富んだ製品ラインを顧客に提供することを可能にします。

さらに、フォルクスワーゲンは二〇一二年に、グループの強みを生かした超ブランド共有プラットフォーム

「MQB」を発表しました。

●欧州独自に発展したディーゼル車

欧州では従来からディーゼル車の比率が高いですが、ディーゼルの小型車が省エネカーとして人気を集めています。一九九八年から欧州の各メーカーが**コモンレール***式の高圧直接噴射の技術を駆使した新世代のディーゼルエンジンを投入して、排ガス対策を進めました。ディーゼルはガソリンと比べて燃費が三〇％ほど優れており、CO_2の削減にも効果的です。欧州市場では、自動車の**排ガス規制**よりも**CO_2の排出規制**が重視されていますが、欧州の軽油の純度が高く、日本より**パティキュレート（すす）**の排出が少ないこともあり、ディーゼル車に人気があるのです。

欧州の主要国のほとんどで、ディーゼル車の普及率が五〇％以上です。ディーゼル車に最も力を入れているメーカーはフォルクスワーゲングループ、ステランティス、ルノーです。特にフォルクスワーゲングループは欧州のディーゼル車市場の三〇％を占め、ほとんどの車種にディーゼルエンジンを投入しています。

軽いモジュールと重いモジュールの相違点

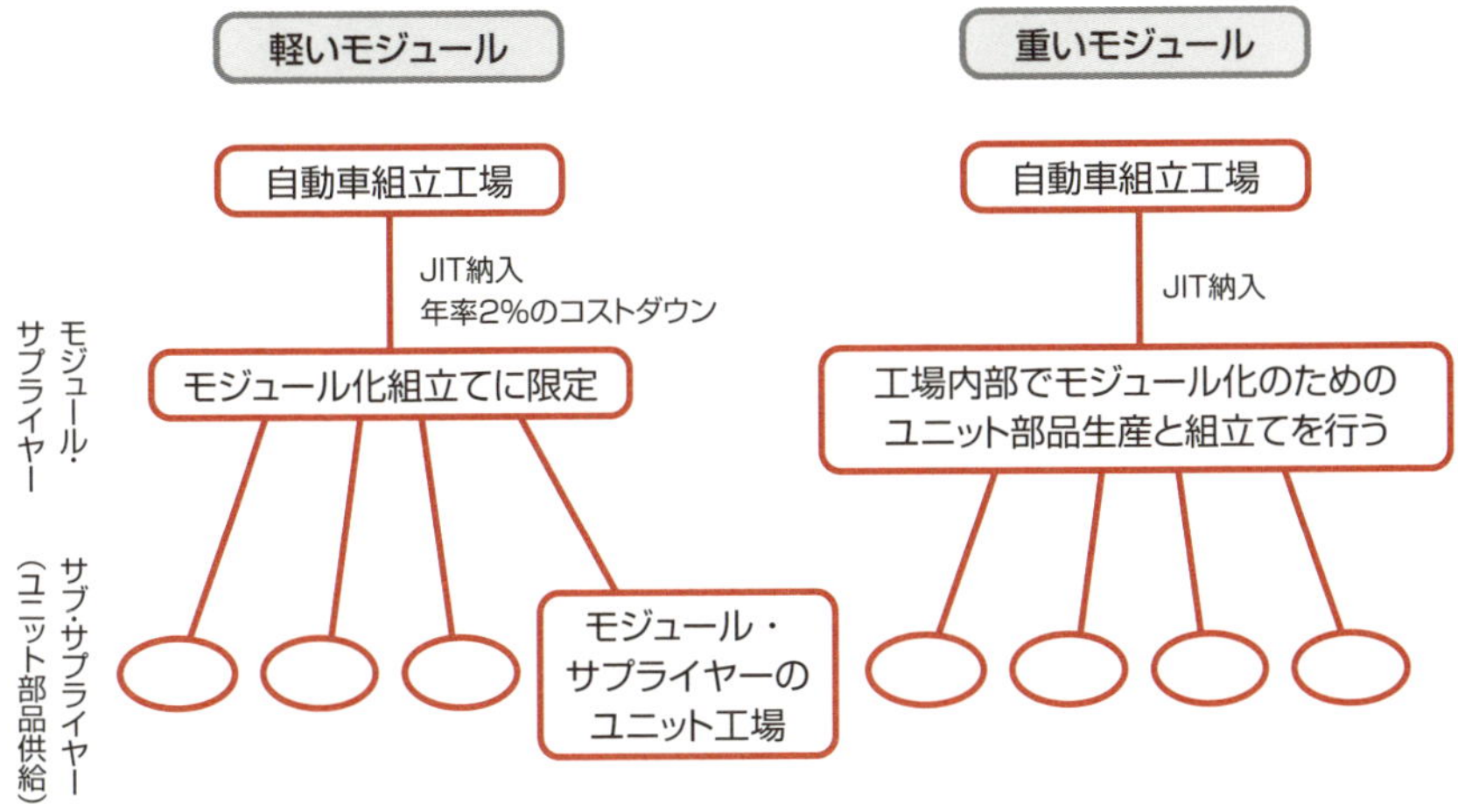

（出所）日本自動車工業会　JAMAGAZINE　1999年8月号

用語解説

***コモンレール**　普通のディーゼルエンジンでは、噴射弁につながっている配管は、気筒ごとに独立した構造になっているが、コモンレール式は、噴射弁に共通した配管が使われているのが特徴で、小型乗用車用ディーゼルエンジンの直噴化に貢献している。

日本の自動車産業の発展

4

石油危機後、米国への日本車の輸出が集中豪雨的に増加しました。欧米で日本車輸入規制が始まり、日本の自動車メーカーは現地生産に乗り出していきました。

●日米通商摩擦で現地生産へ

一九七〇年代に起きた二度の**石油危機***によりガソリン価格が高騰したため、燃費が悪い米国車の販売は低下し、小型で燃費の良い日本車が急に注目されるようになりました。その結果、米国への日本車の輸出が集中豪雨的に増加し、自動車問題が大きな通商摩擦の原因の一つとなりました。デトロイトでは労働者が日本車をハンマーで壊すという象徴的な出来事も起こりました。日本の通商産業省（当時）は、経済摩擦の深刻化を避けるため、一九八一年から自主的に乗用車輸出規制を行うことを決定しました。

また、日本の自動車メーカーは通商摩擦を避けるために現地生産を積極的に行うようにしました。一九八二年、ホンダがオハイオに日本車メーカーとして初の組立工場を設立したとき、米国人労働者に高品質の自動車を生産できるのかと懸念されましたが、効率的な生産システムを導入することができました。

●欧州の厳しい日本車輸入規制

米国の**日本車輸入規制**によって、日本の自動車メーカーが欧州へ輸出先をシフトしてくるのではないかと危惧され、欧州でも日本車輸入規制が始まりました。欧州でも日本車輸入規制が始まりました。また、一九八〇年代の欧州は経済停滞期でもありました。フランス、イタリア、イギリス、スペイン、ポルトガルでの日本車の輸入は、年間の販売台数または市場シェアを制限されました。

用語解説

***石油危機**　1973年と1979年の二度の石油の供給危機と価格の高騰を指す。1973年、第４次中東戦争が勃発し、アラブ石油輸出国機構はイスラエルの支援国に石油を供給しないことを表明した。これにより供給危機が深刻となり、石油価格は倍近く高騰した。1979年、イラン革命によりイスラム政権が誕生すると、第２次石油危機が起きた。

日本の自動車メーカーは規制枠の中で利益率の高い車種を中心に輸出しようとしました。トヨタは一九九二年にイギリスで現地生産を始めました。当時のサッチャー政権は、「イギリスに進出した自動車メーカーは二年以内に国産化率を六〇%まで上げなければならない」と定めたため、日本の自動車メーカーの現地進出のコストは、エンジン工場を建設する費用など、非常に高くつきました。しかし、日本車輸入規制は一九九九年で終了し、欧州市場も完全な自由競争となりました。

また、ユーロ安によって日本の自動車メーカーはそろって欧州市場で赤字を計上し、ポンド高によって、イギリスに工場を持つ日産、ホンダ、トヨタは、さらに大幅な赤字を計上しました。二〇〇二年、西欧一八カ国における日本車のシェアは一一・三%であり、米国の二七・七%に比べると非常に厳しい状況にありました。欧州市場で好まれる車は、安全性、キビキビとした走りの良さ、耐久性、環境への配慮、特徴的なスタイルを持った車です。日本車は品質と生産性で欧州車に勝っていますが、欧州車には車のスペックだけでは語れない魅力がありました。

日本車の輸入規制

国　名	内　容	開始年
イタリア（公式）	乗用車 13,300 台（年間） 商用車禁止	1961 年
スペイン（公式）	乗用車 11,000 台（年間） 商用車 11,200 台（年間）	1966 年
ポルトガル（公式）	日本車 10,000 台（年間）	—
フランス（非公式）	市場の 3%	1978 年
イギリス（非公式）	話し合い（市場の 11%前後）	1975 年

（出所）日本自動車工業会　JAMAGAZINE　2008 年 2 月号（表は 2008 年時点）

5 一九〇年代の日本自動車メーカー

マツダ、三菱自動車、日産は一九九〇年代に経営危機に陥り、それぞれ、フォード、ダイムラー・クライスラー、ルノーと資本提携を結びました。

●マツダ、三菱自動車、日産の経営危機

マツダは石油危機のとき、燃費で劣る**ロータリーエンジン**搭載車の販売不振により、経営不振に陥りました。また、バブル期には経営拡大路線をとり、「ユーノス」「アンフィニ」「オートザム」など五つの販売チャネルを設けましたが、それに見合った専売車種を投入する体力もなく、二度目の経営不振を招きました。三三・四％の出資比率を持つフォードに経営権を譲り渡すことで、マツダは再建の道を歩み始めました。

三菱自動車は、一九九〇年代前半に「パジェロミニ」や「RVR」がヒットし、トヨタ、日産に次いで業界三位に躍り出ました。しかし、その後「オデッセイ」で販売を伸ばしたホンダに抜かれてしまいました。三菱はクライスラーと資本提携をしていましたが、一九九〇年代に入ってクライスラーの経営が悪化したため、一九九三年には資本提携を解消しました。オランダではボルボとの合弁会社ネッドカーで「カリスマ」を生産しました。二〇〇〇年からはドイツのダイムラー・クライスラーと資本提携を結びましたが、三菱のリコール隠しが発覚して自動車の販売が激減し、二〇〇五年に資本提携が解消されました。このように、クライスラー、ボルボ、ダイムラー・クライスラーと脈絡のない提携によって、三菱の長期戦略の欠如が露呈してしまいました。

日産は、**技術の日産**といわれるように日本車の技術向上に大きく貢献しました。一九八〇年代後半には、「シーマ現象」なる流行語まで生み出しましたが、一九

九〇年代前半に商品戦略やデザイン面で失敗し、販売不振に陥りました。一九九八年には約二兆円もの**有利子負債***を抱えて経営危機に陥りました。倒産寸前となった一九九九年には、フランスの自動車メーカーのルノーと資本提携を結び、再生を図ることになりました。ルノーから送り込まれた**カルロス・ゴーン**社長は「日産リバイバルプラン」のもとで大胆にリストラを進めました。その後、日産は再生して国内シェア第二位に返り咲き、二〇〇三年には負債を完済しました。

●独立を貫くホンダ

ホンダとトヨタは独自路線を歩んでいます。かつてホンダは、一九八九年、イギリスでの現地生産会社設立にあたり、ローバーと資本提携をしました。車のプラットフォームと開発技術を供与して、ホンダは瀕死《ひんし》のローバーに活力を与え、何万人もの雇用を維持していました。しかし、ホンダが苦労して立て直したローバーをBMWが買収したため、ホンダは他社との資本提携に懲りてしまい、これが原因で今日まで独立独歩を貫いているのかもしれません。

マツダのインターネットを介した受注生産購入手順（ウェブチューンドロードスターの場合）

商品選択 ウェブチューンファクトリーにて好みの車を組み上げ、オプションを選ぶ。

- STEP1 エンジン&ミッション選択
- STEP2 タイヤ&ホイール選択
- STEP3 インテリア選択
- STEP4 オーディオ選択
- STEP5 その他装備選択
- STEP6 ボディカラー選択
- STEP7 ディーラーオプション選択

組み上げた車を画面で確認できる。

↓

購入検討 組み上げた車で販売価格の見積りや、参考として下取り車のメール簡易査定を申し込むことができる。

- 見積請求
- 簡易査定申込

各結果をメールで連絡。再度アクセスして、クレジット検討や商談申込ができる。

- クレジットシミュレーション

支払条件を検討できるほか、インターネットでクレジットの審査も行える。

↓

商談申込 商談は、ウェブチューンファクトリーで申し込む。

↓

商談&契約 商談申込した販売店で契約する。

（出所）日本自動車工業会　JAMAGAZINE（2001年2月号）

用語解説

***有利子負債**　有利子負債とは負債の中で利払いを伴うものをいい、短期借入金、割引手形、長期借入金、1年以内返済予定長期借入金、社債などがある。一方、金利負担の必要のない負債には、買掛金や支払手形、未払金がある。

6 セル生産方式を採用したボルボ

ボルボは、一カ所で車を始めから終わりまで組み立てるという生産方式を実現しました。「人を大切にする労働」が目的でしたが、生産性と品質も優れていました。

●ベルトコンベアのない工場

スウェーデンのボルボは、一九八九年操業の**自動車工場***、ウッデヴァラ工場で、ベルトコンベアを使わないで、工場内の数カ所で並列的に車を始めから終わりまで組み立てるという生産方式を実現しました。最終的に、労働者が一人で車を完成させることが可能になり、これまでにない、労働者の自主的な生産システムが出来上がりました。作業者は、自分の行っている作業で車のどの機能が有効になるのかを明確に把握できるようになり、労働意欲も向上しました。

このような特異な生産方式が出てきたのには、理由があります。一九八〇年代に、ボルボ車の販売が伸び、生産能力を拡大する必要が出てきました。一九六四年操業のトシュランダ工場ではベルトコンベアラインが採用されており、近代的機械の導入と作業の細分化によって高い生産性が達成され、年産二〇万台を誇っていました。しかし、単調な作業と苛酷な労働により、労働者は働く意欲を喪失し、離職率が高まっていました。この労働力不足を背景に、ボルボでは労働者の離職率を食い止めることができるような新工場の建設を計画したのです。労働組合が「**人を大切にする労働**」を推進しており、経営者側もこれに賛同した結果、同工場では、ベルトコンベア方式の組立てラインを廃止して、人間的な労働を強調した生産方式を採用したのです。

●人を大切にした組立方式

一チーム七～一〇人で構成されており、「リフト付き

用語解説

***自動車工場**　自動車工場は、①車体工場（プレス部門＋ボディ部門）、②塗装工場、③艤装工場（総組立て）の３つのユニットから成り立っている。比較的新しい自動車工場では、３つの工場間をコンベアでつないでボディを搬送している。特徴としては、３つの工場の四方から部品を納入でき、モジュール組立てに備えて拡張の余地があることである。

ステーション」では、作業者が立ち作業で楽に部品を組み付けることができます。「回転装置付きステーション」では、車のボディを九〇度回転でき、作業者は立ち作業によって車のボディの下側から足回りの部品を組み付けます。車一台の組立時間は七〜八時間で、ウッデヴァラ工場は主力工場のトシュランダ工場をも上回る生産性と高品質を実現しました。しかし、一九九一年にボルボは業績不振のため小規模な同工場の閉鎖を決定し、トシュランダ工場に生産を集約しました。

　ウッデヴァラ工場の閉鎖は、生産性や品質が悪かったからではなく、ボルボの販売台数が低下し、生産能力が過剰になったからです。同工場は最終組立工場しか持たず、トシュランダ工場は組立工場以外にも、プレス工場、溶接工場、塗装工場などすべてがそろっていました。その後、同工場は一九九五年にイギリスのTWRエンジニアリングとの合弁企業「**オートノヴァ社**」として再開され、生産方式はそのまま引き継がれました。この生産方式とコンセプトは、まさに**セル生産方式**そのものでした。

3点式シートベルト

1959年、ボルボが初めて
3点式シートベルトを乗用
車に標準装備した。

7 マザー工場の役割

海外の現地工場でも高品質な車の製造が実現できるのは、技術支援をするマザー工場のおかげです。技術者を海外派遣したり、反対に海外から人材を受け入れて訓練しています。

●マザー工場とは

マザー工場とは、海外の現地工場の技術支援をする際、その生産技術のモデルとなる工場のことです。マザー工場は**技術移転センター**として技術者を派遣したり、反対に海外から人材を受け入れて訓練する役割を担っています。日本の製造技術をそのまま海外に移転するのが難しい場合は、運営しやすい製造技術の開発を行うこともあります。このマザー工場の支援によって、世界の各工場でも高品質な車の製造が実現できるのです。各自動車メーカーは国内に複数の工場を持っていますが、どの工場をマザー工場にするのかが問題となります。また、海外工場へ技術移転をする際に、人の能力に依存した生産システムでは、生産性と品質が落ちてしまう危険性もあります。海外の現地工場を通して、製造装置や生産ノウハウなどが、海外企業へ漏えいする危険性もあります。

●トヨタのマザー工場

二〇〇一年時点で、トヨタでは**元町工場**（一九五九年操業開始）、**高岡工場**（一九六六年同）、**堤工場**（一九七〇年同）の主力三工場が、二〇の海外工場の技術支援をしていました。二〇一〇年時点で元町工場では、クラウン、マークXなどを、高岡工場では**カローラ**、ヴィッツ、iQなどを、堤工場ではプリウス、カムリ、プレミオなどを生産していました。この三工場は多品種混流の量産技術に優れており、マザー工場として適しています。二〇〇一年、元町工場が一カ国一工場、高岡工場が四カ国五工場、堤工場が三カ国四工場を支援していました。

　トヨタでは元町工場の操業が早かったため、単独で海外の工場を支援してきましたが、グローバル化が進展し現地工場の数が急増するにつれて、高岡工場や堤工場を加えて支援する体制に変わっていきました。元町工場はアジア、オセアニアの工場、高岡工場や堤工場は北米や欧州の工場が中心です。しかし、技術支援のために派遣される人員が、必ずしもマザー工場に限られているわけでもありません。海外の既存の工場が、新設の現地工場を支援する例もあります。例えば、二〇〇一年操業開始のフランス工場で採用された従業員約二〇〇人が、一九九二年操業のイギリス工場で約二カ月間研修を受けました。フランス工場ではヤリス（日本名ヴィッツ）を生産するため、ヴィッツをすでに製造していた高岡工場からも、熟練工*を中心に約二〇〇人がフランスへ支援に行きました。

　国内工場の生産車種を中心に車種別に技術支援をするという「**車種別マザー工場制**」をとるのは、ホンダです。ホンダでは、世界の生産拠点の設備や技術に関する情報が、全工場で共有されています。

トヨタの海外生産

●海外製造事業体

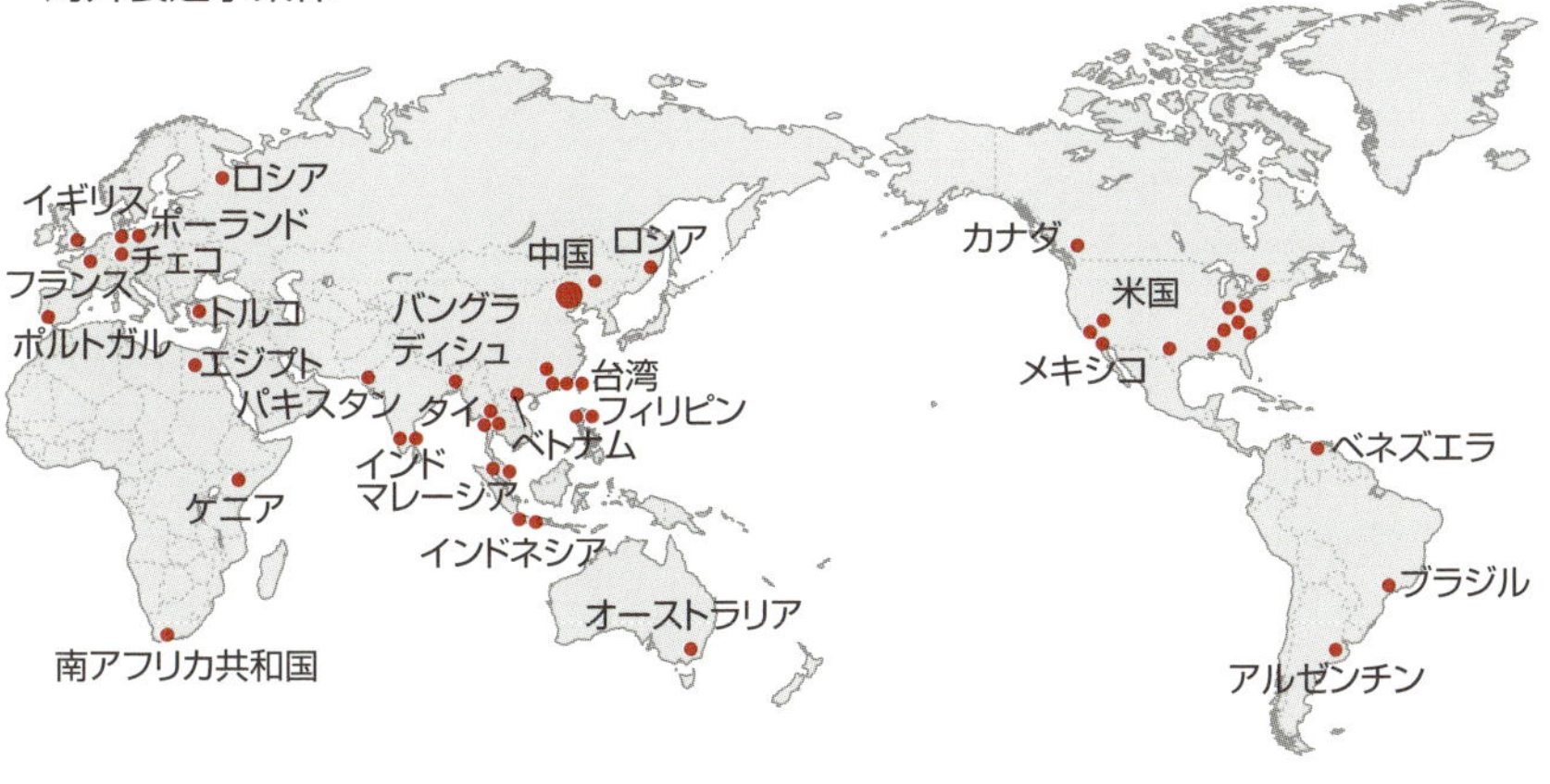

2013年12月末現在、トヨタには26カ国／地域に51の海外の製造事業体がある。

（出所）トヨタ自動車株式会社ホームページ

用語解説

*＊***熟練工**　日本では、1960年代後半から70年代前半にかけて、造船、カメラ、電気、自動車、工作機械等を含む機械工業において、国際競争力を持つようになった。このように日本が先進工業国になった背景には、多くの熟練工の育成があった。

軽自動車の販売増大

国内総販売台数に占める軽自動車の割合は約四割です。主婦や高齢者に人気があり、地方では日常生活に不可欠です。軽自動車の排気量を引き上げて、海外展開することも有望です。

●軽自動車の魅力

国内総販売台数に占める軽自動車の割合は一九九〇年には約二五％でしたが、二〇二〇年には約四割まで上昇しました。その要因は、税負担や維持費用の低さ、室内空間が広がったこと、デザインや性能面の向上、小回りがきき運転しやすい、などです。

軽自動車の**エンジン排気量**は**三六〇cc**でスタートし、一九七六年からの五五〇ccを経て、一九九〇年に現在の六六〇ccへ拡大しました。三六〇cc時代の軽自動車は、できるだけ多くの人たちに車を持たせることが大きな役割でしたが、五五〇ccへの移行は主に排出ガス規制に対応するためであり、六六〇ccへの移行は主に安全性の向上を果たすためでした。一九九八年にはボディサイズが拡大されて、全長三・四、全幅一・四八メートルになりましたが、これも「衝突安全性*の向上」を目的としています。

一九四九年に誕生した軽自動車は、一九五五年からの昭和三〇年代、各家庭におけるファーストカーでした。一九七五年からの昭和五〇年代には、軽自動車は**セカンドカー**という位置付けになってきました。最近は、自動車が一家に二台、三台という複数保有の時代になっています。軽自動車の使われ方を見ると、夫が小型車や普通車で仕事に出かけたあとに、主婦が子ども送り迎えや買い物に、高齢者が病院へ行くときに使われることが多く、過疎地では不可欠な存在です。近年、軽自動車は第三のエコカーと呼ばれており、リットル当たり三〇キロメートル以上の低燃費車が多

用語解説

＊**軽自動車の衝突安全性**　軽自動車での深刻な交通事故に対処するため、安全性の向上が強く求められていた。このため運輸省（当時）は、軽自動車の安全性を小型車および普通車と同程度まで向上させるために、1998年10月から衝突安全性についての規制強化を行った。また、衝突安全性能向上に必要な軽自動車の長さおよび幅の拡大も同時に行った。

く発表されています。金融危機の影響で、二〇〇八年秋以降から、軽自動車の販売が急速に落ち込みました。この原因の一つに、政府の**エコカー減税**や補助金の恩恵が、軽自動車では相対的に小さかった、ということがあります。また、軽自動車の価格がコンパクトカー並みに高くなったことも影響しています。今後、軽自動車本来の低価格、低燃費、使い勝手の良さという魅力をさらに高めていくことが求められています。

●軽自動車の海外展開

軽自動車の海外展開を考えると、発展途上国などでは格好の交通手段となります。欧州には軽自動車というカテゴリーはありませんが、軽自動車に類するような**ミニカー**の市場があります。ミニカーは、昔ながらの細い道路や街並みがそのまま残っている南欧では特に必要とされています。

そのため、軽自動車の排気量を八〇〇～一〇〇〇ccc程度に引き上げるだけで、輸出市場に適合できるでしょう。長年にわたって蓄積してきた日本の軽自動車づくりのノウハウをフルに生かす時代が来ています。

日本国内販売台数の推移（1993～2020年）

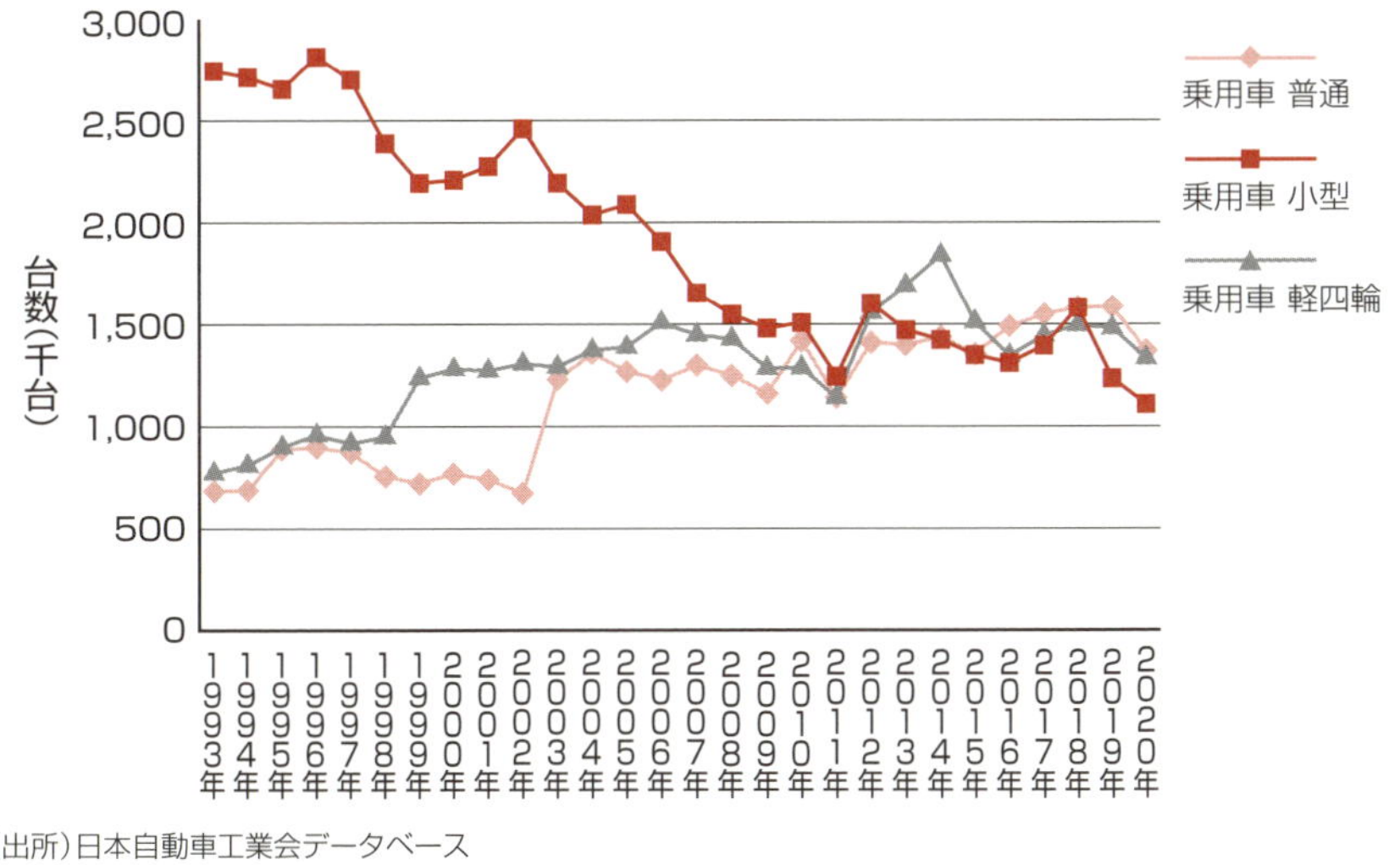

（出所）日本自動車工業会データベース

9 若者の車離れ

若者は高額商品である車を購入しなくなり、車離れが進んでいます。若者は車を単に移動手段として考えるようになってきています。若者向けのスポーツカーなどが少なくなったのも、車離れの一因です。

●若者の「車離れ」から「車嫌い」へ

高度成長期には、カラーテレビ、クーラー、車が「**新・三種の神器**＊」といわれ、車は庶民のあこがれの的でした。しかし、現在は若者の車離れが進んでいます。長引く不況や非正規労働者の増加などに伴い、若者のお金の使い方が変化してきており、高額商品である車を購入しなくなったことがその原因の一つです。若者はローンを組むことに二の足を踏み、無駄な支出をしなくなってきました。また、若者は車を自己実現の手段としてではなく、移動手段という実用的なモノと考えるようになっています。必要なときにレンタカーを使えばよいと考える若者も増加しています。

さらに、「**車離れ**」から一歩進んで「**車嫌い**」になっている若者もいます。車を持つと、駐車場代や税金、損害保険料も発生し、費用がかかりすぎるのです。日本では一八〇〇ccの車（一八〇万円）を一一年間使用すると、諸税の合計が八一・四万円にもなりますが、米国では一七・四万円程度です。国際的に見ても、日本では車の維持費が高すぎます。現在の四〇〜五〇歳代の人が大学生の頃、「興味・関心のある製品・サービス」の七位に車がランクされていましたが、いまは一七位まで低下しています。車よりも出費の少ないスマホやパソコン、デジタル家電やゲーム機への出費を優先する傾向が強まったためです。

●若者にとって魅力的な車がない

若者向けのスポーツカーが非常に少なくなっている

用語解説

＊**新・三種の神器**　1960年代半ばに、カラーテレビ、クーラー、自動車が「新・三種の神器」と呼ばれた。普及が早かったのは1964年の東京オリンピックを契機に売れ出したカラーテレビであり、一番遅かったのはクーラーである。ちなみに1950年代後半、白黒テレビ、洗濯機、冷蔵庫の3品目が「三種の神器」と呼ばれた。

のも、車離れに拍車をかけています。「セリカ」などのスポーツカーの生産が停止され、残った車種はファミリー向けのミニバン、維持費が安く生活必需品としての性格が強い軽自動車やコンパクトカーが大半を占めるようになりました。若者のニーズに応える新たな機能や性能、そして魅力あるデザインの車を市場に投入できるならば、若者の潜在需要を掘り起こすことができると思われます。若者の車の使い方を見ると、親の車を共用で使ったり、家族と乗る機会が増えています。なお、大都市の若者は「車離れ」を起こしていますが、地方居住者は車への関心度・購入意欲ともに高いままです。地方では高校在学中に車の運転免許を取得する場合も多く、若者の車離れには該当しません。

しかし全体的に見ると、若年層をターゲットとした車および関連商品の売れ行きは急激に落ち込んでいます。自動車教習所が倒産する事態も起きてきました。二〇〇七年後半から原油高騰が顕著になり、一時、リッター二〇〇円に迫るほど上昇しました。その結果、車の維持費が高くなり、若者だけではなく幅広い世代で全国的に車離れを引き起こして問題となりました。

若者の自動車離れに起因するトラックドライバーの人手不足

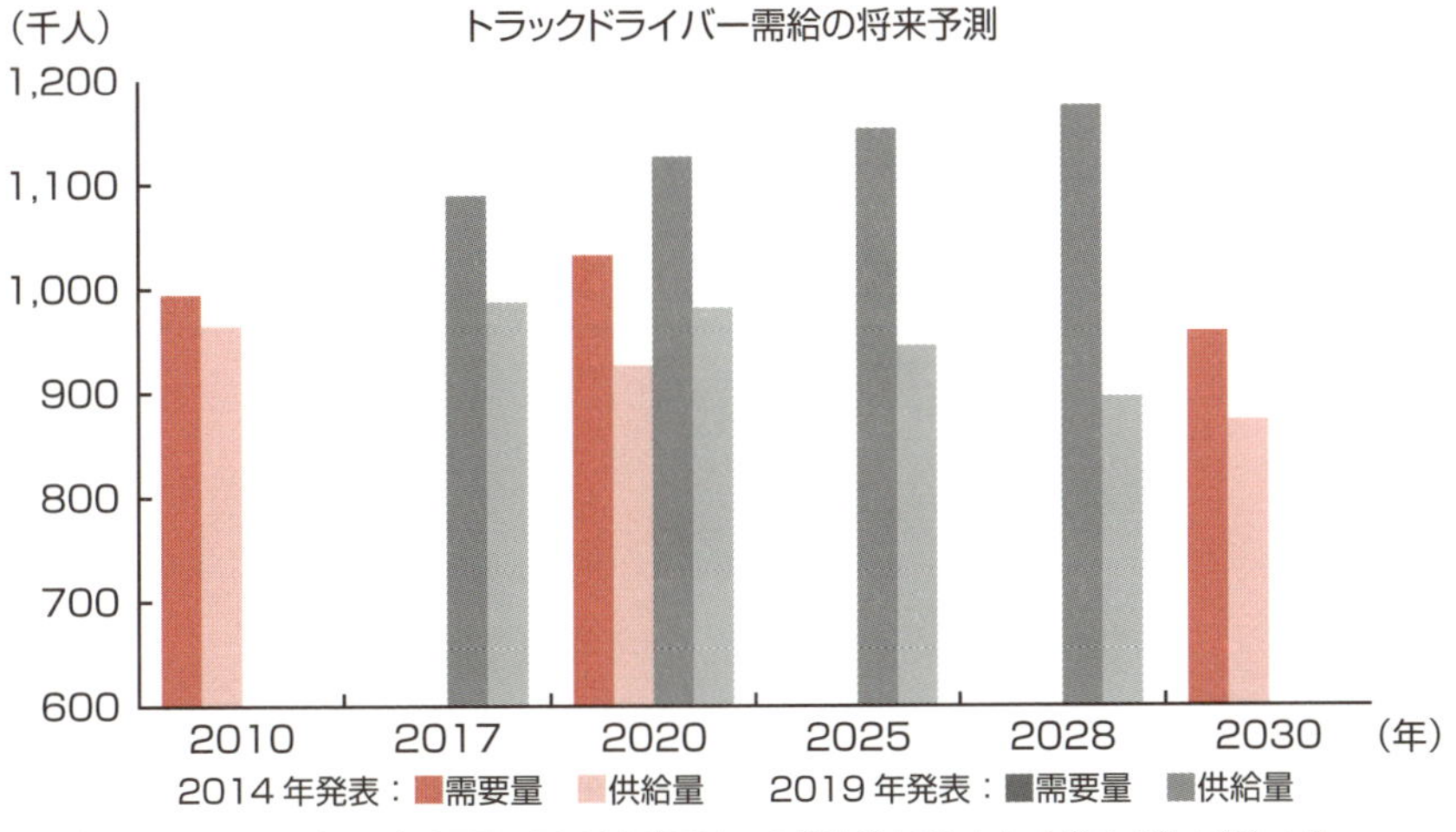

(出所)トラックドライバーの人手不足の原因と運転手人口の推移がまるわかり【ドライバーズジョブ】(driversjob.jp) ※鉄道貨物協会資料より湯浅コンサルティング作成

10 フレキシブルな労働者の活用

自動車メーカーは、フレキシブルな労働契約を活用してリーン生産*を行っています。しかし、不況期に非正規労働者を解雇して業績を回復させても、非正規労働者の家計にダメージを与えて消費の回復を遅らせます。

●非正規労働者の活用

日本の自動車メーカーはこれまで、繁閑期や景気動向によってフレキシブルに非正規労働者を活用してきました。しかし、二〇〇八年の金融危機以降、自動車メーカーの業績は急激に悪化し、減産に追い込まれました。そのため、多くの非正規労働者が期間満了とともに契約を終了することになり、年を越せなくなった派遣労働者が「**年越し村**」で過ごし、「**派遣切り**」が問題となりました。

そうした中で、二〇〇九年夏にトヨタ自動車や三菱自動車などが期間労働者の雇用を再開して以降、各社で非正規労働者の採用を増やす傾向にあります。

トヨタは今後、派遣を除いた**期間労働者**と**請負労働者***だけで非正規労働者を構成し、技術を伝承させて競争力に結び付けるとしています。これはつまり、期間労働者は半年など期間を区切って雇用するため中・長期的雇用が主であり、請負労働者も派遣と違って、雇用期間が三年に限られないからです。

金融危機前に約二万五〇〇〇人だった非正規労働者数は、その後、徐々に回復し、約五五〇〇人まで回復しました。しかし、いまだ景気に翻弄されていることは否めません。

また、補助金・減税対象車を増産している自動車メーカーは、不透明な需要動向を考慮して、工場間やグループ間での生産応援を活用することによって、非正規労働者の雇用を最低限に抑えています。製造業派遣が原則禁止の方向にならなければ、各社は自由度の

用語解説

＊**リーン生産**　ムダのない効率的な生産方式のこと。

高い派遣労働者を再度雇用しており、皮肉なことに現状よりももっと雇用が回復していたでしょう。

非正規労働者の中には、契約期間に誠実に働き、技能を高めて正社員になりたいと考えている人もいます。突然の解雇は、労働者にとって心理的契約違反に映りますし、家計も苦しくなります。

かつての日本は、終身雇用が多く、かつ正社員の割合が高かったため、簡単に失職することはなく、消費を支えることができました。現在、日本の自動車メーカーは、欧米企業のようにフレキシブルな労働者を抱えるようになりましたが、日本は欧米のように社会保障がしっかりとしていません。日本の自動車メーカーが、非正規労働者を解雇して不況を早く抜け出すことができても、さらなる不況を作り出しています。非正規労働者の家計にダメージを与えてしまい、消費の回復を遅らせているからです。そのような中で、二〇一八年の労使交渉では非正規労働者の待遇改善が進み、自動車業界では賃金改善も行われました。トヨタでは二年以上働いている期間従業員に、子ども一人当たり月額二万円の家族手当の支給を始めました。

軽自動車の価格上昇は賃金の伸びを上回る

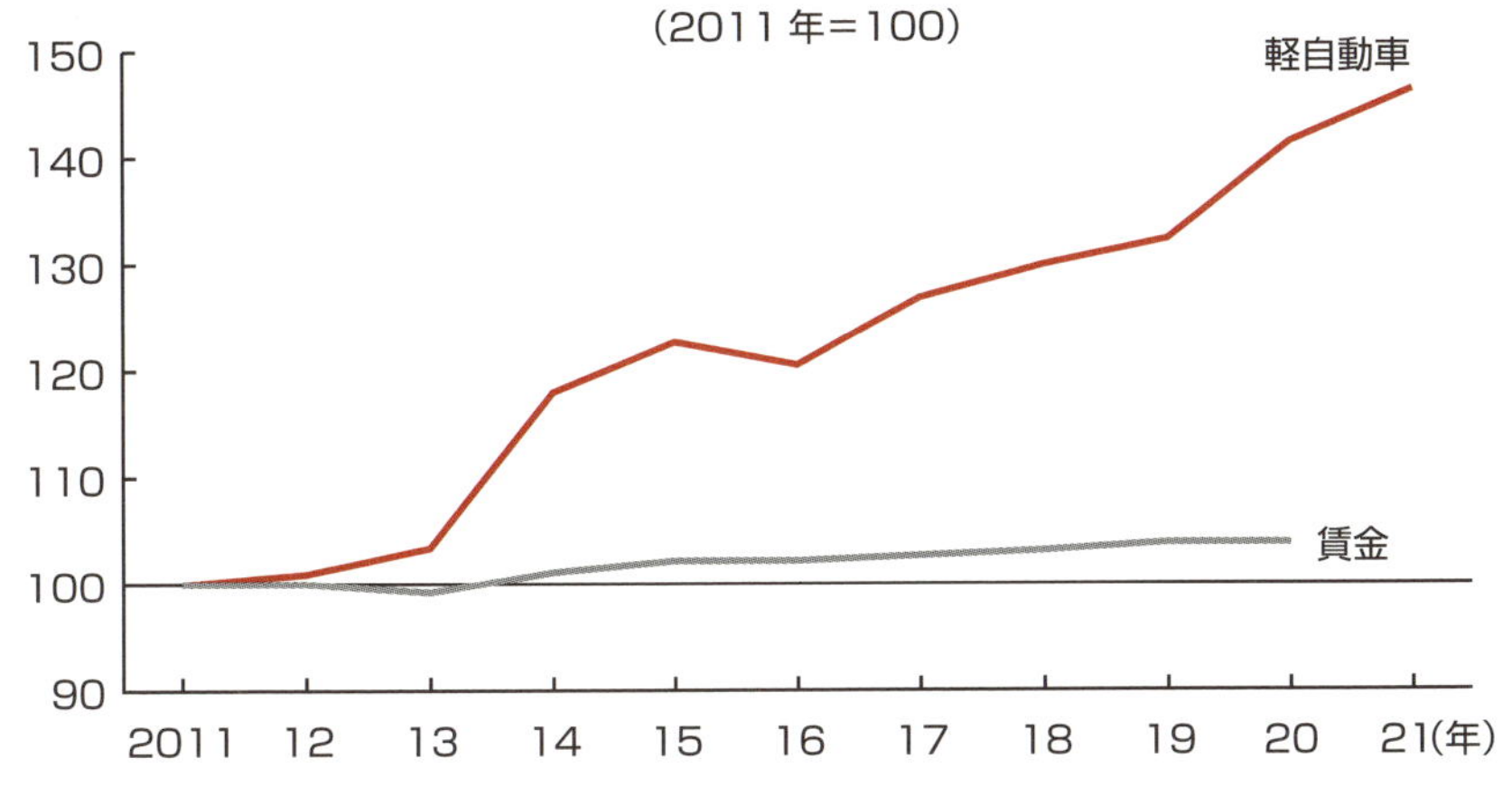

（原出所）軽自動車価格は総務省「小売物価統計調査」、各年の平均、21年は8月。賃金は厚生労働省「賃金構造基本統計調査」
（出所）日本経済新聞、2021年9月6日

用語解説

＊**請負労働者**　雇用契約ではなく請負契約で働く人を指す。受け入れ会社の指示に従う派遣労働者と違い、請負会社が労働者を指揮命令する。しかし、受け入れ会社が請負労働者に直接指示を出すことも多く、偽装請負が問題になっている。

11

世界戦略車の開発

低価格で燃費の良い小型車は、世界的に販売増を見込める世界戦略車です。世界戦略車は、基本的に同じ仕様の車か、同じプラットフォームから各国向けに特化して開発された車です。

●世界のニーズに対応した「世界戦略車」

多くの国で販売される**世界戦略車***は、基本的に同じ仕様の車ですが、同じプラットフォームから各国向けに特化して開発された車の場合もあります。

例えばトヨタの「**カローラ**」は約一四〇カ国で販売される世界戦略車です。従来は、国内向けのカローラを開発・製造し、それを海外向けに直して販売してきました。その後、トヨタは一〇代目カローラから開発方式を大きく変えました。まず、各国のニーズをある程度盛り込んで基本となるカローラを設計します。これをもとにして国別のモデルを開発します。日本向けカローラはそのバリエーションの一つにすぎません。

日本の自動車メーカーの国内販売台数は低迷しており、逆に海外での販売が伸びています。重要なのは、世界のニーズに対応できる「世界戦略車」の開発、販売です。海外仕様の車を国内向けにも販売する例も出てきており、そのため一部の車種では車幅が広く日本の道路事情に合わないものもあります。

欧州で開発され一九九三年に販売された**モンデオ**は欧州フォードと米国フォードの共通モデルとして開発され、世界六〇カ国以上で二五〇万台以上が販売されました。

低価格で燃費の良い小型車は、世界的に販売増を見込める世界戦略車です。しかし、このような売れ筋のセグメントで競争力を持つ自動車メーカーが多いため、販売競争が激化しています。競争に勝つためには、いかに低コストで開発・生産するかが鍵となります。

ワンポイントコラム

【世界戦略車】 日本の自動車メーカーは、世界戦略車とは対極のものとなる現地専用車を、米国や欧州などで生産している。例えば、トヨタは米国で、タンドラ、タコマ、セコイア、シエナ、カムリソラーラという現地専用車を生産している。

●日産の世界戦略車「マーチ」

日産は、日本からタイに生産を移し、低燃費・低価格の世界戦略車「マーチ」をタイで大量生産し、日本やオーストラリアに輸出します。多くの主要自動車メーカーがタイを世界戦略車の生産・輸出拠点として活用するのは、タイ政府が優遇税制を実施しているからです。リッター二〇キロ以上で走行でき、一定の基準をクリアした小型車は「エコカー」と認定され、生産台数の条件を満たせば、事業税が免除されるのです。

日産は「マーチ」を一二〇〇ccに小型化し、生産コストを抑制するために、新興国で部品の九五％を調達する計画です。世界戦略車は新興国だけでなく先進国でも販売されるため、先進国の小型車の価格を押し下げる要因にもなるでしょう。

スズキの「スイフト」やホンダの「フィット」なども世界戦略車です。ホンダはもともと生産している車種が少なく、主力四車種でホンダの世界販売の七割を占めています。生産するすべての車種を世界戦略車に育て上げ、効率的に経営していこうという戦略が見えます。

トヨタ自動車の研究開発費比率は高くない

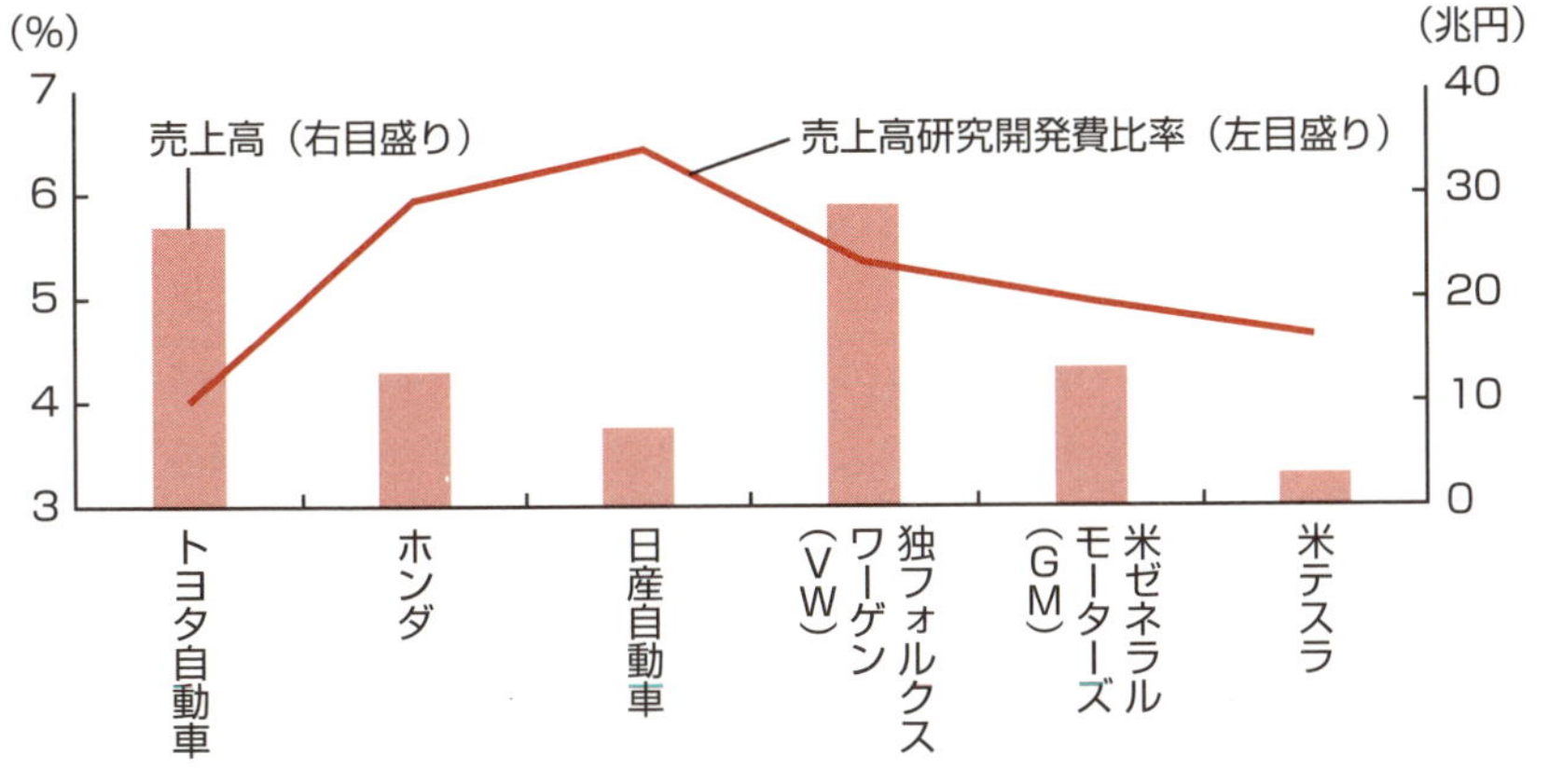

(注) トヨタ自動車、ホンダ、日産自動車は 2021 年 3 月期連結。VW、GM、テスラは 20 年 12 月期連結。
1 ユーロ= 132 円、1 ドル= 110 円で換算。
(原出所) ブルームバーグより編集部作成
(出所) 週刊エコノミスト　2021.7.13、29 ページ

column

自動車の減価償却

自動車を購入する時点で、どれほどの期間乗り続けるか正確に把握している人はまれです。買い替える車のデザイン、燃費、運転の容易さ、税金などを考慮して、現在所有している車の価値を見ながら手放すこととなります。現在所有している車の価値は、売却時点でのみ測られます。ただしこれは個人の場合であって、営業用に購入する際は、営業用としての価値がどれほど減少するかを毎年評価します。

価値の評価は、**減価償却**という方法によって測定されます。これは、使用期間中の価値の減少を費用として毎年計上する方法です。購入価格から減価償却費を控除した額が測定時点の価値になります。この減価償却とは、自動車の購入に要した支出費用を使用期間にわたって配分する手続きです。このような考え方は、自動車に限らず、その他の固定資産にも適用されます。減価償却費は財務諸表上、「販売費及び一般管理費」として取り扱われます。固定資産を一度に費用として計上してしまうと、購入時点で過大な負担となり収益の圧迫要因となるので、固定資産の価値減少を使用期間にわたって正しく認識するのが適正だという考え方です。つまり、費用配分を規則的・定期的に行うことにより、「適正な期間損益計算」が行われるのです。

減価償却費の計算では、「取得原価」「残存価額」「耐用年数」を考慮します。取得原価とは、購入価格に付随する費用を加算した金額であり、残存価額とは、耐用年数経過後の見積処分価額を意味します。

どれほどの期間使用可能か、という**耐用年数**を勝手に決めることは不可能です。法人税法に係る耐用年数表関連の別表１「機械及び装置以外の有形減価償却資産の耐用年数表」で「小型車（総排気量が0.66L以下のもの、通常軽自動車）」は4年、「その他のもの（通常乗用車）」は6年、と定められています。減価償却の方法は各種ありますが、代表的な方法が「**定額法**」です。この方法では、取得原価から残存価額を控除した金額を、耐用年数で除することによって、数値が得られます。なおこの方法は、毎期の減価償却費が均等額なので、「**直線法**」とも呼ばれています。例えば、付随費用を含めて200万円で購入した自動車の場合、残存価額10％（20万円）、耐用年数6年とすると、購入初年度の減価償却費は30万円となり、その後5年間同じ金額を計上できることになります。

第4章

自動車産業の産業構造

日本と欧米の自動車メーカーの受注生産の程度は、かなり異なります。特に米国の自動車メーカーは、在庫車の中から車を販売する傾向が強いです。本章では、自動車産業の産業構造の基礎を、車の開発プロセス、販売促進、流通チャネルの面から見ていきます。

1 自動車の開発プロセス

車の開発は、コンセプトの決定、製品基本計画、試作・実験、生産準備といった多くの過程からなります。開発には、開発スタッフだけではなく、様々な部門や部品メーカーから鍵となる人間が参加します。

●車の開発プロセス

車の開発は、コンセプトの決定、デザイン、エンジンや足回り、試作、実験、生産準備と多くの過程からなります。開発期間は約一〜四年と長く、開発費も膨大です。種々の衝突実験もあるほか、熱い砂漠や酷寒の地の異なる路面状況を求めて、世界中でテスト走行が行われます。その後、工場での大量生産が始まります。

最初に、開発する車のコンセプトを作成しますが、それにはターゲットとなる顧客を決め、どのようなニーズを持っているのか情報を集めて、キーワードや文章、スケッチのような形でコンセプトを表現します。例えば、マツダの「**ロードスター**」の商品コンセプトは「**人馬一体**」でした。車と人が一体になったときに、最高のパフォーマンスが発揮され、車に乗ることが楽しくなるような車を開発しようとしたのです。

次に「**製品基本計画**」が立てられます。外観や内装、基本寸法を決め、性能、重量や原価、さらには走行時の爽快感といった感性品質の目標も設定されます。

開発にはコンピュータが多用され、**三次元CAD**で設計し、衝突実験もバーチャルな車で実施できます。コンピュータ上で、製品、製造設備、作業者を三次元データで作り、生産のデモンストレーションも行えます。工場がなくても組立てのシミュレーションができるため、設備と車の干渉問題や、作業者の労働負荷も確認できます。ただし、例えばバーチャルな衝突実験では九五%ほどの精度しか出ないため、五%ほどの誤差が出ます。人間の感性はわずか一%の違いでもわかるほど鋭く、そういった誤差を修正していけます。それには、手作りに近い試作車を実際に作り、実験する必要があります。目標とする車ができるまで、設計、試作、実験が繰り返され、この過程で開発費用が膨らみます。

　最後に生産準備に取りかかります。生産には機械設備、治具、工具、**金型**《かながた》などが必要となり、すべてが整うと工場で量産試作が行われ、問題がない場合はフル操業に入ります。

●開発に参加する人

　開発には、デザイン部、実験部、工場の担当、部品メーカーからも鍵となる人間が参加します。「**デザイン・イン**」と称して、部品メーカーからは**ゲスト・エンジニア***が新車開発に参加し、車の全体設計と並行して部品設計を共同で進めます。競合する部品メーカーが参加する場合は開発コンペが行われ、優れた提案を出した部品メーカーに発注されます。乗用車は、多くの部品の設計を微妙に相互調整して初めて性能が発揮できる製品です。部門間調整の得意な日本企業は、車の開発では有利だといえます。

ホンダの研究開発システム

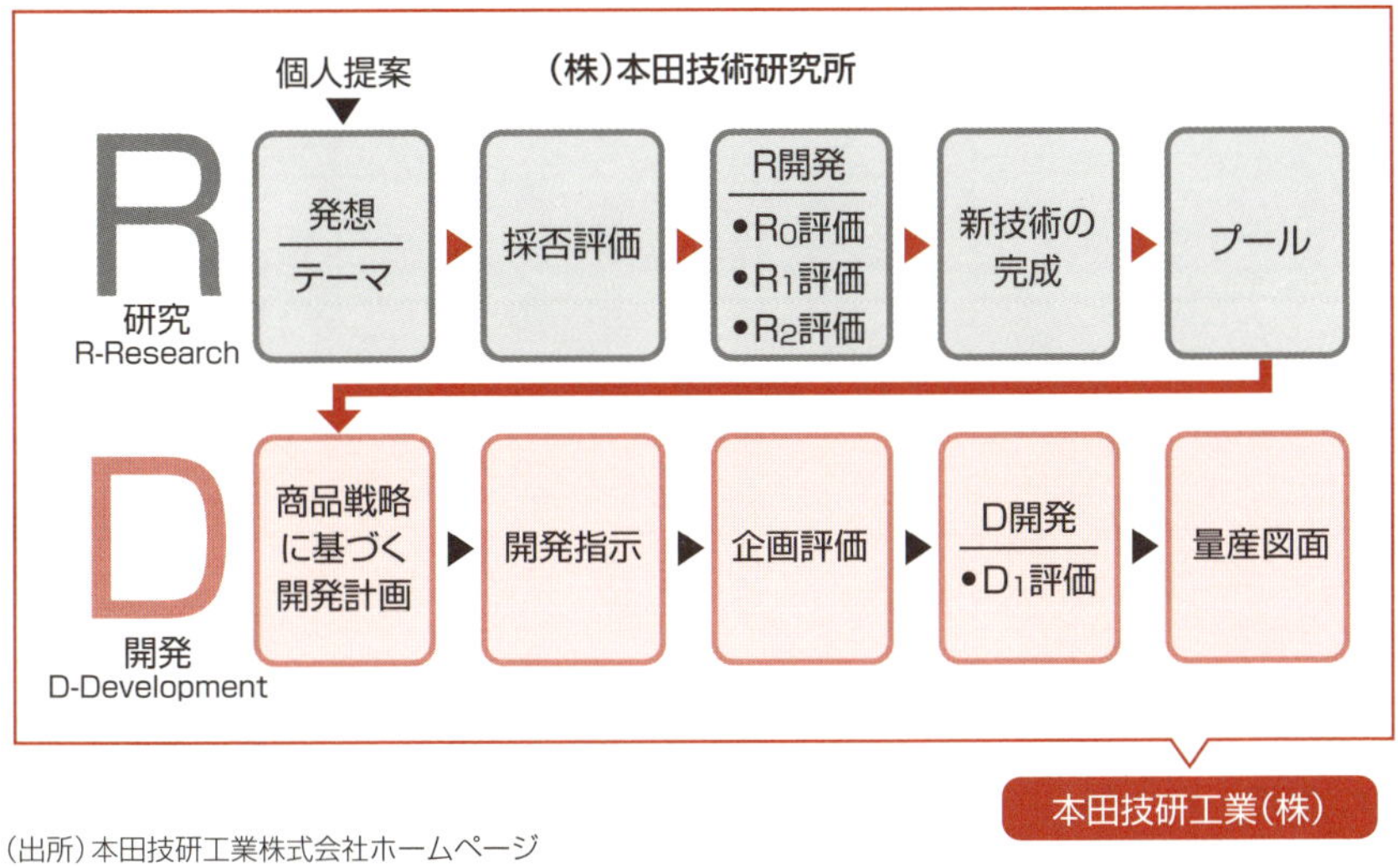

（出所）本田技研工業株式会社ホームページ

用語解説

＊**ゲスト・エンジニア**　車を開発する際、部品メーカーから自動車メーカーへ出向させる技術者を指す。部品メーカーが開発の初期から参加することにより、完成度の高い車の開発が可能になる。

2 販売促進と販売方法の変遷

車の販売方法が、各家庭への飛び込みセールスから、店頭での応対へと変化してきました。新車購入の際、値引き交渉に時間と労力がかかり、業界の不透明なイメージを作り出しています。

●車の販売促進

車の販売促進といえば、「**値引き**」です。不況期には各自動車メーカーは、販売奨励金（**インセンティブ**）や自動車ローン優遇策などの販売促進費用を大幅に増やし、値引き合戦を行う傾向があります。トヨタも米国でリコール問題が生じたとき、「商品力があるため値引きなしで売れる」というのは過去のことになり、販売促進費用を一台当たり二三五六ドル出しました。

●ディーラーの販売方式の変遷

一九七〇年代、自動車販売店では顧客獲得のために、各家庭への**飛び込みセールス**が行われました。販売後も、次も車を買ってもらい、さらには新規顧客を紹介してもらうために、営業マンは顧客との関係を維持しました。営業マンは、上司から「足で稼げ」「車を売るのではなく、まず自分を売れ」と教育されました。インターネットが利用できない時代は、顧客もセールスマンとの会話から直接情報を仕入れることができたのです。

しかし一九九〇年代になると、営業マンの飛び込みセールスはほとんど行われなくなりました。従来のような人海戦術では、人件費ばかりかかるわりに、多様な顧客ニーズに対応できないことがわかり、店頭での応対が主になってきたのです。納車も、かつては営業マンが「納車」し、下取り車を引き取っていましたが、いまでは、顧客が来店して自分で車に乗って帰るようになってきています。

しかし、販売店での営業方法に対して、「ショールームに行けば、セールスマンがすぐ寄ってきて、じっくり見られない」、「住所を聞かれる」、「情報もディーラー側に都合のよい情報に限られる」、「在庫品を売ろうとする」、「自分の望む車を探してほしい」という不満や要望が出てきています。また、新車購入時は、値引き交渉に時間と労力がかかり面倒なものですが、それをしないと損をすると顧客は考えています。この値引き交渉が、業界の不透明なイメージを作り出しています。

セールスマンとの交渉や駆け引きを好む顧客層には中年男性がいます。それを面倒だと考えているのは、若者や女性です。**Y世代***向けに、ネットを使ったトヨタの「**サイオン**」という新たなマーケティング手法もあります。「サイオン」では、四〇種類以上のパーツを自由に組み合わせて、自分仕様の車をオーダーでき、それが若者の関心を引き、販売を伸ばしました。米国ではテスラが創業当初からオンライン販売を行っています。日本ではホンダが二〇二一年一〇月に開設した専用オンラインストアで、新車のサブスクリプションサービスのオンライン販売を開始しました。

トヨタの顧客対応概念図

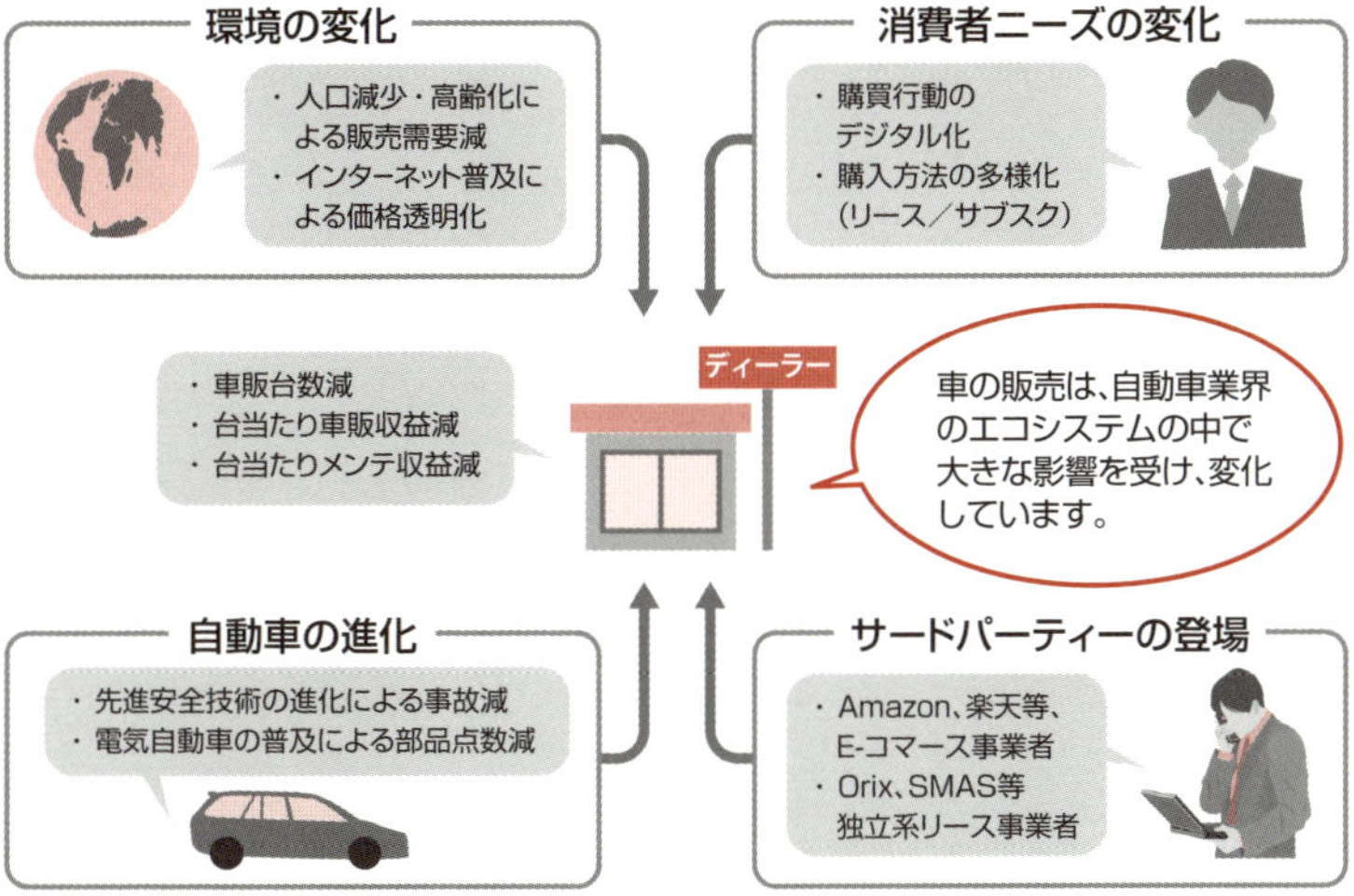
環境の変化
・人口減少・高齢化による販売需要減
・インターネット普及による価格透明化
消費者ニーズの変化
・購買行動のデジタル化
・購入方法の多様化（リース／サブスク）
・車販台数減
・台当たり車販収益減
・台当たりメンテ収益減
ディーラー
車の販売は、自動車業界のエコシステムの中で大きな影響を受け、変化しています。
自動車の進化
・先進安全技術の進化による事故減
・電気自動車の普及による部品点数減
サードパーティーの登場
・Amazon、楽天等、E-コマース事業者
・Orix、SMAS等独立系リース事業者

（出所）日経クロステックホームページをもとに作成

用語解説

＊**Y世代**　ベビーブーマージュニアであり、米国人口の20～30%を占め、個人消費をリードしている。

3 流通チャネル

複数の販売チャネルを維持するトヨタ以外は、系列店ごとの専売体制をなくして併売化し、消費者の利便性を向上させました。

●チャネル制度

日本の自動車メーカーは複数販売系列を抱え、日本特有の「**チャネル制度**」を採用してきました。しかし、日本の自動車市場は縮小傾向が続き、複数チャネルを維持するトヨタ以外は、日産、ホンダなど実質的にチャネルが一本化されています。トヨタの販売チャネルは、「**トヨタ**」「**トヨペット**」「**カローラ**」「**ネッツ**」の四つであり、高級車ブランドの「レクサス」を加えて実質五つです。二〇〇五年夏に開業したレクサス販売店は、トヨタブランドではなく、別格の高級車ブランドというポジションをとっています。トヨタ店は高級車、トヨペット店はミディアムカー、カローラ店はコンパクトカー、そしてネッツ店は個性的で存在感のある車種を中心としたチャネル構成となっています。

日産ではブルーステージとレッドステージがありますが、二〇〇五年から両チャネルとも全車種を取り扱っており、実質、販売チャネルを一本化しています。三菱自動車も二チャネルを二〇〇三年に統合。ホンダの販売体制は「**プリモ**」「**クリオ**」「**ベルノ**」の三系列によって系列ごとの特色を出し、顧客に細やかな対応をしてきましたが、系列店ごとの専売体制をなくして併売化し、消費者の利便性を高めました。しかし、併売化は販売会社同士の競合・淘汰《とうた》にもつながります。

●新しい販売方法

近年、札幌と輪島（石川県）では「トヨペット」と「カローラ」が協業店舗を出し、売れ筋商品のカローラを扱えるようにしました。自販連ビジョンの調査によると、販売チャネルごとに車種が限られることについて、顧客の七八%が不便を感じています。トヨタは新型プリウスを全販売チャネルで提供していますが、やはり人気車種では実質的に販売チャネルを一本化せざるを得なかったようです。

自動車の販売に、スーパーや家電量販店が進出してきました。「A-Zスーパーセンター」では食料品や日用雑貨と並んで車も売っています。テレビ競売などで仕入れた新車を値引き交渉なしのワンプライスで販売しており、ディーラーより一～二割安く売られています。家電量販店のヤマダ電機もパソコンなどと並べて新車を販売しています。二〇〇八年設立の子会社「**ヤマダオートジャパン***」がヤマダ電機の店舗内に出店し、「レクサス」以外の全メーカーの車種を扱っていました。スーパーや家電量販店では、ほとんど全メーカーの車種を販売していることが、顧客にとって大きな魅力となっています。インターネットで車を販売する「**楽天オート**」も、これからの中古車販売で主流となるかもしれません。

マツダの「ウェブチューンファクトリー」インターネット受注生産サービス

（2003年時点）

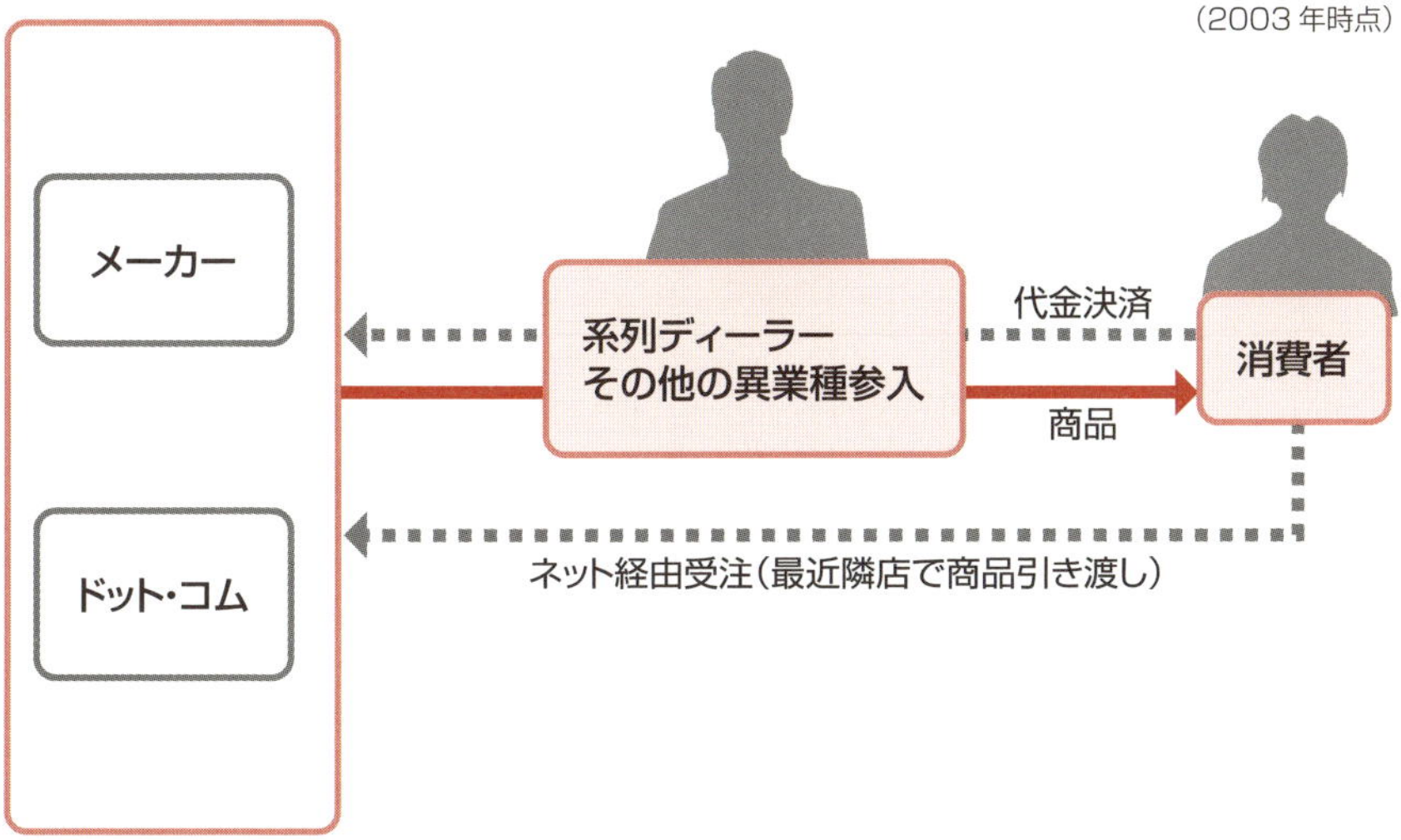

（出所）日本自動車工業会　JAMAGAZINE　2003年6月号

用語解説

***ヤマダオートジャパン**　設立は2008年で、自動車の買い取り・販売のFCチェーンの運営を行っている。株主にはヤマダ電機のほかに「マツダレンタカー」もいる。

4 流通チャネルの問題

ディーラーが新古車を販売し、必要のない自動車重量税を顧客から徴収して問題になりました。米国ではフリート販売が多く、車のブランド価値を損ねています。

●新古車はなぜ発生するのか?

新車登録台数と実際に顧客に販売した台数が異なることがあります。それは、販売店であと何台か販売すればメーカーから**インセンティブ**(販売奨励金)が入るという場合に、販売店を所有者として新車を登録し、ナンバーをつけて「**新古車**」としてしまうからです。メーカー同士が販売台数を競い合い、販売台数の増大のみを求める累進性の強いインセンティブをディーラーに与えるために、このような新古車が発生するのです。「新車登録台数」に含まれるには、ただ新車を購入するだけでなく、それを登録する必要があります。新古車は、契約のキャンセルによって発生する場合もありますが、ディーラーによる自社登録が最大の発生要因です。新古車が顧客に販売されるときには、走行距離がほとんど〇キロメートルですが、販売店によっては一万キロメートルも走行した中古車を新古車として売ることもあります。「**新車**」は一度も登録されていない車を指し、すでに登録されてナンバーがついている車は新古車も含めてすべて「**中古車**」です。

ディーラーが新古車を顧客に売り、新車でなければかからないはずの**自動車重量税**を顧客から徴収してトラブルになった例もあります。自動車重量税は新規登録時および車検時にかかります。新車では必ず重量税が必要となりますが、車検が残っている中古車では払う必要がありません。ところが新車販売店で新古車を販売する際に、新車と同じ扱いで税金を計算して顧客に請求し、それを販売店の利益にしていたのです。

販売店は新車として**自社登録**する際に払った重量税を、新古車の購入者に肩代わりさせたのですが、やはりこれは違法行為です。

「新古車専門」の中古車業者は、新古車を新車価格の二〜三割引で販売しています。新車とほとんど同じ品質で新車より安ければ、結局、新車の店頭価格も下げざるを得ないため、新古車の存在は、最終的にメーカーの利益を圧迫するのです。

●フリート販売とは何か？

米国では「**フリート販売***」が新車販売の多くを占め、問題となっています。フリート販売は、激しい自動車販売の競争市場における販売目標達成策となっているのです。韓国の起亜自動車では、レンタカー業者からの注文が増えた結果、米国での販売の約四分の一をフリート販売が占めています。ビッグスリーのフリート販売は三割、日本の自動車メーカーでは一割から二割を占めています。フリート販売が増加すると、再販価格に影響し、結局は車のブランド価値を損ねることになります。

新車価格には様々なコストが乗る

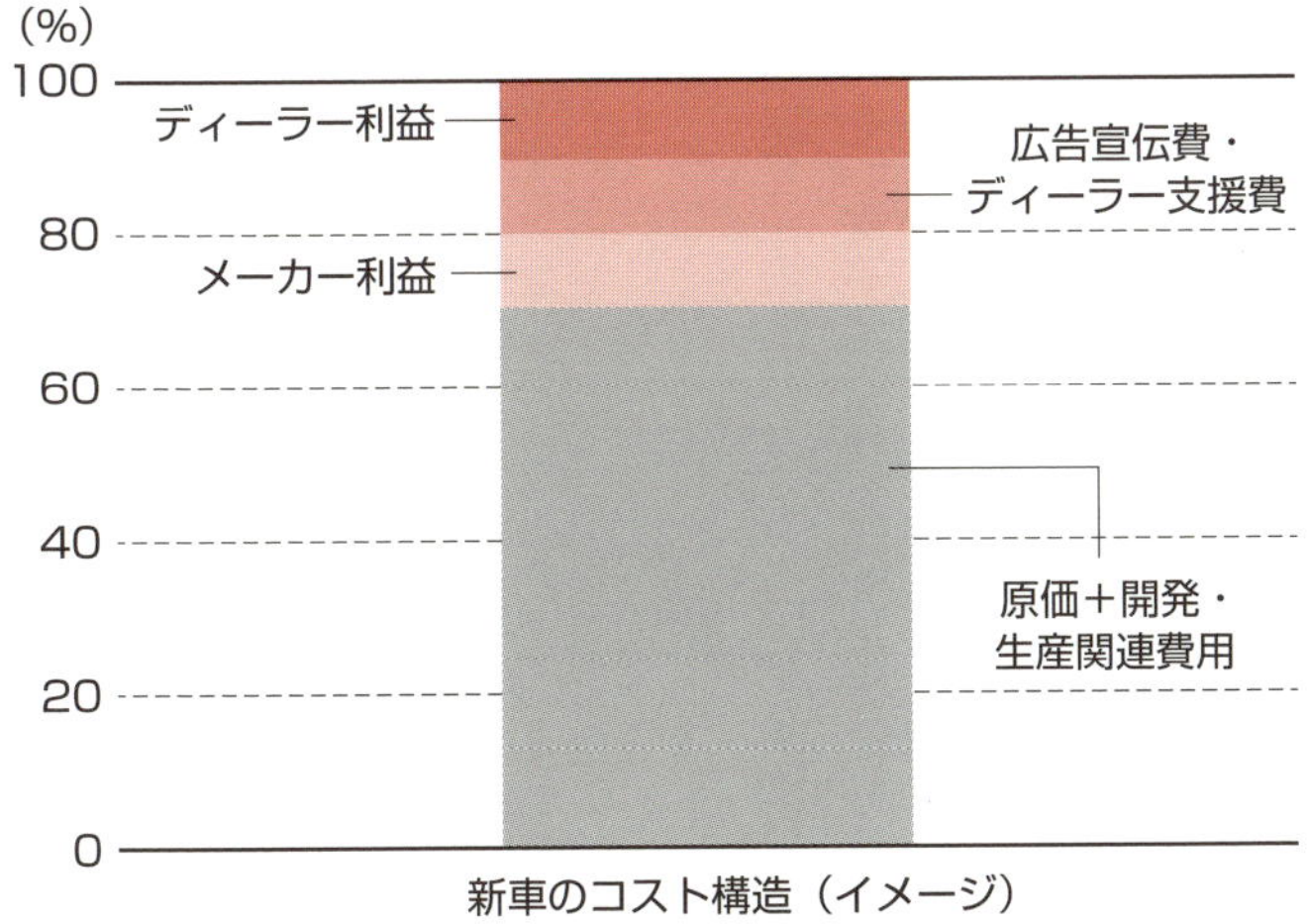

（出所）週刊エコノミスト　2021.9.7、45ページをもとに筆者作成

用語解説

***フリート販売**　レンタカー業者への買い戻し権付き新車販売のこと。

5 フレキシブルなトヨタ生産方式

トヨタ生産方式は、需要に見合うように一つの生産ラインで複数の車種を混流生産するという、フレキシブルな生産方式です。

●トヨタ生産方式

トヨタでは、一つの組立てラインで同じ車種だけを流すのではなく、需要に見合うように多品種少量生産を行っています。販売店で受注した車を生産計画に入れて、市場のニーズに合った生産体制を敷いているのです。フォードが考え出したベルトコンベアを使った「**流れ作業方式**」は、同一モデルの大量生産によってコストを削減するというものでした。この生産方式は、極端な量産の追求、設備の専用化、労働者の単能工*化によって、硬直した生産システムになっていました。米国では金融危機以降、生産を外注する動きがあります。自動車の受託生産の米国最大手アンドロイド・インダストリーズは、自動車大手三社を顧客に持っています。一方、トヨタは豊田佐吉が生み出した「**自働化**」と、豊田喜一郎が考えた「**ジャスト・イン・タイム（JIT）**」を中心に、フレキシブルな**トヨタ生産方式**を発展させました。

トヨタ生産方式の原点は、大野耐一が考え出したものです。トヨタ生産方式は、次の用語を理解することによって、その概要を把握することができるでしょう。

•**ジャスト・イン・タイム**　一つの生産ラインで複数の車種を混流生産するには、必要となる部品も多種多様です。部品の在庫を多く持つのではなく、必要な部品を、必要なときに必要な量だけ部品メーカーから引き取るシステムが、この「ジャスト・イン・タイム」です。そのために、当初は長方形のビニール袋に入った紙である「かんばん」が使用されましたが、一九九八

用語解説

***単能工**　単能工は、標準化された単純作業の繰り返しを行う作業者である。多能工は、単純作業を複数組み合わせた職務を正確に素早く行うことができ、改善や保全なども行う能力を持った作業者を指す。

年以降は「電子かんばん」が導入されています。これによって、部品メーカーにリアルタイムに生産指示が伝わるようになりました。しかし、現在も「紙のかんばん」が併用されています。なぜならば、生産の進み具合やラインのトラブル状況が、「紙のかんばん」の滞留具合を見れば、即時に把握できるからです。

●**標準作業化**　生産現場で標準作業をマニュアル化し、作業員が標準作業どおりに行っているかどうかを監督者が「目で見る」ことができるようになりました。

●**生産の平準化**　生産量をバラつかせると、生産現場では作業員と設備を余分に持たざるを得なくなります。生産量のバラツキは、自動車メーカーだけではなく部品メーカーにも悪影響を及ぼします。そのため、完成車の組立てラインでの生産量を常に一定にしています。しかし、このようなことができるのは、プレス部門が生産の平準化によって、**金型**を頻繁に変えるという「段取り替え」を行っているからです。トヨタの「段取り替え」は当初二～三時間もかかっていましたが、一九六五年には三分まで短縮することができました。

トヨタの物流（1998～99年時点）

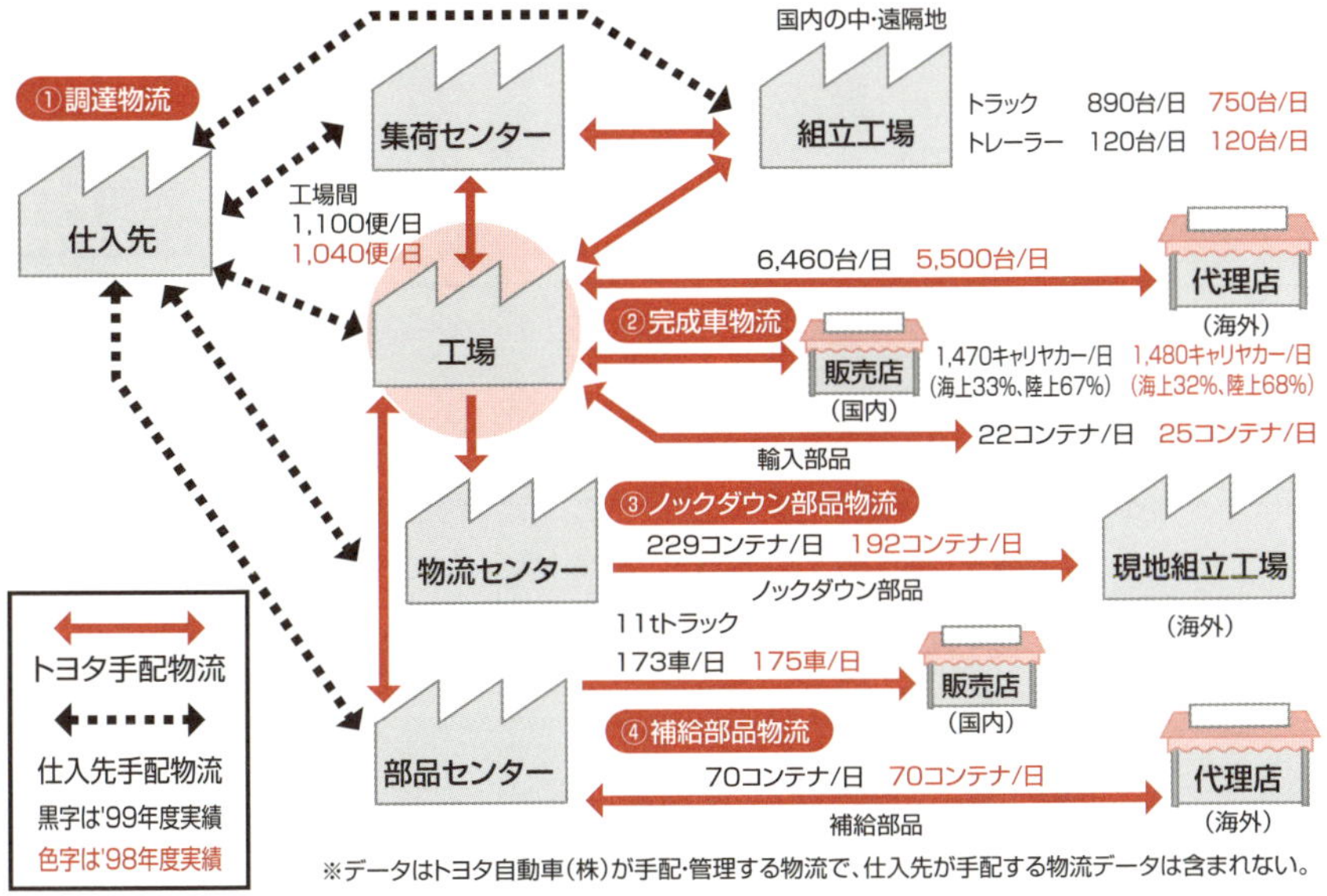

※データはトヨタ自動車(株)が手配・管理する物流で、仕入先が手配する物流データは含まれない。

（出所）トヨタ自動車株式会社　Environmental Report 2000

6 原価低減活動と車種仕様数

バブル崩壊前は、車の過剰設計が車の製品開発コストや製造コストを高めていました。自動車メーカーは、サプライヤーを巻き込んで原価低減活動を実施し、部品の標準化や汎用化を実現しました。

●車種仕様数の増加

わが国の自動車メーカーの多くは、コンパクトカーから高級車までの多くの車種を生産し、フルライン戦略をとっています。

トヨタでは、二〇〇二年に六〇車種ありました。トヨタの車種仕様*数は一九八四年から一九九〇年の六年間で約二倍に増加しました。例えば、一九八四年の総仕様数は約一万九〇〇〇種ですが、一仕様数当たりの販売台数は七・九台です。一九九〇年の総仕様数は三万七〇〇〇種に増加しましたが、一仕様数当たりの販売台数は、六・二台と逆に減少しています。トヨタは大量生産していますが、中身は多品種少量生産です。しかし、一九九〇年に年間一台しか販売していない仕様は全販売台数の一〇%近くを占めており、一方で、年間五〇台超売れる仕様は全販売台数の四五%も占めていました。ヒットする仕様とヒットしない仕様が二極化していたのです。一車種につき、車型を八割に削減しても需要の九五%を満たし、部品を七割に削減しても需要の九〇%以上を満たせることがわかりました。**過剰設計**が車の製品開発コストおよび製造コストを高めていました。これは、一車種当たりの仕様数が多すぎることに問題がありました。製造コストの大部分は、顧客がめったに選ばないか、逆にほとんどの顧客が選ぶ装備やオプションから発生します。

●原価低減活動

一九九〇年代、顧客は仕様の選択にかかる時間と工

用語解説

＊**車種仕様**　エンジン、ボディ、オプション、カラーなどの項目。

ネルギーを嫌い、結局、**基本パッケージ車**を選択するケースが多かったのです。これを受けて、部品の標準化・汎用化を前提に、トヨタは、二〇〇〇年からCCC21*と呼ばれる**原価低減活動**を、サプライヤーを巻き込んで実施しました。二〇〇五年からは、原価改善活動「バリューイノベーション」を行い、部品・素材・加工法の見直し、小型軽量化、過剰設計の解消を行いました。ホンダでは、一九九三年発売のアコードや九五年発売のオデッセイには、従来の部品を五〇％ほど使用しており、コストを抑えながら商品力のある車を開発した良い例です。

一九八〇年代の共通部品比率を国際比較すると、日本が二〇％、欧州が三〇％、米国が四〇％でした。日本はモデル専用部品が多く、高い商品力を構築していたとはいえ、コスト高になっていたのです。しかし、部品共通化活動により、その比率は一九九〇年代後半には約四〇％にまで高まりました。

その後、部品調達の問題は、東日本大震災やコロナ禍で発生しており、自動車メーカー間での部品の共通化も重要な課題になってきています。

メーカーの原価低減額寄与額の推移（2002～05年度）

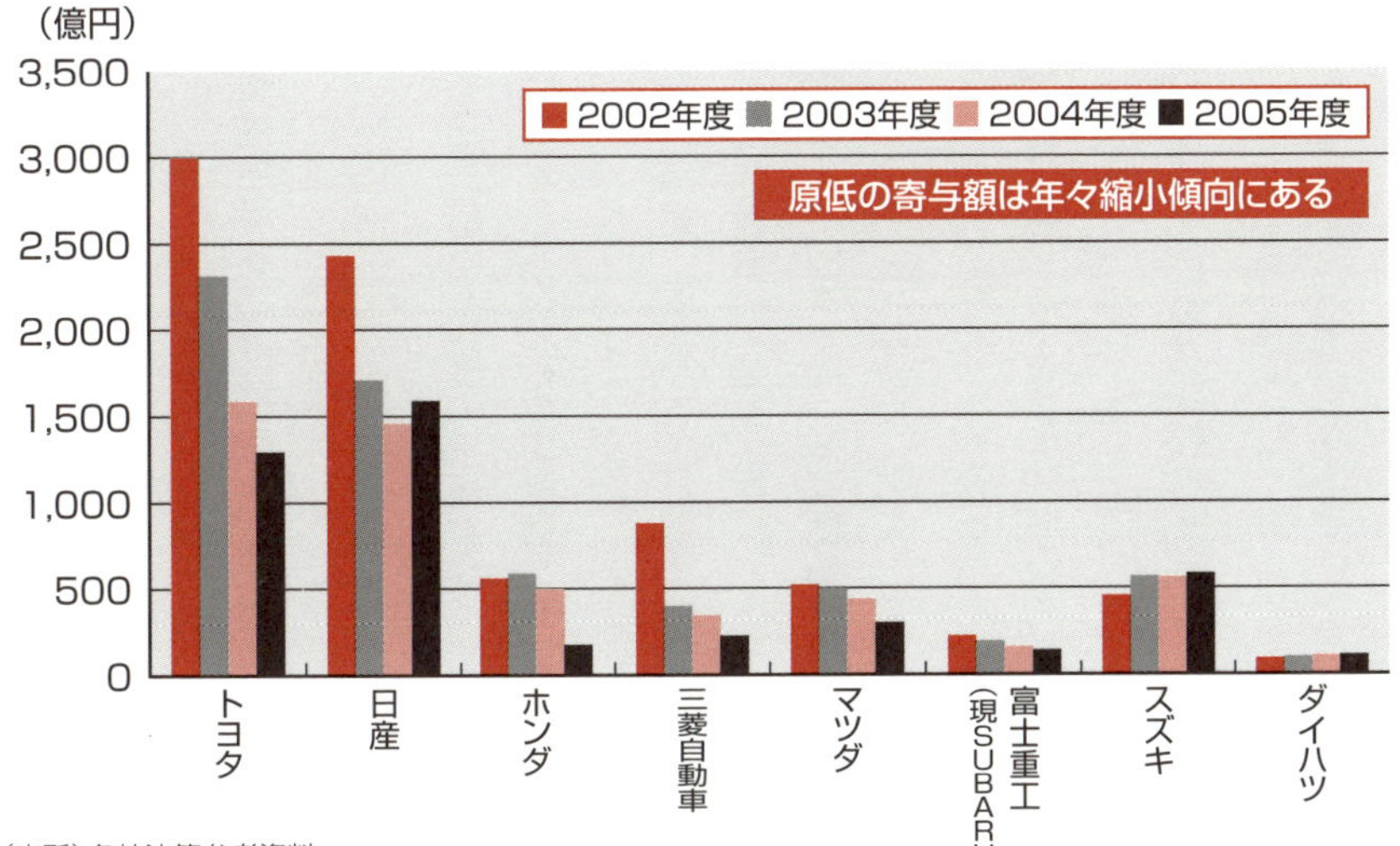

（出所）各社決算参考資料

用語解説

＊**CCC21**　トヨタで部品調達総額の90%を占める主要170品目について、コストを劇的に低下させることを目的とした活動である。そのために、部品の開発段階から相互に連携し、製品設計や原材料、製造方法まで徹底的に改善した。

7 在庫販売と受注生産混合型の日本

自動車メーカーの生産計画は、見込み生産の基礎となり、これに受注生産を組み込んでいきます。受注生産比率は各メーカーによって異なります。

●受注生産

日本では、注文から納車まで顧客が待てる時間は約一カ月が限度と思われます。顧客は「納期を知りたい」、「注文後の簡単な仕様変更を認めてほしい」というような願望を持っています。一方、ディーラーでも「オプションの組み合わせに手間と時間がかかる。それよりも在庫を早く売りたい」、「納期回答はメーカーも明確に約束できないため、ディーラーでも困る」というように、受注生産に対して否定的なイメージを持っています。メーカー側でも「生産効率を高めるためには生産の平準化を重視したい。そのためには、ある程度の見込み生産をする必要がある」と考えています。

このように、受注生産に対して、顧客、ディーラー、メーカーの三者がある程度の不満を持っています。しかし、生産効率の良い見込み生産をしすぎると、在庫が積み上がり、ディーラーへの販売奨励金と値引き販売による問題解決を余儀なくされます。したがって、自動車メーカーは、効率的な受注生産システムを構築する必要があります。日本では「**多品種多仕様生産**」が行われており、トヨタでは一九七〇年代から受注生産を実施しています。販売されるトヨタ車のうち、受注生産比率が六〇%、物流センターまたは他のディーラーから取り寄せた車が六%、ディーラー保有在庫車が三四%を占めています。完成車在庫は、二〇〇〇年にディーラー持分が二〇日前後であり、メーカー持分は、**JIT**を行っているトヨタではゼロです。受注から納入までの期間は、平均して二一〜三二日です。

用語解説

*値引き慣行　新車効果が薄れて、在庫が積み上がってくると、自動車メーカーの常套（じょうとう）手段として、「お買い得車」を販売することがあるが、これも「値引き」の一種である。例えば、専用のボディ色を採用して装備を充実させた特別仕様車などであり、一時的に顧客の関心を集め、在庫を一掃できる。

●生産計画の立て方

生産計画は、計画期間が半年～一年半の「**大日程計画**」、一～三カ月の「**中日程計画**」、一～一〇日の「**小日程計画**」の三段階で立てられます。日程計画は見込み生産の基礎となり、これに**受注生産**を組み込みます。しかし、「顧客の注文による受注生産」では在庫は出ません。「ディーラーの注文に応じた生産」では、ディーラーが見込みで発注しているため在庫が出ます。売れるだけ作るというJITにはなっていないため、「値引き慣行*」や「新古車」問題を引き起こしています。自動車メーカーは生産計画を立てると、部品メーカーを選定し、協力関係を構築します。部品メーカーも予測に基づく製品計画を立て、製造に時間がかかるシートなどは、すぐに納品できるように在庫を持ちます。

受注生産では、ネット販売専用モデルを提供したりして、商品選びの楽しさを味わってもらうように工夫している自動車メーカーもあります。将来は、完全なデイリーオーダー・デイリー生産の受注販売に近い形で、顧客に車を届けることが目指されています。

メーカーと販売店との「生販統合システム」における CALS*例

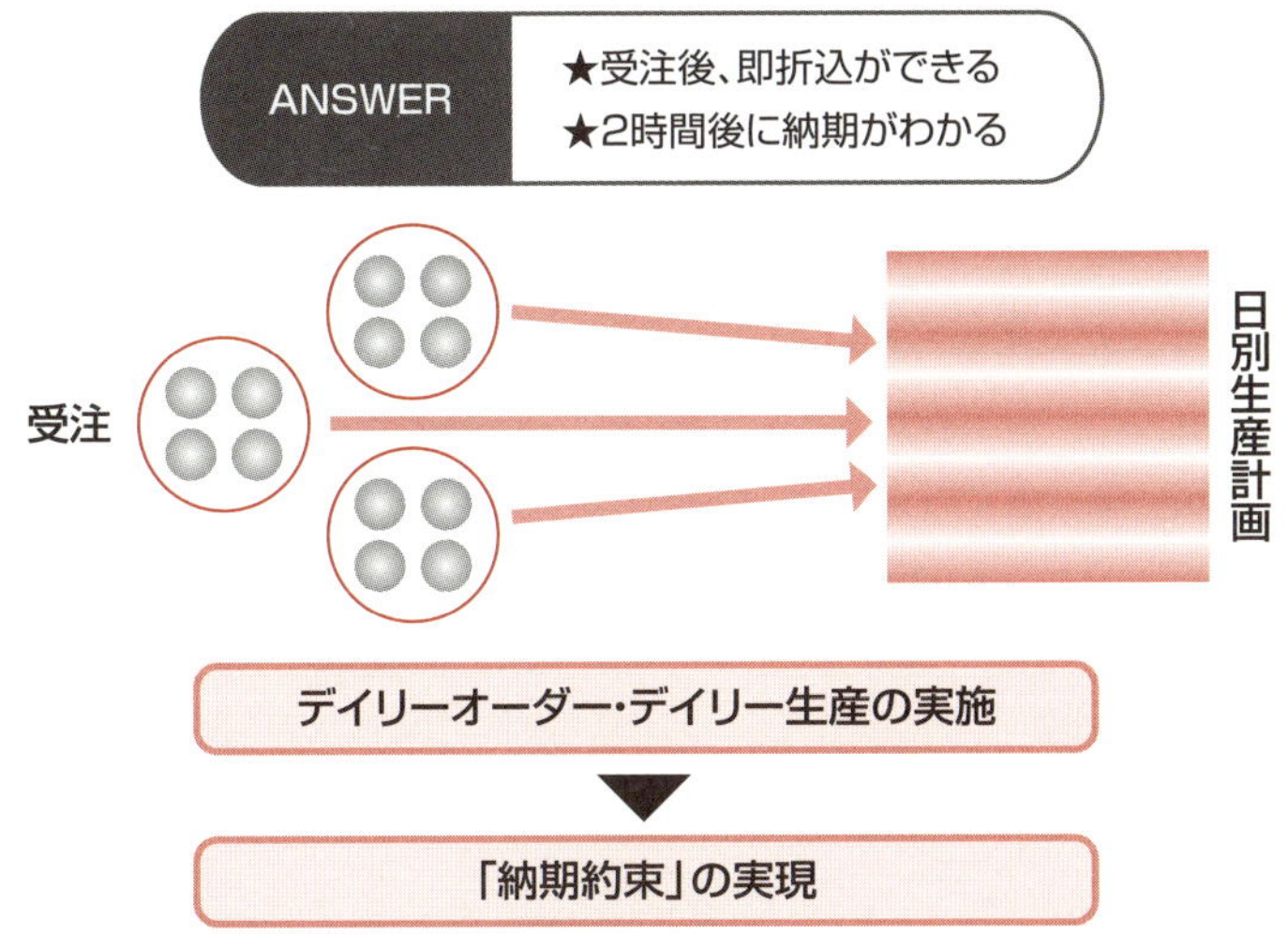

(出所)日本自動車工業会

用語解説

* **CALS** Continuous Acquisition and Life cycle Supportの略。継続的な調達とライフサイクルの支援のこと。

8 欧米メーカーの受注生産と在庫販売

米国の顧客は、仕様よりも燃費や価格に敏感で、在庫販売が多いです。ドイツの高級車では受注生産が多いのですが、顧客は車を待つこと自体を喜びとし、受け取ることも記念とするため、不満は少ないです。

●ドイツ自動車メーカーの受注生産

顧客の要望に合った車を販売するには、顧客が仕様を決めた上で生産する**受注生産**が適切です。商品力のある車も、顧客の望む色やエンジン、オプションを装備できなければ、新車開発の効果が下がってしまいます。しかし、受注生産は納期が長いのが欠点です。この納期の長さをカバーするための演出を、ドイツの高級車メーカーはよく心得ており、顧客を数カ月待たせても文句を言わせません。

例えば、フォルクスワーゲンは小型車で競争力を持っていますが、高級車「**フェートン***」を製造していたこともあり、その組立工場では、顧客は自分の注文した自動車がラインオフするのをバーで飲みながら待つことができました。そして、自動車を受け取ると、お祝いのセレモニーが行われ、顧客は自分で運転して帰ります。このように、納期が長くても、顧客は自分だけの仕様の車を製造してもらい、車が出来上がるのを待つこと自体を喜びとし、受け取ることも記念とするため、不満がそれほど出てきません。

●米国自動車メーカーの在庫販売

米国では在庫販売型をとります。自動車メーカーが生産計画に基づいて生産した車を、そのまま「**押し出し販売方式**」で売ります。米国では、自動車は「足」代わりであり、顧客の多くは仕様よりも、燃費や価格に敏感です。販売店の在庫は平均六〇日分で、在庫スペース確保にコストがかかっています。米国では、受

用語解説

***フォルクスワーゲン・フェートン**　ドイツのフォルクスワーゲンが2002年から販売していた同社初の高級車。ドレスデンの工場で1日に35台が製造されていた。販売は当初から苦戦を強いられており、全世界での年間販売目標台数の2万台を大きく下回る5000台程度にとどまった。米国での販売も芳しくなく、2006年に米国での販売を中止。2016年に生産終了となった。

注から納車まで平均五〇〜七〇日と長くかかるので、在庫生産から注文生産への移行はまだまだ難しく、在庫生産の合理化を図って、在庫水準を三〇日分にするのが課題でしょう。なお、顧客が販売店に置いていない仕様の車を希望したときは、多くの販売店の在庫の中から、その仕様に該当する在庫を探し出し、ディーラー間で交換し合っています。

受注生産の比率は、国や地域によって異なります。受注生産の比率が高くなるのは、部品メーカーの製造能力を含めて工場の製造能力が高く、車種仕様が多くても汎用部品の比率が高いため多くのバリエーションの組み合わせが比較的短納期でできるときであり、また、人気モデルで納期が長くても顧客が待ってくれるときです。

したがって、受注生産の比率の高低には、製品開発、生産、販売のすべての部門の業務が関わってきます。受注生産の納期は在庫販売よりも長いですが、待つことのできる納期は最終的には顧客が決めるものです。待つことのできる時間は、製品により、国により、そして年齢や性別により異なります。

フェートン

販売期間は2002〜2016年。VW初のラグジュアリーサルーンだった。
京L C3826

（写真提供）フォルクスワーゲングループジャパン株式会社

9 情報システム活用のトヨタの受注生産

受注生産の場合、トヨタの組立てスケジュールは生産の約三〜四日前に決定され、部品メーカーに対してオンラインで部品の納入場所が通知されます。

●受注情報の流れ

トヨタの受注生産体制を、特に情報システムの面から見ていきましょう。まず、顧客からの注文は、生産工程計画へ流れ、次に部品メーカーに対してオンラインで部品の納入場所が通知されます。部品メーカーはトヨタの生産情報システムと直結しており、**JIT**に必要な情報に自動的にアクセスできます。第一次サプライヤーは同じような生産情報システムを持っていて、二次サプライヤーへ通知します。このように、トヨタと部品サプライヤー千数百社とは、イントラネットで結ばれています。

受注生産の場合、組立てスケジュールは、通常、生産の約三〜四日前に決定され、トヨタは部品メーカーに「**部品納入内示表**」を発行します。組立工場では顧客の注文に応じたシャシー、パワートレイン、ボディが確実に一カ所に集められますが、どの車も異なっており、一つとして同じ車はありません。そのため、リアルタイムのデータ管理が必要となります。トヨタはどの時点でも、各組立車が、生産プロセスのどの位置にあるかを把握できています。

このリアルタイム・システムのおかげで、サプライヤーとしても自社の生産計画に柔軟性を与え、生産計画の変更に即時対応することが可能となります。ただし、これを実現するためには、サプライヤーがトヨタ専用のIT設備に投資する必要があります。その中には、供給ルートを設定し調整するための**物流ナビゲーション・システム**も含まれます。

●生産現場ではIDタグが活躍

トヨタのコンピュータは、毎日、翌日に生産される車のIDナンバーを指定します。生産ラインでは、車に設置された**IDタグ***を介しての情報交換によって、ロボットや自動機が稼働します。作業員は張り紙の「車両生産指示」を見て、ライン脇の部品箱から適切な部品を選択して、組み付けていくのです。どのサプライヤーがどの車のどの部品を生産したのかわかるデータベースがあり、製品保証、保険、クレーム、修理の際の特定部品のトレースを可能にしています。

トヨタのITグループは、情報システムがサプライチェーン全体でうまく機能しているかどうか確認することを目的に、部品メーカーと定期的に会合を開いています。トヨタの情報システムは、このように精巧にできていますが、一台当たりのITシステムのコストは約二万円（一九九八年試算）です。これは、工場渡し価格の平均一〜一・五％に相当します。この額は、それほど大きなコストではなく、それよりも組織や生産効率、技術の優位性における利便性の方が大きいのです。

水性塗料による静電塗装、カートリッジ方式

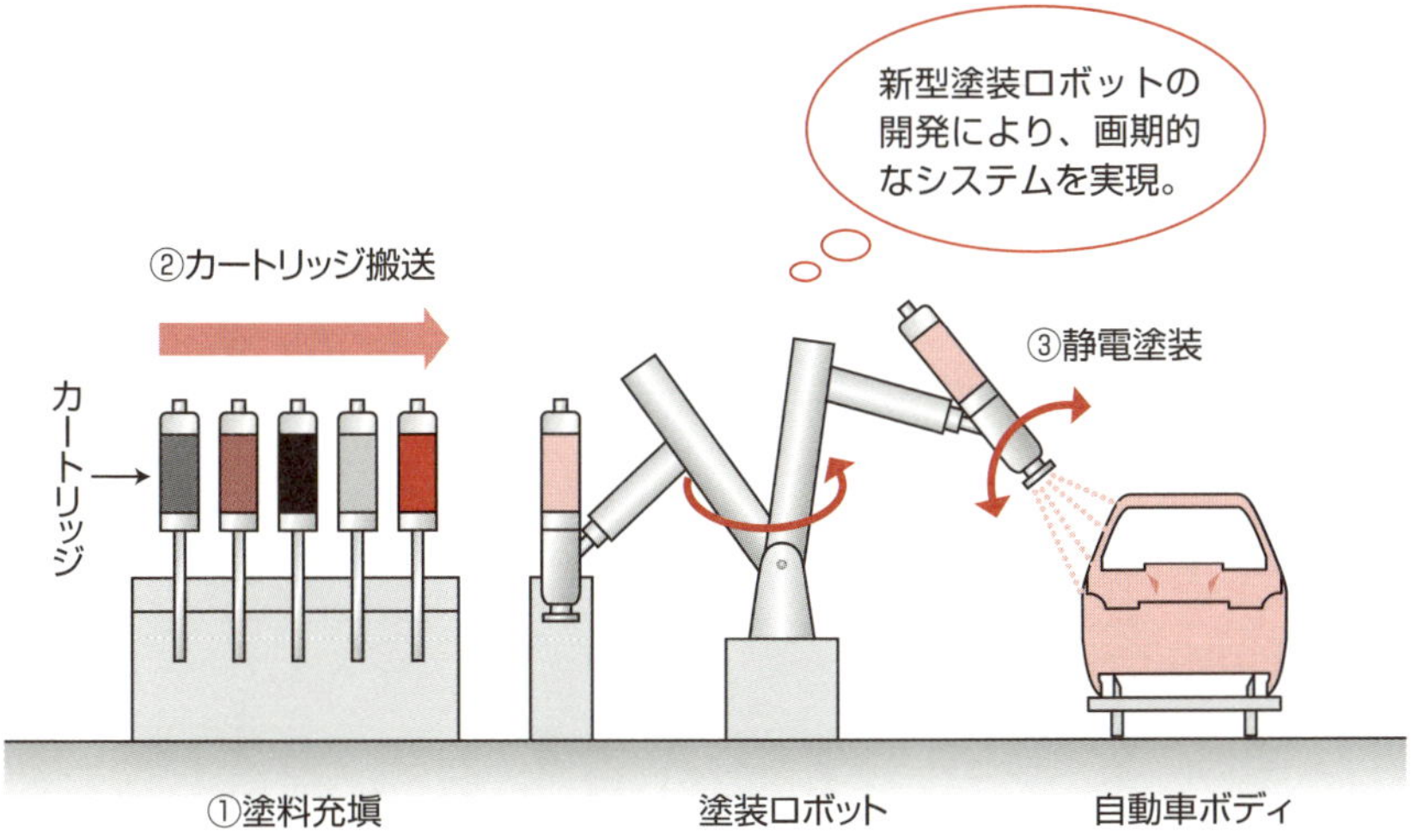

（出所）トヨタ自動車株式会社　Environmental Report 2001

用語解説

* **IDタグ**　IDタグの形状は、カード型、コイン型、ガラス封入型など様々である。IDタグとリーダ・ライタとの非接触交信距離は1〜200cmほど。低周波型、高周波型、マイクロ波型などがあり、交信距離もそれぞれ異なる。IDタグの価格は数十〜数百円だが、将来的には10円前後になる。リーダ・ライタは1万〜20万円ほどで、機能により異なる。

10 サプライヤーとの関係

日本の自動車部品メーカーは、特定の自動車メーカーを頂点とする「企業系列」に属する場合が多く、長期的なパートナーとなりますが、米国では短期契約が多く、敵対的な関係になりがちです。

●系列取引とは

トヨタをはじめとする日本の自動車メーカーは、サプライヤーを長期的なパートナーとして扱い、新車開発の初期から参加させて、長期取引を行っています。約三万点の部品からできている車の原価低減活動には、部品メーカーの協力が欠かせません。自動車メーカーは、自社の社員を部品メーカーに送り込み、VE*などを支援して、部品のコスト削減を行います。

日本の自動車部品メーカーは、特定の自動車メーカーを頂点とする企業グループに属する場合が多いです。これを「**企業系列**」と呼びますが、系列内では欧米のような正式な単一契約書による取引は少ないです。その代わりに、自動車メーカーと部品サプライヤーが、初めて取引関係を結ぶときに交わされる包括的な基本契約が、それ以降の取引慣行を形成します。

部品メーカーは一次、二次、三次というように、自動車メーカーとの納入関係をもとに階層化されています。特に一次部品メーカーに対して、自動車メーカーは**資本参加**、**役員派遣**という結び付きによって、取引関係をより強固にしています。

部品メーカーが系列以外の自動車メーカーに部品を納入する例は、一次部品メーカーに最も多く見られます。二次メーカーは、協力会に属してはいますが、系列の自動車メーカーとの人的・資本的結び付きはあまり見られず、三次メーカーは協力会に属することもほぼありません。しかし、三次部品メーカーが特定の自動車メーカーとの取引に最も依存しています。

用語解説

* **VE**　Value Engineeringの略。その目的は、対象となる商品やサービスの価値改善、または価値創造である。
価値(Value)＝機能(Function)／コスト(Cost)
価値とは、機能がもたらす満足度とコストの妥当さの度合いである。

米国の自動車メーカーとサプライヤーの関係は、短期契約が多く、パートナー関係というよりも、部品価格に基づいて購入するため、敵対的な関係になりがちです。サプライヤーに問題が起こった場合は、支援をするというよりも、契約を破棄します。

●グローバル化時代の部品メーカーの収益性

自動車部品メーカーは、完成車メーカーの下請的存在と理解されているため、どうしても利益率で完成車メーカーに劣ると考えられがちです。しかし近年、自動車部品メーカーがグローバルに取引を拡大するにつれて、特にアジア市場で高収益を上げている事例が見受けられます。完成車の価格が現地の所得によって変化する一方、部品価格はグローバルでの変化幅が小さいからです。例えば、中国には奇瑞汽車、上海汽車、長安汽車などの完成品メーカーがありますが、中国で部品を製造する際の人件費は安いにもかかわらず、部品価格が安定しているため、日本の部品メーカーも利益を出しやすいのです。

メーカーとサプライヤーの関係

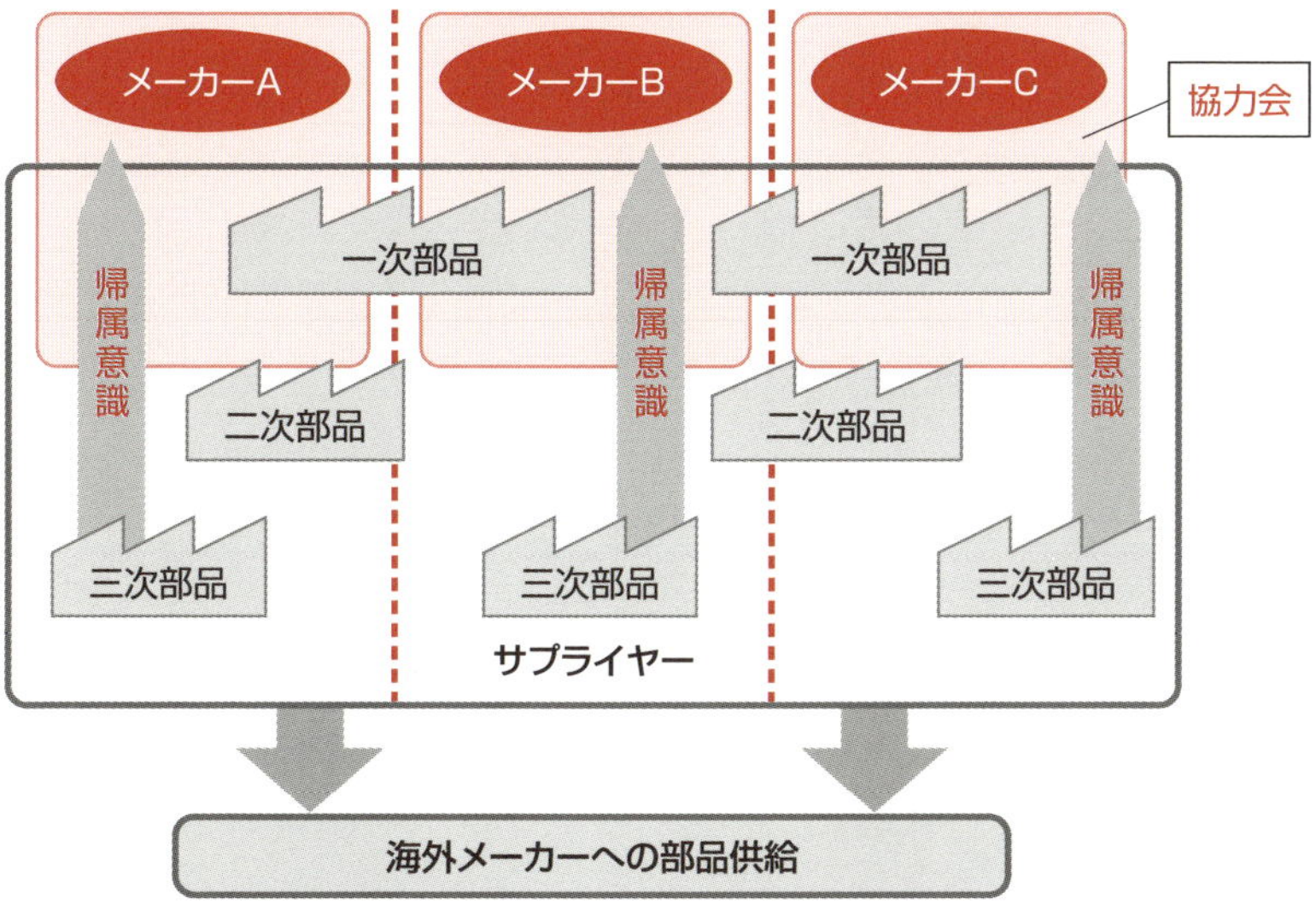

11 貸与図メーカーと承認図メーカー

完成車メーカーの設計図どおりに部品を製造する部品メーカーを「貸与図メーカー」、詳細設計を行う部品メーカーを「承認図メーカー」といいます。

●「貸与図メーカー」と「承認図メーカー」

日本の自動車部品メーカーは、製品開発を行う際に、設計図への関与の仕方から、「**貸与図メーカー**」と「**承認図メーカー**」に分類できます。「貸与図メーカー」とは、完成車メーカーや上位の部品メーカーが部品の基本設計と詳細設計を行い、その設計図どおりに部品を製造する部品メーカーを指します。「承認図メーカー」とは、完成車メーカーから与えられた基準設計をもとに詳細設計を行う部品メーカーを指し、「承認図メーカー」が製品の品質管理の責任を負います。

系列の下層の部品メーカーになればなるほど、製品開発力がないため、貸与図方式をとる傾向があります。製造する製品も小物部品や単品になるため、発注企業との情報交換の必要性も少ないのです。

部品メーカーは製品開発力をつけて、「貸与図メーカー」から「承認図メーカー」に転換しようとします。その際、部品メーカーは完成車メーカーや、より上位の部品メーカーへ「ゲスト・エンジニア」を派遣して、能力獲得を行う必要があります。

●金型費の補償

貸与図メーカーにとって、予定販売数量を超えた部品の納入については、**金型***費の額だけ部品価格を引き下げるルールになっているため、金型費からは利益を得ることはありません。しかし、予定数量に達しない場合も、自動車メーカーが金型の減価償却の未回収分を補償してくれます。そのため、自動車メーカーは

用語解説

＊**金型**　金型（かながた）とは、工業製品の金属製や樹脂製の部品を製造するための型のことであり、多くが金属製である。鍛造用金型、プレス用金型、鋳造用金型などがあり、プラスチックなどの成形用に使われるものもある。

貸与図メーカーに対して部品の金型費のリスクを全面的に負担しているのです。

部品の設計と製造の両方に責任を負う承認図メーカーに対しては、自動車メーカーは金型費の補償を行っていません。

開発能力という無形資産を多く持つ承認図メーカーを、自動車メーカーが系列内につなぎとめておくために、市場取引よりも部品価格を高く設定する必要があります。

承認図メーカーは金型費を部品価格へ転嫁する際、いくらにするかを自身で決定できます。また、系列外へ部品を納入する際にも同じ金型を使用できるため、自動車メーカーに金型費を補償してもらうこともありません。つまり、承認図メーカーは自社で金型費の回収可能性に対してリスクを負いますが、複数の顧客へ同一の部品を納入することによって、金型費のリスク分散を図ることができるのです。特に、納入予定数を超えて部品を納入する場合には、承認図メーカーは大きな利益を得ることができます。自動車メーカーにコスト構造を完全に把握されてしまうこともありませ

トヨタ車のパワーステアリングの製品開発における部品メーカーの分業関係

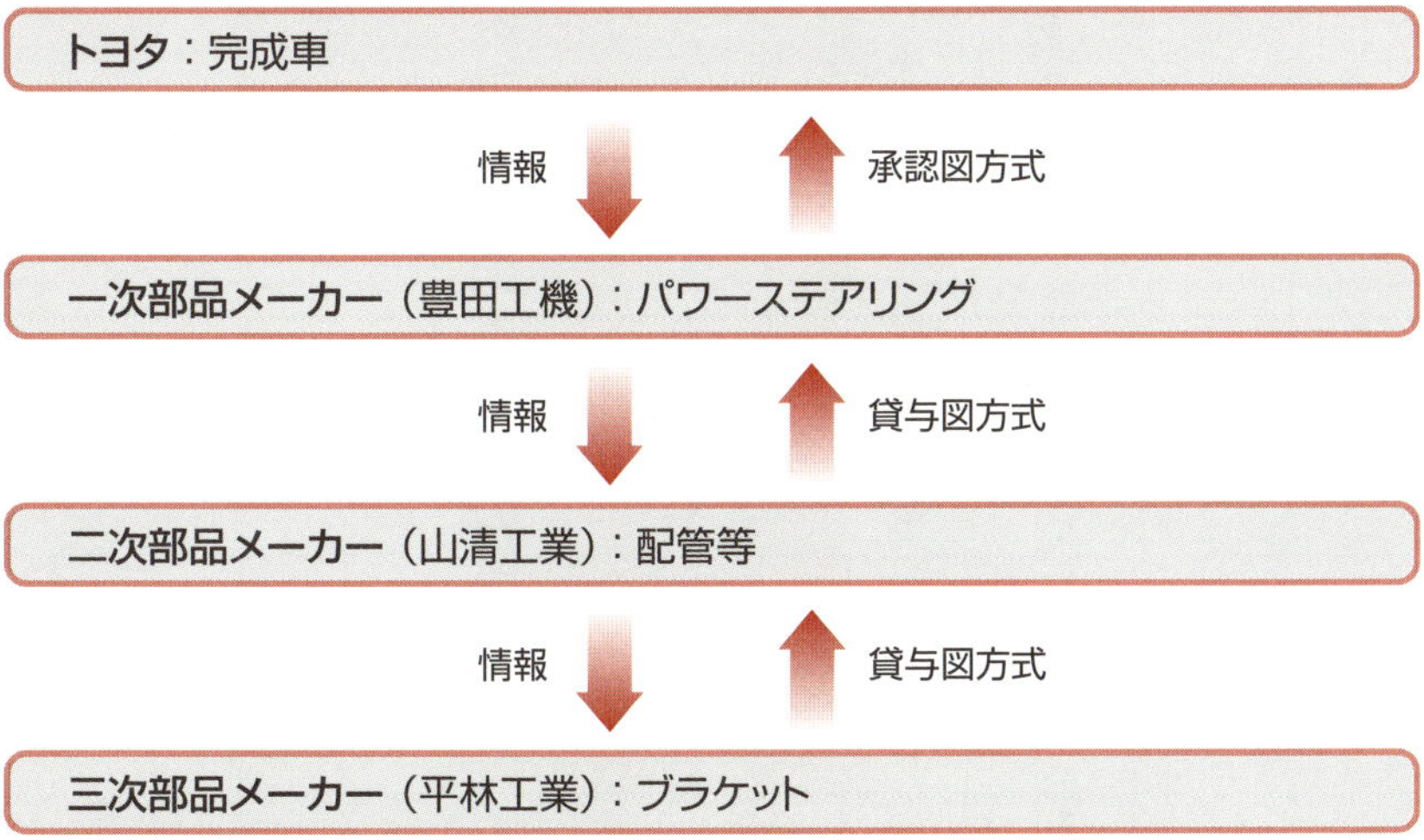

（出所）日本経営学会誌第 10 号　2003 年 9 月

12 経営の現地化とは

日本の自動車メーカーの経営の現地化は、さほど進展していません。日本人だけで現地で経営し、重要な決定を日本本社に任せているのでは、判断の遅れなどの問題が出てきます。

●生産管理の移転

自動車メーカーは車の輸出、そして現地生産を通してグローバルに拡大しています。これまで自動車メーカーのグローバル化とは、日本で生産性の高い工場を海外にそのまま移転することであり、経営のグローバル化はさほど進展していませんでした。

グローバルな生産に伴って、経営もグローバル企業にふさわしいものに変えていく必要があります。日本の自動車メーカーの**生産管理**は、国際的に見て優れており、移転に成功しています。しかし、日本的な内部昇進と雇用の安定、給与制度等の移転は、労働移動の多い現地では難しく、現地の事情に合わせて変える必要があります。

●海外子会社の本社への依存

日本の自動車メーカーは海外工場に大量に日本人を送り込み、現地人の幹部は少数のみ。本社の厳しい管理のもとで、子会社がイニシアティブをとって経営管理を行うことは困難です。現地採用の経営幹部や管理者は、重要な情報や意思決定に関与する機会が少ないため、不満を持ち辞めていくか、または競合他社へ移ることも多々あります。日本人だけで現地で経営をし、車の品質問題などを日本本社に任せているのでは、判断の遅れなどの問題が出てきます。グローバルに拡大する生産体制に経営体制が追いついていかなくてはいけません。特に品質管理をおろそかにすると、ブランド・イメージを損なうことになります。

●トヨタの現地子会社の裁量権

　トヨタの北米で働く日本人技術者の駐在期間は三年程度と短いです。日本本社の意向に沿って仕事をしており、現地の社員との交流は不活発。現地法人の裁量権も小さく、その結果、現地採用の社員のモチベーションは上がりません。トヨタは北米でのプリウスなどの**リコール問題**で、日本本社ですべてを統制していたため判断の遅れを招きました。このような事態を再度起こさないために、トヨタは品質などについて現地の裁量権を増やしたり、権限を委譲したりしました。

　日本の自動車メーカーが中国に進出する際は、特に複雑です。というのは、日産が**東風汽車**、トヨタが**第一汽車**＊というように、中国の自動車メーカーとの合弁形態をとらなければならないからです。中国では外国の自動車メーカーの出資比率が五〇%までと制限されています。合弁相手との良好な関係づくりだけでなく、規制の厳しい中国では、政府関係者との関係づくりも必要であり、日本の自動車メーカーの中国での経営の課題は多いといえるでしょう。

トヨタの所在地別連結生産・販売台数内訳（2021年度）

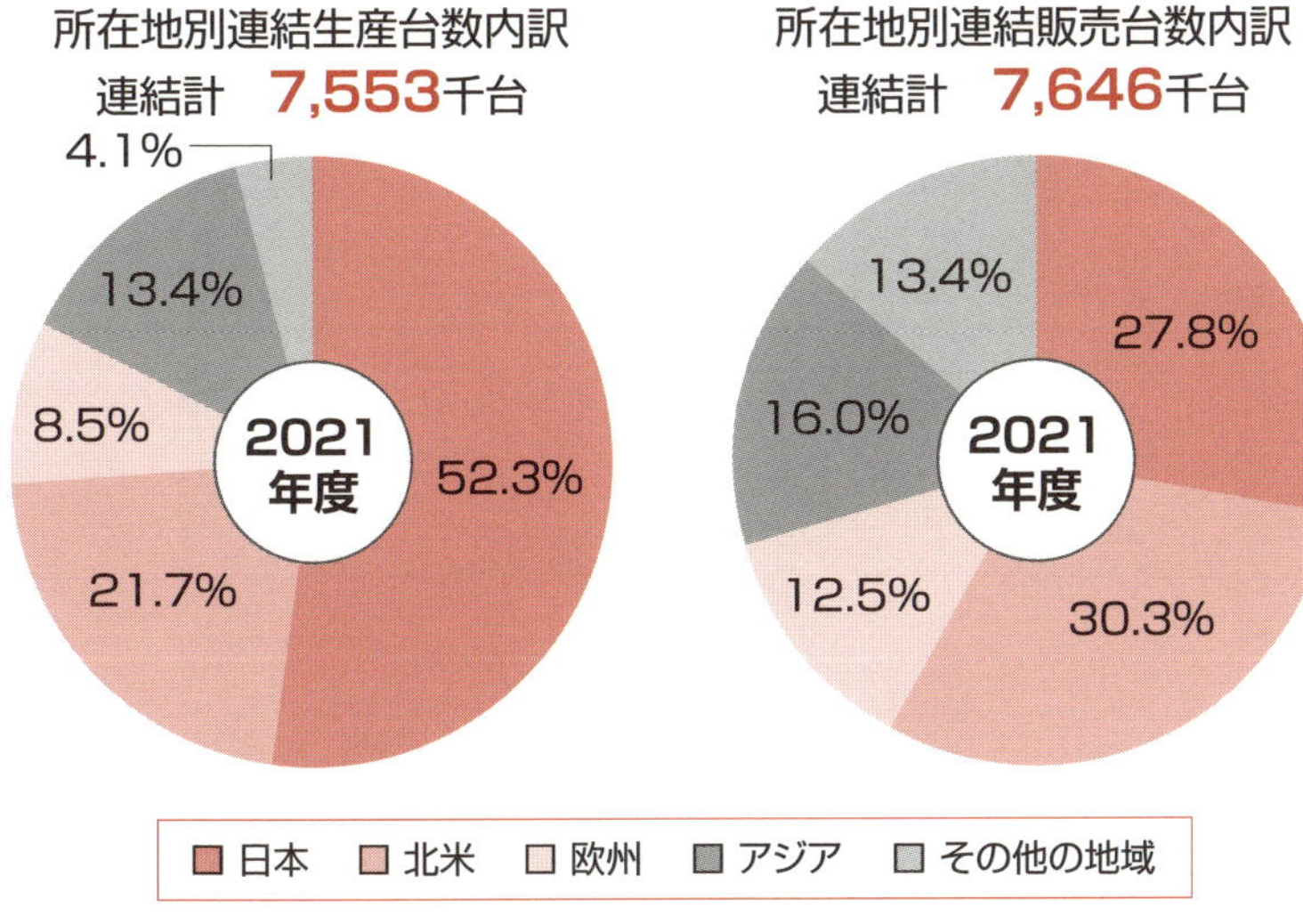

（出所）トヨタ自動車株式会社ホームページ

用語解説

＊**第一汽車**　中国第一汽車集団有限公司が正式名。1953年に設立された中国最初の自動車メーカーであり、吉林省長春市を本拠地とする。上海汽車、東風汽車とともに、中国国有三大自動車メーカーの1つである。

13 カーシェアリングとサブスクリプション

カーシェアリングは、あらかじめ登録した会員だけに車を貸し出すシステム。車のサブスクリプションは、様々な費用が含まれた定額の料金で車を一定期間利用できるシステムです。

●カーシェアリングとは何か

カーシェアリングは、あらかじめ登録した会員だけに車を貸し出すシステムで、車を所有するよりも経費がかかりません。車を所有する場合は、取得に多額のお金を払い、ガソリン代、税金、保険、駐車場代、車検、整備費用などもかかります。しかし、実際に車を使用するのは一日に数時間程度で、利用しない人になると、月に数時間程度となります。したがって、一台の自動車を一人で使うのではなく多数の人が利用すれば、最大限にその車を活用できるようになります。

カーシェアリングの車の利用者は、必要なときに一定金額を支払って利用するため、利用のたびに鉄道やバス、タクシーと比較して、安ければ車を利用しよう、というたコスト意識を持つようになります。

カーシェアリングは、主婦が子どもを送迎するといった短時間の利用に適します。長時間で長距離の運転をする際は、コスト的にもレンタカーの方が安く済みます。つまり、カーシェアリングとレンタカーは「走行距離」によって使い分けられています。また、カーシェアリングでは軽自動車が多いため、買い物などに便利ですが、多くの荷物を運ぶ際には、大型バンなどの車種を選べるレンタカーが便利です。

●車のサブスクリプション

車の**サブスクリプション**は、様々な費用が含まれた定額の料金で車を一定期間利用できるシステムです。自費用面やメンテナンス面でのメリットがあります。

家用車を購入するとなれば、頭金のような初期費用がかかる上、税金や車検代といった一時的に大きな費用がかかる月が出てきます。しかしサブスクリプションなら、頭金が不要で、車検や税金などの大型負担を月々均等にできるため、家計の計画が立てやすくなります。自動車は購入するのが当たり前とされていた考え方から、そのときどきに合わせて使用するスタイルへと価値観が変わりつつあります。

テスラは自動運転プログラム**FSD**のサブスクリプションを二〇二一年七月に月額一九九ドルで開始しました。FSDの機能には、「自動追い越し」「自動駐車」「駐車場出迎え」「信号機の自動認識」などがあります。これまでFSDは一万ドルの買い切りでしたが、サブスクリプションになることで気軽に体験できるようになりました。FSDの導入は**OTA**という無線ネットワーク経由で行われます。このようにサブスクリプションは、車というハードウェアだけでなく、ソフトウェアも使いたい期間だけ利用できます。ソフトウェアのアップグレードも可能であり、将来、車の価値が落ちにくくなるというメリットもあります。

トヨタ ルーミーのサブスクリプション月額料金の 9 社比較

サービス・会社	月額料金（最安）※
トヨタ KINTO	33,000 円～
SOMPO で乗ーる	31,570 円～
リースナブル	31,900 円～
新車リースクルカ	34,800 円～
コスモ My カーリース	28,270 円～
カーコンカーリースもろコミ	27,060 円～
定額カルモくん	22,820 円～
MOTA カーリース	22,440 円～
定額ニコノリパック	25,740 円～

※ボーナス払いなし

（出所）トヨタ ルーミーはサブスクがおすすめ！ KINTO なら任意保険もコミコミで管理がラク
カリノル (kari-noru.net)

用語解説
＊**FSD**　Full Self-Drivingの略
＊**OTA**　Over The Airの略。

column

インドの車事情

2010年8月、インドのデリー、ジャイプール、アグラの3都市間約750kmを車で走りました。当時はタタ・モーターズのトラックやミニバンが多く、小型車ではスズキの「アルト」「ワゴンR」「スイフト」「ZEN」を多く見かけました。そのほか、トヨタ「カローラアルティス」、現代自動車「サントロ」、ホンダ「シティ」「ジャズ」もたまに見受けました。高級車はほとんど走っておらず、ベンツ、アウディ、ボルボはデリーの大使館通りで各1台見ただけでした。カーナビやテレビのついた車は1台も見ませんでした。

都市で使用されているタクシーは、ダイハツ「ミゼット」のような3輪車で、運転席や後部座席にドアはなく、5〜6人の乗合です。乗客の腕や足が車からはみ出して周囲の車と接触しそうになり、乗客が慌てて腕や足をひっこめたりしていました。

筆者たちはタタ・モーターズ製ミニバンで移動したのですが、走る、曲がる、止まるという基本性能がしっかりしているだけで、乗り心地はトラックの荷台に乗っているようでした。また、後部座席のスライド式ドアは中からは開かず、ドライバーに外から開けてもらうのですが、それもうまく開かず、開けてもらうたびに時間がかかりました。それでも約750kmを故障もせずに走ったので、ほっとしました。

高速道路は、街や州が変わるたびに車種によって約70〜150円を払うシステムでした。ETCは料金所ではまだ使用されておらず、料金所前になると渋滞します。高速道路とは名ばかりで、道の真ん中に牛や犬が寝そべっているため、それを避けながら運転せざるを得ません。また、一方通行のはずなのに頻繁に対向車が来たりして危険でした。しかしながら、不思議と交通事故はほとんど見かけませんでした。車のボディがへこんだ車を多く見かけたので、軽い接触事故はよくあるのでしょう。

2010年頃の中国では、フォルクスワーゲン「サンタナ」がタクシーに多く使用されており、すべて普通の車でドアもありました。まだまだインドの自動車市場は中国には追いついておらず、これからの成長の余地が大きいです。今後、個人向け低価格小型車の需要が高まると予想されるため、それをめぐりメーカー間の競争が激しくなるだろう——当時の筆者はそんな感想を抱きました。

第5章

自動車産業が直面する「キーワード」

車には多くの電子部品が使われており、それが、近年の半導体の供給ひっ迫による自動車メーカーの減産につながっています。また、電気自動車に使用される電池の開発競争も激化してきました。脱炭素化の要請に応えるため、自動車メーカーは車だけでなく生産プロセスまで見直す必要性が出てきました。

カーボンニュートラルへの業界の対応 1

日本政府は、二〇五〇年までに温暖化ガス排出量の実質ゼロ（カーボンニュートラル）を達成する、という目標を掲げています。

●カーボンニュートラルに向けての自動車産業の対応

国連ならびに世界各国では、地球温暖化を抑制する**カーボンニュートラル***を目標にしています。近年、地球温暖化による自然災害も増加傾向にあります。自動車産業では脱炭素規制の厳格化に備えて、走行中にCO_2を排出しないEVにシフトしつつあります。特に、CO_2排出に罰金を課される地域では、EV販売が伸びています。しかし世界を見渡すと、EV化の推進に積極的な地域もありますが、内燃機関を使ったHVを残そうとする国もあります。

自動車メーカーがEVの販売を伸ばそうとしても、規制、政府の補助金、充電スタンド数、航続距離に影響する電池技術、顧客の認識など、自社以外の環境要因も、EVの販売台数に大きく影響してきます。

●EU、日本、米国の自動車脱炭素規制

EUでは、二〇三五年までにHVを含む内燃機関車の新車販売を禁止する方針です。また、二〇三〇年のCO_2排出規制もより厳しくなります。現在のEUの自動車脱炭素規制は、走行一キロ当たりのCO_2排出量を平均九五グラム以下にするよう義務付けています。達成できないメーカーには、販売車一台ごとに一グラム当たり九五ユーロ（約一万二〇〇〇円）の罰金を課します。そのため、各メーカーは罰金を払わなくて済むように、EVを多く販売しようとしています。

総じてEU各国はCO_2を多く排出しない電源構成

用語解説

***カーボンニュートラル**　二酸化炭素の放出と吸収が相殺されている状態を指す。例として、木が光合成時に吸収するとるCO_2が燃焼時に発生するCO_2と相殺される場合や、企業が何らかの取り組みにより、事業で発生させるCO_2と同量のCO_2を削減する場合などがある。

であるため、EVの推進は脱炭素化に貢献します。例えば、フランスの電源構成は二〇一九年に火力九・五%、再生可能エネルギー（水力を含む）二〇・〇%、原子力七〇・五%であり、CO_2を排出しない電源比率が九割以上を占めます。中国では二〇二〇年に電源構成の六六%を石炭、ガスを含む火力発電が占めており、日本では二〇一九年度に火力七五・六%、再生可能エネルギー（水力を含む）一八・一%、原子力六・二%でした。日本や中国では火力発電比率が高いため、CO_2を多く排出して作られた電気を充電してEVを走らせることになります。

　日本では二〇三五年以降、新車販売をEVやHVなどの電動車のみとし、ガソリン車やディーゼル車は販売できなくなります。日本には企業別平均燃費基準があり、二〇一六年度実績値は一九・二キロ／リットルでしたが、二〇三〇年度燃費基準推定値は二五・四キロ／リットルとなります。

　米国では、一二〇兆円規模のインフラ投資法案が可決され、充電スタンドを五〇万カ所設ける方針です。また、バイデン政権が「二〇三〇年までに新車販売の

自動車 CO_2 排出量の国際比較の項目

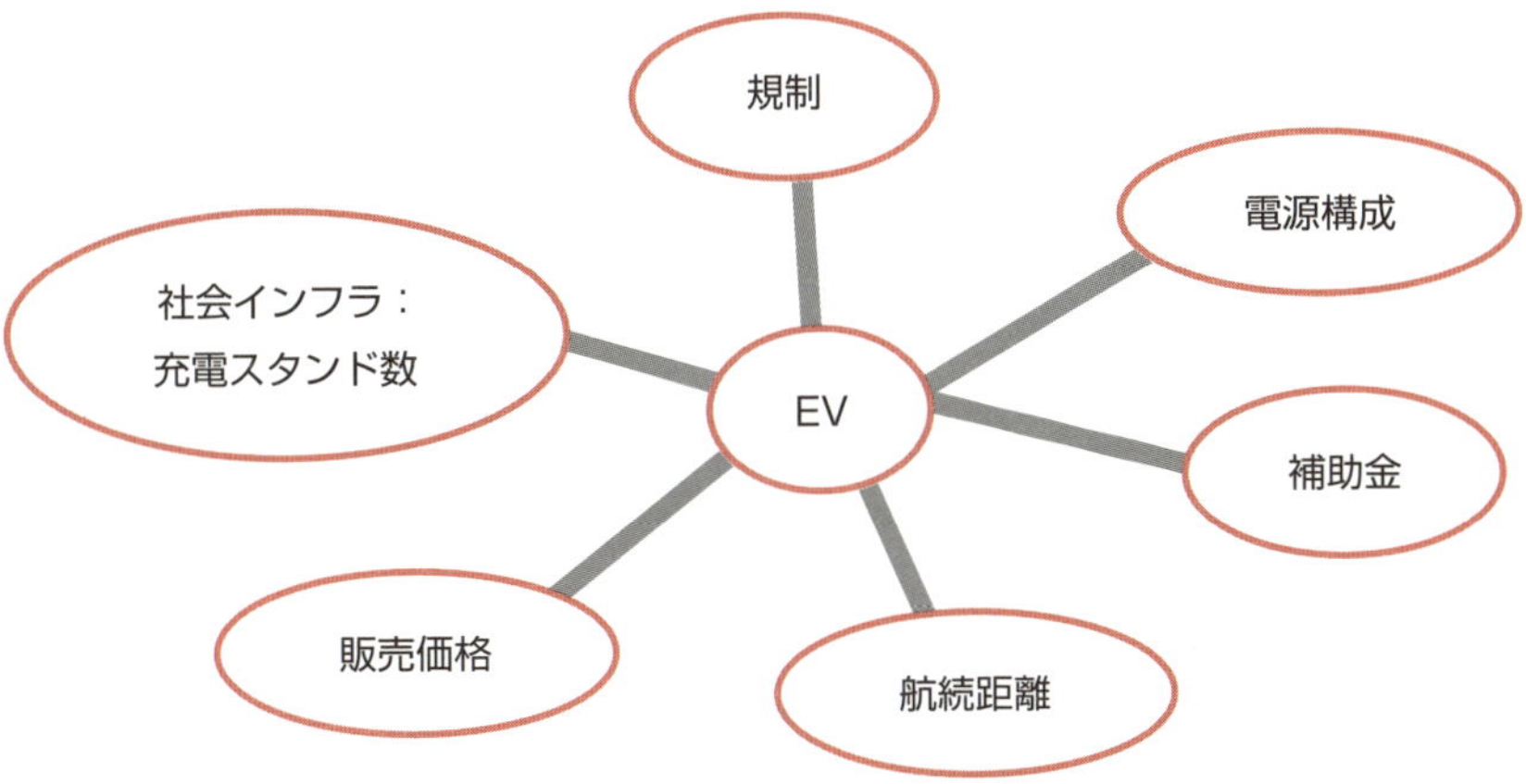

五〇%をEVなどの電動車（HVを除く）にする」という目標を掲げました。したがって、残り五〇%の枠内でガソリン車とHVを販売できます。

　また、自動車燃費規制を強化しており、二〇二六年までに平均燃費をガソリン一リットル当たり約二三キロに引き上げることを自動車メーカーに義務付けました。カリフォルニア州ではガソリン車の実質廃止を含む厳しい燃費規制を掲げています。

　このように、脱炭素に向けて新車販売をどのようなものに限定するかは国によって異なっています。日本では特に充電スタンド数と電源構成でEV販売は不利です。また、ユーザーもHVと軽自動車で満足しています。そのため、日本の自動車メーカーは中国、EUでまずEVを販売し、自国市場を後回しにする可能性が高そうです。一方、日本の自動車メーカーが、EUや中国市場へのEV参入で遅れをとると、日本の唯一競争力のある自動車産業が衰退する危険があります。

EV車のバッテリー充電

この電気は、CO_2を多く排出しないで作られた電気なのだろうか？

column

EVとFCVの不都合な事実

EVはガソリン車やHVに比べると、価格が高く、航続距離も短く、充電時間が長い上に、急速充電スタンドも少ないという多くの課題を抱えています。さらに、充電待ちの列が長いことも多々あり、充電する番がきても、短時間で交代しなくてはというプレッシャーを感じることもあるでしょう。

中国では2021年9月時点で、EV保有台数が552万台。充電器設置数は222.3万基で、そのうち商業用充電器は104.4万基であり、ふだんは問題ありません。しかし、休暇での利用増には対応しきれない場面も生じています。2021年10月の「国慶節」の連休では、高速道路のサービスエリアでEV充電のために4時間も待たされた例もありました。また、2021年の夏以降に中国の電力不足が露呈し、EV利用者は、いつ停電するかわからない中で、EVの充電がうまくいくか常に心配するようになっています。

日本では充電スタンド数が少ないのが問題です。現在、充電スタンド数は約3万基で、2020年度は設備の老朽化により初の減少となりました。EV用の電池の性能にも課題があります。一般的に電池の性能は10年で7割ほど下がり、航続距離が短くなります。EVを売却する際、大幅な値下がりを覚悟しなければなりません。

日本では、世界に先駆けて**FCV**の販売が始まり、二酸化炭素を排出せず、エネルギー効率がガソリン車の2倍以上と優れているため、究極のエコカーとして普及が期待されています。1回の水素充填でFCVが走行可能な距離は約650〜750kmで、水素の充填時間は3分程度とガソリン自動車並みです。

消費者は、充電待ちを含む充電時間の長いEVを嫌って、FCVの購入を考えるかもしれません。しかし、FCVは充填時間と航続距離の面でEVより優れていますが、水素ステーションの数が非常に少ないのが欠点です。2022年1月現在、水素ステーションは120カ所程度です。高速道路のサービスエリアには1カ所もなく、遠出することはできません。2023年春に、初めて東名高速道路の足柄サービスエリアの下り線で、水素ステーションが設置される予定です。水素供給の価格も気になります。トヨタが2020年に発売したFCV「新型MIRAI」を満タンにしたときの燃料代は4300円で、約650km走行できます。商用水素ステーションは、現在、日本各地で整備が進められており、2025年に320カ所、2030年に900カ所程度を目指しています。

2 メーカー悩ます半導体や部品の供給ひっ迫

東南アジアでのコロナ感染拡大を背景に、車載半導体など部品の不足によって、日本の自動車メーカーは二〇二一年秋に大幅な減産を強いられました。今後も半導体の供給ひっ迫が懸念されます。

●半導体や部品の供給ひっ迫

世界の自動車メーカーの多くが半導体不足によって減産に追い込まれています。新型コロナウイルス感染拡大に伴い、巣ごもり需要として半導体を多く使うパソコンやゲーム機などの需要が急増し、供給がひっ迫しているのです。一方、近年の自動車製造で、自動ブレーキや運転支援など機能の高度化により、一台当たりに使用する半導体の使用量が増えていることもあります。業種を超えた半導体の争奪戦が起きていて、製品不足が長期化する可能性もあります。

日本の自動車メーカー各社も大幅な減産を強いられています。その規模はトヨタ、ホンダ、日産など合わせて一〇〇万台以上になります。世界的な半導体不足に加え、様々な部品の調達も滞っているためです。部品供給の拠点になっている東南アジアではワクチン不足もあって、地域のロックダウンや工場の操業停止が相次いでいます。タイ、ベトナム、インドネシアなどの地域で、ラインの停止や労働者の不足などが頻発し、日本のみならず、北米など世界各地で多くのメーカーの車が品薄になっています。

東南アジアでは、感染が一時期と比べて改善したあとも、調達は綱渡りの状態が続いています。足りない部品を急きょ飛行機で輸送することもあれば、ある国の工場から調達できない場合に、生産機械を別の国の工場まで移動させて部品を作ることもあるといわれています。世界中の自動車メーカーの生産ラインが次々に止まった結果、流通在庫はすでに限界近くまで減り、企業経営に影を落とし始めています。コロナ禍にあって、三密を回避できる移動手段として、自動車に対するニーズは高まる傾向にあります。新車の納期が遅延する中、在庫がある中古車を購入する人も多く出てきました。

●台湾半導体メーカーTSMCの国内誘致

日本の半導体製造は、かなり弱体化してしまいました。一九八〇年代に日本の半導体産業は世界でトップでしたが、いまや先端半導体を製造できていません。また、政府が主導して国内三社を統合したエルピーダメモリは二〇一二年に経営破綻、政府による半導体産業の育成は失敗しています。

いま、政府は台湾半導体メーカーTSMCの新工場を国内に誘致し、二〇二四年の稼働開始を目指しています。TSMCは、半導体の総売上高で米国のインテル、韓国のサムスン電子に次ぐ第三位の半導体メーカーで、時価総額は日本のトヨタ自動車の二倍近い規模です。TSMCの半導体工場は、熊本県内にソニーグループと共同で建設し、画像センサー用半導体や**車載半導体***などを生産する見通しです。TSMCは新工場の設立に一兆円程度を投入すると見られていますが、そのうち最大で半分を政府が補助する見通しです。

主な車載半導体

マイコン	「走る」「曲がる」「止まる」といった動きを制御
パワー半導体	電力や電圧を制御
プロセッサー	自動運転などの「判断」を担う
センサー	車内外の画像や距離を取得・測定

（出所）車載半導体とは　EVや自動運転に不可欠：日本経済新聞 (nikkei.com)

用語解説

＊**車載半導体**　車の基本機能をつかさどるマイコンの価格は数百円程度だが、自動車1台当たり数十～100個ほど搭載されている。今後はEVの中核部品であるパワー半導体や、自動運転に欠かせないセンサーなど、幅広い分野で半導体需要が拡大するため、自動車メーカーとしては安定調達が課題となる。

3

自動車メーカーのESG経営

企業は環境、社会、ガバナンスの三つの要素に配慮しなければ、投資してもらうことが難しくなりつつあります。トヨタが二〇三〇年までに三〇車種のEVを三五〇万台販売すると公表したあと、時価総額が初めて四〇兆円を上回りました。

●ESG投資とESG経営

近年、企業は環境（E：Environment）、社会（S：Social）、ガバナンス（G：Governance）の三つの要素に配慮し、適切に経営を行わなければ、企業の**ESG***を重視する投資家に投資してもらうことが難しくなりつつあります。これら三つの要素への配慮を行うのが投資家ならば「**ESG投資**」であり、配慮を行うのが企業ならば「**ESG経営**」となります。

企業が中長期的に経営を行っていく上で、財務情報にだけ配慮していては、ステークホルダーを十分に満足させることができなくなってきました。環境問題などの外部不経済を解決しなければ、損害賠償を請求されるかもしれません。また、従業員や取引業者の人権にも配慮しなければ、業務に支障をきたし生産性が低下する可能性がある上に、不良品を出す可能性も高まるでしょう。さらに、企業のガバナンスを適切に構築しなければ、不正会計などの不祥事を招きかねません。その結果、企業は莫大《ばくだい》な損失を計上することになります。企業はコンプライアンスに配慮し、顧客を満足させるような商品を製造・販売しなければなりません。万一、不祥事が発覚した場合は、適切に対応し、処理する必要があります。ガバナンスは業務の適正さを確保するための内部統制システムとなります。

日本企業のESG各要素のうち、E（環境）への取組みは比較的進んでいます。しかし、S（社会）、G（ガ

用語解説

＊**ESG**　ESGの言葉そのものは、**責任投資原則**（**PRI**：Principles of Responsible Investment）から派生している。責任投資原則は、国連環境計画・金融イニシアティブ（UNEP FI）と国連グローバルコンパクトが協力して2006年に策定したもので、機関投資家のための国際的なガイドラインである。

バナンス）への取り組みおよび情報開示が遅れているため、欧州企業と比べると、全体として日本企業のESG評価が低い傾向にあります。

ESGのうち、一般的に単独報告書があるのはE（環境）だけで、他の二要素はCSR報告書、持続可能性報告書、統合報告書の中に含めて報告されています。

すべてを詳細に記載するよりも、重要性の高い課題を定義してそれを詳細に記載し、逆に重要性の低い課題を簡潔に記載する方が、全体像を把握しやすいと思われます。これこそが、**CSRのマテリアリティ**（重要課題）の選定と呼ばれるプロセスです。

つまり、ESG投資家が最も欲している企業の情報は、選定されたCSRのマテリアリティであり、企業トップの企業方針や理念であり、ESG経営によって改善される企業価値であり、業績の向上へとつながるストーリーです。企業はESGに関する報告書を作成する際に、このことを念頭に置くべきでしょう。

●トヨタのEV推進と時価総額の関係

トヨタはEVに消極的な企業と見られてきましたが、二〇三〇年までに世界で販売する新車のうち、三〇車種のEVを三五〇万台販売すると公表しました。それを受けて、トヨタの環境意識の高さに投資家の期待が高まり、二〇二二年一月に株式時価総額が初めて四〇兆円を上回りました。米国のEVメーカーであるテスラの時価総額は約一二〇兆円とトヨタの三倍です。近年、投資家は自動車メーカーのEVへの対応力を優先的に評価しています。

トヨタ自動車のESGブランド調査順位

第１位	ESGブランド指数
第１位	環境イメージスコア
第２位	社会イメージスコア
第１位	ガバナンスイメージスコア
第１位	インテグリティイメージスコア

（出所）日経BP 2021年　第二回ESGブランド調査

4 リコールの原因とメーカーの対応

国内の車のリコールを見ると、製造段階よりも「設計段階のミス」の場合が多く、全体の七割を占めています。車の不具合を発見した場合は、顧客に誠実に対応することが重要です。

●国内のリコールの七割は「設計段階のミス」

「**リコール**」につながる不具合には、「ユーザーの使い方」、「設計段階」、「製造段階」、「初期不良」あるいは「経年劣化」といった多くの原因が考えられるので、まずそれを特定しなければなりません。

二〇一四〜一八年度、日本国内のリコール届出の不具合原因別割合を見ると、製造段階よりも「設計段階のミス」の場合が多く、全体の七割を占めています。

特に近年の車は、**電子化**が著しいために電子制御の不具合を完全になくすことが困難ですし、現地での部品調達拡大により本社の技術者の目が行き届かなくなっています。また、車種数が増加することによって、開発期間の短縮を余儀なくされています。このような複合的要因が近年、「リコール」数を増やし、かつ、製造段階よりも「設計段階」に原因のあるケースを増やしているのです。

「**プリウス**」のブレーキの効きの問題に見られるように、自動車の不具合の原因がハードよりもソフトの側にあるというのが、今後の傾向となるでしょう。一〇〇〇万行を超えるというソフトウェアのコードに代表される車の制御系統や機械系統の複雑化に、どの自動車メーカーも今後対処していかなければなりません。このような流れの中、欧州の自動車メーカーを中心に車載組込みソフト*の標準化が進められています。

トヨタの大量リコールを機に、中国や韓国の自動車メーカーも自動車の検査体制を強化し、品質や安全性に力を入れ始めています。

用語解説

*車載組込みソフト　車のOS(Operating System)を含む基本ソフトを、AUTOSAR(Automotive Open System Architecture)と呼ばれる標準仕様に統一しようとする活動である。

●リコールよりも顧客の信頼が重要

トヨタのリコール問題とそれに続く制裁金の支払いを見て、他社もリコールするかどうか判断が微妙な不具合については、迷わずリコールを届け出るようになり、自動車メーカーのリコールが増加しています。

販売現場からの不具合の情報を上層部に吸い上げるシステムは多くのメーカーですでに整っていますが、多くは不具合を判断する上層部に問題があります。問題をリコールとして届け出る前に、設計を改善していたのでは、顧客の信頼は得られません。リコール問題は新車の売れ行きを低下させるため、メーカーは販売促進費を増額しがちです。販売促進費は新車の値引き原資となり、その結果、新車の価格が下がると中古車価格も下がり、さらにそれが新車の価格を下落させるという負の連鎖につながっていきます。リコール問題は、ときには新車の購入キャンセルにもつながります。自動車メーカーの収益性が低下すると、最終的には企業の格付けが引き下げられ、資金を低金利で借りることができなくなります。

リコール届出の流れ

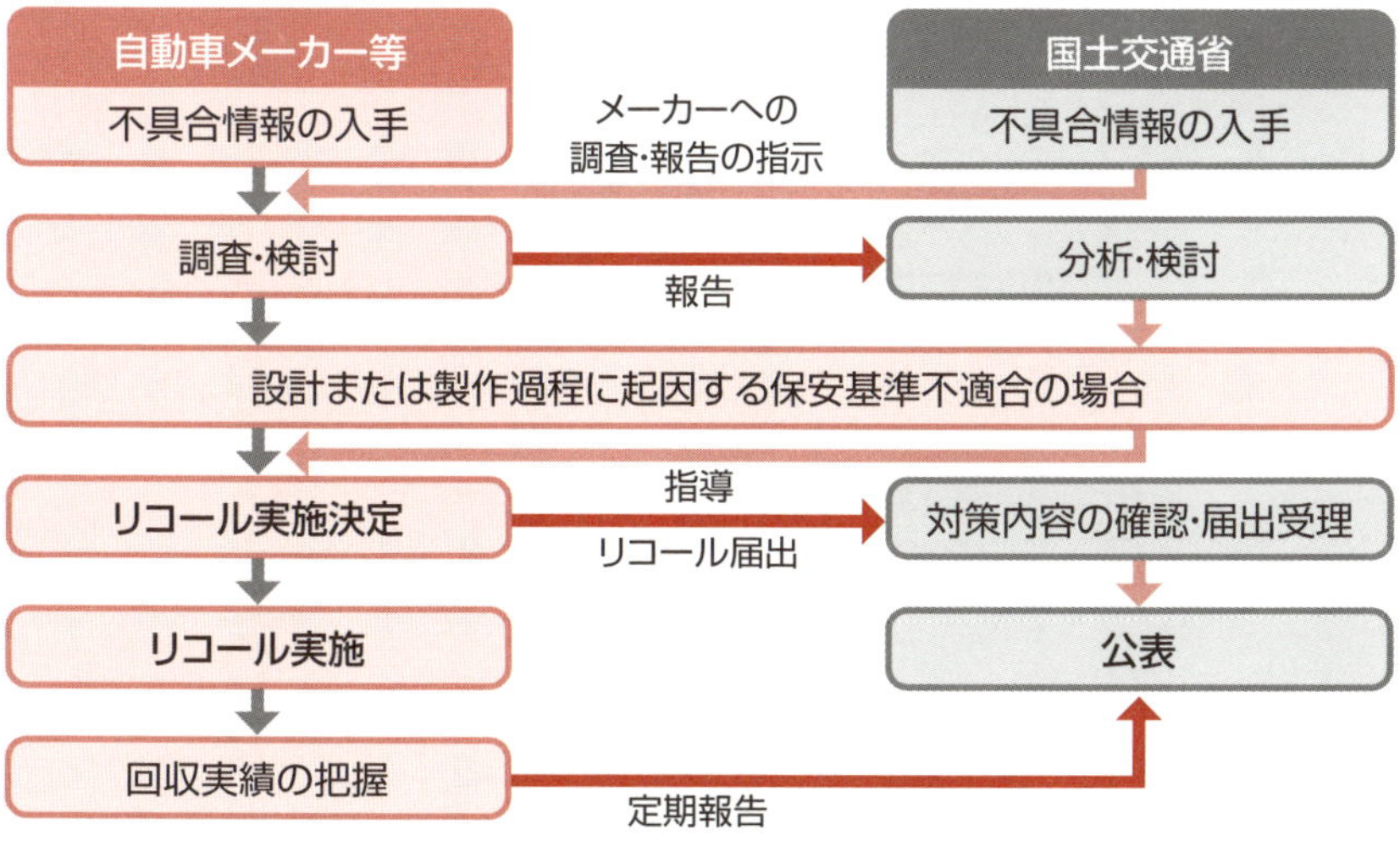

(出所)国土交通省

第5章 自動車産業が直面する「キーワード」

激化する「電池競争」

日本では将来の大きな車載用電池市場の覇権をめぐって、自動車メーカーと電機メーカーが電池開発のための共同出資会社を設立しました。

●「電池」は車の「エンジン」に

電気自動車の「電池」と「モーター」は、従来の車の「エンジン」と「変速機」に当たります。電気自動車では、車を動かす根幹がエンジンから電池に代わるため、電池を製造する企業が車の付加価値の大部分を獲得することになります。このパラダイム転換で勝ち組に入る条件は、鍵となる車載用電池である**リチウムイオン電池**の生産・販売で優位に立つことです。

携帯電話一台に使用されるリチウムイオン電池の容量は二ワット程度ですが、ハイブリッド車はその五〇倍、三菱自動車の電気自動車「**アイ・ミーブ**」では八〇〇〇倍にも相当します。電気自動車の販売台数が増加するとともに、将来、リチウムイオン電池の市場が膨大になるということです。二〇〇九年のリチウムイオン電池市場は世界で八四一〇億円でしたが、二〇三〇年には次世代電池市場は、一兆四九四〇億円になるという試算もあります。一九九一年にソニーが世界で初めてリチウムイオン電池を実用化して以来、日本の電機メーカーが世界シェアランキングで上位を占めてきましたが、近年はシェアの低下が目立ちます。代わりに韓国勢、中国勢がシェアを伸ばしてきました。

一世代前の**ニッケル水素電池***は、トヨタのハイブリッド車「**プリウス**」とホンダの「**インサイト**」に使用され、リチウムイオン電池より容量は小さいものの安定しており、実用性という面では優れていました。しかし、現在はリチウムイオン電池の安全性が高まり、加えて容量が同じなら重量と体積が半分で済みます。

用語解説

***ニッケル水素電池**　近年、注目されているのは「リチウムイオン電池」である。しかし、デジタルカメラ市場の急速な進展とともに、製品に使用されている乾電池と互換性があり、かつ、繰り返し使用できる経済的な「ニッケル水素二次電池」の需要が急拡大している。また、ニッケル水素電池の性能向上が著しいことも、需要拡大に貢献している。

●世界の電池開発

日本では将来の巨大な車載用電池市場の覇権をめぐって、自動車メーカーと電機メーカーがパートナーシップを構築し、相次いで電池開発のための共同出資会社を設立しました。中国のCATLはテスラや日産に電池を供給しており、パナソニックはホンダに電池を供給しています。トヨタは中国のCATLやBYD、パナソニックと幅広く提携し、電池を確保しています。

しかし、リチウムイオン電池には走行距離、寿命や充電時間での課題があります。電気自動車の普及を加速させる電池として、「**全固体電池**」が期待されています。全固体電池はリチウムイオン電池の電解液を固体にしたものですが、リチウムイオン電池よりも大容量で寿命が長く、燃えにくい、漏れない、副反応が起きないといった安全性の高い電池です。また、高速充電の可能性も高いです。全固体電池の開発では日本が圧倒的にリードしており、数年で実用化できると考えられています。

車メーカーは電池の確保を急ぐ

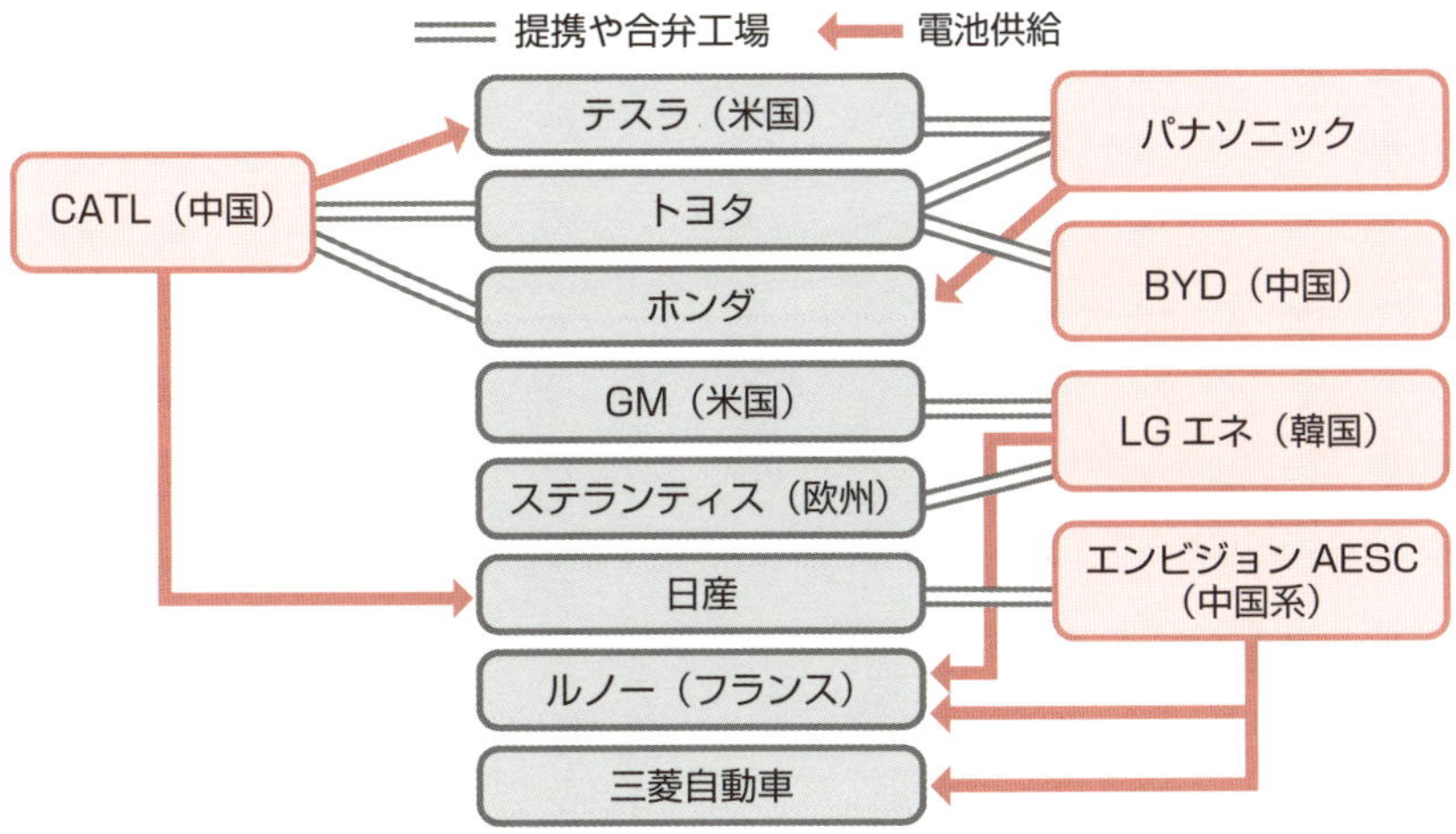

（出所）日経新聞、2022年1月28日

6

エタノール混合ガソリン対応車

エタノールは、燃焼によって大気中のCO_2を増やさないため、環境に優しいエネルギー源として期待されています。ブラジルではフレックス車が普及しています。

●エタノールとは

サトウキビやとうもろこしなどから製造される**バイオエタノール**は、燃焼によって大気中のCO_2を増やさない点から、環境に優しいエネルギー源として期待されています。バイオエタノールに含まれる炭素は植物の光合成によって大気中のCO_2が固定されたものなので、エタノールの燃焼によってCO_2が大気中に放出されても地表の炭素の総量は変わりません。

エタノールが車の燃料として優れている点は、①ガソリンと比較してノッキング*が発生しにくいこと、②ある程度の混合比までならば既存のガソリン車を改造しないで利用できることです。一方、好ましくない点は、①ガソリンと比較して熱量が約三四%小さいこと、②ゴム、プラスチック、アルミニウム製の部品を腐食する可能性があること、③ガソリンと比較して、人体に有害とされるNO_xが多く排出されることです。

●フレックス車の活躍

自動車の登場とともに、エタノールは燃料として使われました。フランスでは一九二〇年代から一九五〇年代頃、砂糖大根から製造したエタノールをガソリンに混ぜて使っていました。米国では一九二〇年代にGMがガソリンを使用するようになったため、その後、エタノールはほとんど使われなくなりました。

ブラジルでは石油危機で原油が高騰した際に、豊富にとれるサトウキビから作ったエタノールをガソリンの代替燃料として使うようになりました。いまでは、

用語解説

* **ノッキング**　エンジンの回転数が極端に低い状態で運転したときなどに、車がガタガタと振動する現象。通常は運転操作のミスが原因。

販売される新車の半分以上がエタノール燃料に対応した車です。二〇〇三年よりガソリンに対するエタノール混合率は二五％となっています。しかし、エタノールとガソリンの混合燃料に対応した車（**フレックス車**）が増え、エタノール供給が追いつかず、エタノール混合義務が二五％から二〇％に引き下げられています。

米国では、一九七〇年代から中西部のとうもろこし生産地域で、エタノール混合率一〇％のガソリンが販売されてきました。一九九〇年代には大気浄化法に基づき、エタノール混合に優遇措置がなされました。米国車は基本的に一〇％混合ガソリン対応で、ドライバーがガソリンを入れているつもりでも、実は混合燃料を入れている場合もあります。フォードでは八五％混合ガソリン対応車も販売しています。

日本では「揮発油等の品質の確保等に関する法律」で、エタノールの混合率が三％までと規定されており、普及には法改正が必要です。車のレギュラーガソリンにエタノールと石油ガスの合成成分を約一％混合させた「**バイオガソリン**」を取り扱うガソリンスタンドは徐々に増えて、首都圏では当たり前になっています。

代替燃料の CO_2 排出量比較

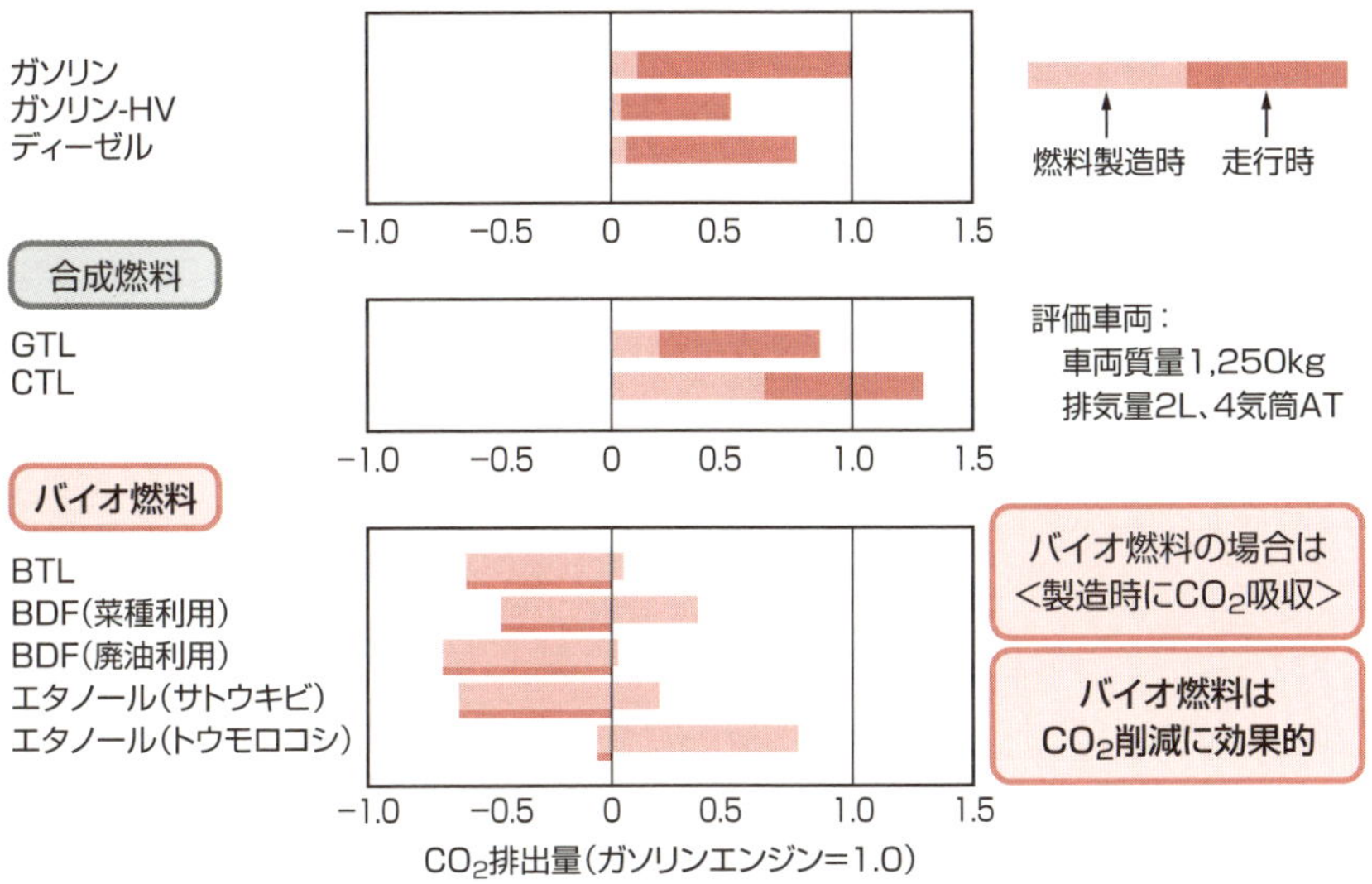

（出所）日本自動車工業会　JAMAGAZINE　2007年9月号

7 「スマートグリッド」と電気自動車

将来は、スマートグリッドを構築することによって、「各家庭で自然エネルギーを利用し、電気自動車に蓄電する」という分散型または独立型のエネルギーインフラへと変化していくでしょう。

●スマートグリッドとは

通信／情報技術を使って電力を効率的に供給する次世代送電網が**スマートグリッド**です。ＩＴの活用によって風力や太陽光などの新エネルギーの利用を増やすことができるようになり、送電網内の電力の過不足を把握して、電力の供給の流れを調整することもできます。スマートグリッド構築のメリットは、停電などを減らして電力供給の信頼性を向上させるだけではありません。ガレージに駐車した電気自動車は大きな蓄電池になり、家の太陽電池パネルで発電した電気を、夜間や雨天に蓄電池から取り出して家庭で使用できます。地域で、自然エネルギーや電気自動車の蓄電池を連携させて使用すれば、送電網から受け取る電気を減らし、地域コミュニティーで電気の地産地消が可能になるでしょう。

●大統領が「スマートグリッド」を提案

もともと、米国では電力事情が悪く停電が多かったため、その解決策としてスマートグリッド構想が浮かび上がってきたのです。

特に、二〇〇三年には大停電*が起こり、ニューヨークでは二日間にわたって電力が途絶えて大混乱となりました。このときの金融被害は六〇億ドルで、五〇〇〇万人に被害を与えたと推計されています。

これらの状況を受け、米国のオバマ大統領が二〇〇九年に「**米国再生・再投資法**」を成立させて、「スマートグリッド」関連に約一兆円を拠出することを決定し

用語解説
＊**2003年北米大停電**　2003年8月14日、ニューヨークが史上最悪の大停電に見舞われた。地下鉄、鉄道、バス、飛行機が運休となり、600万人が駅、バスターミナル、路上で一夜を明かした。高級ホテルのマリオット・ホテルとルネッサンス・ホテルでは、非常用電源が作動せず、エレベーターが止まった。

ました。これを機に、各国が積極的に「スマートグリッド」構想の実現に乗り出したのです。

欧州では、電力供給事業を民間企業に開放しているため、スマートグリッドが生み出す新規事業に多くの企業が参入しています。日本では、四地域でスマートシティのあり方を探索する実証実験が行われています。

●エネルギーインフラは分散型へ

プラグインハイブリッド車や電気自動車は、充電と電力貯蔵により、エネルギーの消費と供給の両方を行うことができます。電力網と自動車バッテリーを融合させることによって、環境に配慮しながら電力会社のコストを削減することができ、同時に電気を使う消費者のコストまで削減できる可能性もあります。

したがって、将来のエネルギーインフラは「大規模発電所から各家庭へ送電する」という集中型から、「各家庭で自然エネルギーを利用し、電気自動車に蓄電する」という分散型または独立型へと変化していくでしょう。その際、電気自動車は輸送手段であるだけでなく、蓄電ツールとして非常に重要になってくるでしょう。

スマートグリッドの仕組み

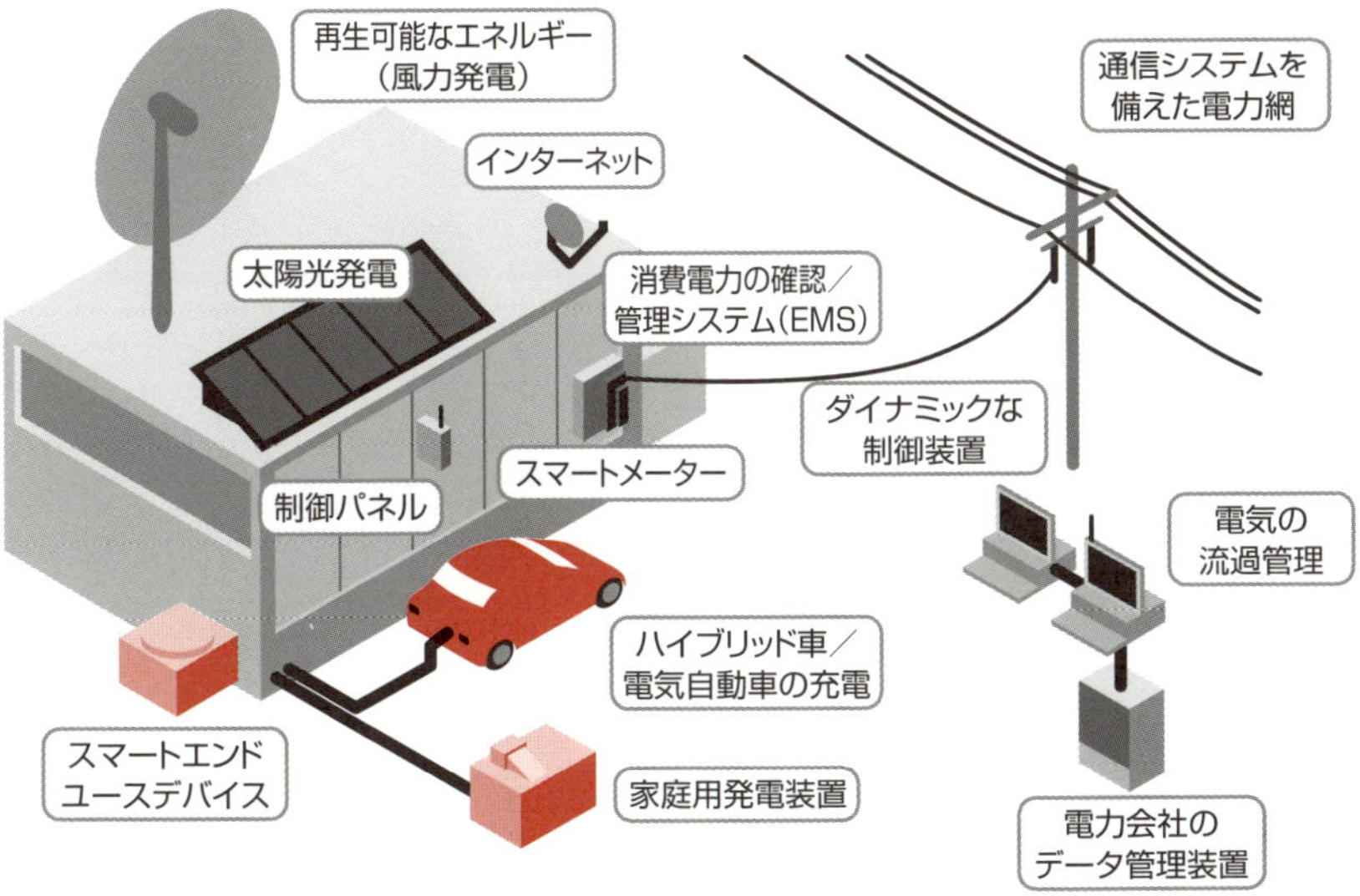

現代自動車の競争力

二〇一七年、現代自動車の販売台数はホンダやフォードを押さえて世界五位となりました。現代自動車の現地に即したマーケティング戦略が効果的です。

●現代自動車の概要

現代自動車は新興国で圧倒的な競争力を持っており、日本の自動車メーカーも無視できない存在です。現代自動車は韓国最大の自動車メーカーであり、傘下に起亜自動車を持っています。設立は一九六七年であり、三菱自動車の技術協力によって、一九七五年に韓国初の国産車「**ポニー**」を発売しました。米国へは一九八六年に小型車「**エクセル**」で進出を果たしました。

現代自動車には安いが品質で劣るとの評価があり、米国では「レンタカー用自動車」、中国では「タクシー用自動車」のイメージが定着してしまいました。

日本市場へは二〇〇一年に参入しましたが、日本では輸入車に対してデザインやブランド、高品質を求められるため、現代自動車は販売を伸ばせませんでした。二〇〇九年、ついに現代自動車は日本での乗用車販売からの撤退を発表し、二〇一〇年に正式に販売を終了しました。現代自動車では一九八七年からほぼ毎年ストライキが起きており、非協力的な労働組合が企業の業績の向上を阻害しています。

さらに、現代自動車のデザインは他社の車と似ており、「**ソナタ**＊」では特に顕著です。現代自動車のロゴマークのHがホンダと似ており、間違える人もいます。

北米では現代（HYUNDAI）を「ハンディ」、本田（Honda）を「ハンダ」と発音するため、こちらも紛らわしいのです。

用語解説

＊**現代自動車「ソナタ」** ホンダ・アコード（日本名・インスパイア）とスタイリング、特にリアデザインがよく似ているとの指摘がある。ソナタは米国のアラバマ工場で生産され、ホンダ・アコードより低価格で販売された。その後、ホンダはアコードを2005年末にマイナーチェンジして、リアデザインを大幅に変更した。

●現代自動車の競争力

金融危機にもかかわらず、二〇〇九年、現代自動車は黒字を確保し、その競争力を裏付けました。中国市場では中国メーカーが日系メーカーの同クラスの車の五割安、韓国メーカーが三割安であり、この値付けがシェア拡大の大きな要因です。インド市場でも、現代自動車は二〇〇八年にタタ・モーターズを抜いてシェアで二位となりました。現代自動車グループは、二〇一七年に韓国でシェア八八％以上に達し、同年の販売台数は七二五万台を上回って世界五位となりました。

米国での現代自動車グループのマーケティング戦略は驚異的です。品質保証として「**一〇年間・一〇万マイル保証**」でユーザーに安心感を与え、「失業したら、クルマを返却すればローンの残額は払わなくてもよい」システムにし、ガソリン券をプレゼントしました。しかし、二〇一二年、米国で燃費性能の誇大表示が発覚し、集団訴訟が起きました。また、二〇一七年に世界一位の自動車市場である中国で、高高度防衛ミサイル（THAAD）問題などのため販売不振になりました。

燃料電池車は現代自動車が先行

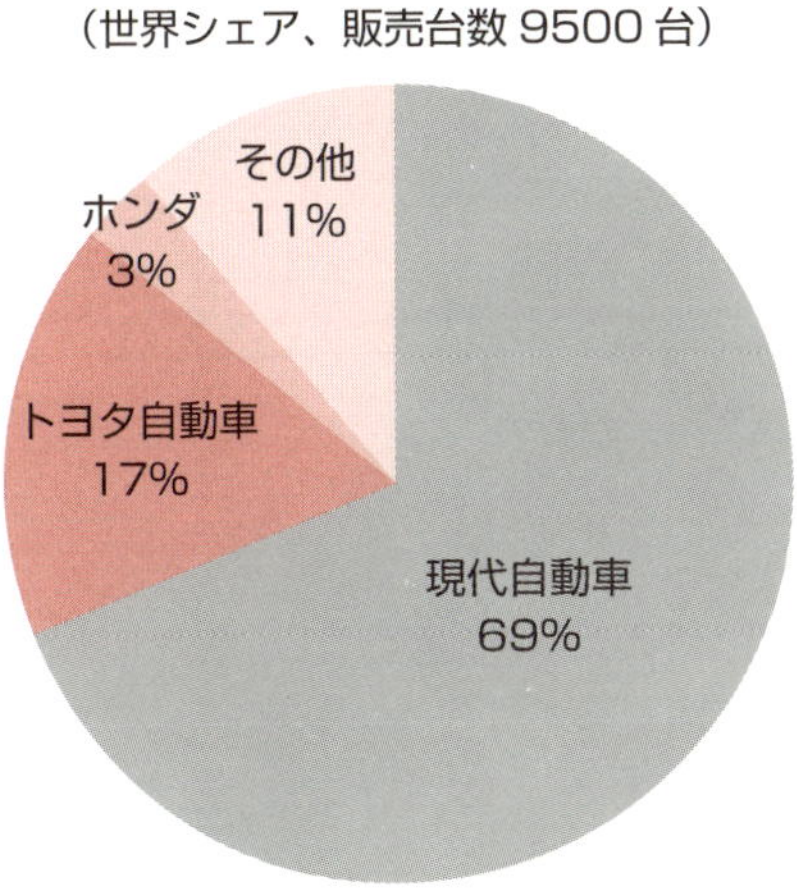

（原出所）SNE リサーチ、2020 年
（出所）日本経済新聞、2021 年 5 月 22 日

▼現代自動車のポニー

9

ETCの推進とその効果

二〇二〇年現在のETC利用率は約九〇％ですが、強行突破による不正通行が起きています。ETCの利用によってCO_2の削減効果が期待できます。

●ETCの普及

ETC*は、「ノンストップ自動料金支払いシステム」です。二〇一〇年三月には三七〇〇万台以上の車に**ETC車載器***が取り付けられました。二〇二〇年のETC利用率は約九〇％です。

車載器を取り付けた車が料金所に進入すると、無線通信により車載器と料金所で料金精算に必要な情報が交換されます。車両の情報、ETCカードの番号、入口と出口の料金所、通行料金などです。車載器がカードの認証を終えていない場合や、情報が正しくない場合、開閉バーは開きません。また、車の情報を車載器に登録するというセットアップがされていない場合も、通行できません。通信に利用している周波数は五・八ギガヘルツ帯です。ETCカードの入れ忘れや有効期限切れなどでバーが開かず、後続車に追突される事故も発生しています。バーが開かなくても衝突せずに停止できるように、時速二〇キロメートル以下で通過するよう周知活動が行われています。

●ETCの不正通行

開閉バーが開かずに衝突してバーを破損した場合、一本当たり六万五〇〇〇円を請求されることがあります。料金所の収受員が交代などでレーンを横切って死亡した事故も発生しており、二〇〇一年から二〇〇六年までに二七件の事故がありました。

不正通行は、強行突破が九割を占めています。二〇一〇年には、前方を走る車にピッタリとついて走る

用語解説

＊**ETC**　Electronic Toll Collection Systemの略。
＊**ETC車載器**　使用する車のナンバープレートなどの情報が暗号化されて書き込まれたセットアップカードを、ETC車載器に電子的に格納することで、セットアップが完了する。セットアップを行う店は登録制となっている。

「カルガモ走法」でETCの支払いを免れた人が逮捕されました。

●ETCの効果

ETCの利用率が近年急激に上昇しました。インフラの整備、料金還元、車載器購入支援などの誘導策がとられたからです。ETCの利用によってCO_2が削減されており、ETC利用率が八八％で年間約二三万トンが削減されたという試算があります。二〇一六年から本格導入が始まった**ETC2・0**は、料金の収受だけではなく、刻一刻と変化する道路状況から、ドライバーに必要な情報を必要なタイミングで提供し、より安全に運転できるようにする支援サービスです。

また、**スマートインターチェンジ**は、既存のサービスエリアやパーキングエリアに、一般道に容易に接続できるETC専用の仮出入口を設置したものです。これによって、渋滞が解消でき、設置費用や運営維持費も低く、さらに追加インターチェンジの整備も容易なため、さらなる拡充が望まれます。

ETC専用のインターチェンジであるスマートIC

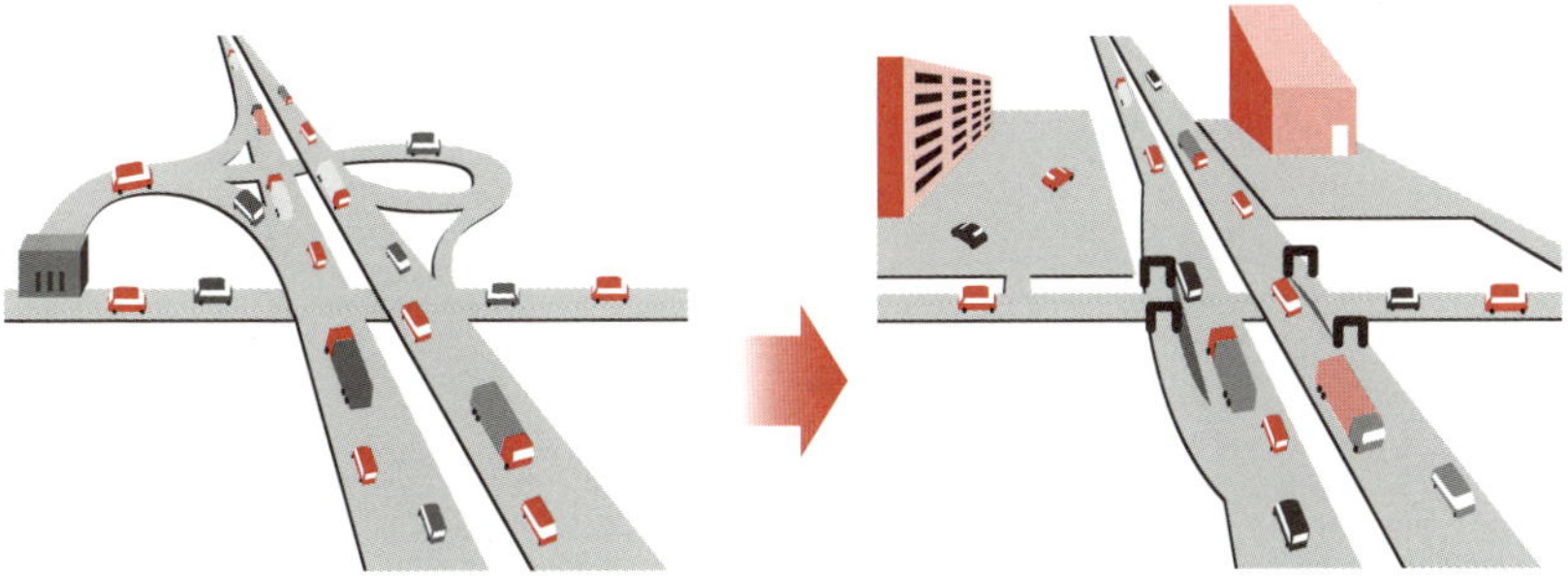

料金所ブースを1カ所に集約するため、広い敷地が必要になる。

料金所ブースを集約する必要がなく、少ない用地で済むため、物流ターミナルの整備など用地の有効活用が図れ、建設コストの削減も可能。

（出所）日本自動車工業会

10

自動運転車に重要なカーナビ

渋滞予測情報に基づく最短ルート表示、駐車場の駐車枠の表示など、カーナビは高機能化しています。しかし、自動運転車では、すべてを車が自動でやってくれるようになります。

●カーナビの高機能化

カーナビゲーションは、自動車の走行時にGPS（全地球測位システム）衛星からの位置情報によって現在位置がわかるだけでなく、目的地への経路案内を行う電子機器です。略して「**カーナビ**」と呼ばれます。

経路案内の際、**VICS***情報や様々なデータを利用して、精度の高い渋滞予測情報による最短ルートを表示することができます。主要交差点を三次元で表示する機能、駐車場の駐車枠を表示する機能などもあります。ETC車載器とリンクさせて、カーナビにETCレーンや料金、音声案内などの機能を一体化させたものもあります。一九九七年には「ふらつき運転検知機能」、一九九八年には「ナビ協調シフト制御」、その後「カーブ警告」「車線案内」など高機能化しています。

民生用のカーナビは日本で最初に普及しました。近年では、DVDからHDDやFlashSSDに代わり、動作の高速化・記憶容量の拡大が図られ、**テレマティクス***による通信機能を使って地図情報を更新できる製品もあります。また、ワンセグTV受像機、デジタルオーディオプレーヤー、インターネット接続といった機能を持つ製品も発売されています。

●自動運転時代のカーナビ

自動運転時代とは、ある意味ではカーナビの進化した形ととらえることができます。カーナビを利用して自分で運転していたことを、すべてクルマが自動でやってくれるようになります。しかし、新たにバイパス

用語解説

* **VICS**　Vehicle Information and Communication Systemの略。「ビックス」と読む。道路交通情報通信システムの略称。道路交通情報を通信·放送メディアによって送信し、カーナビなどの車載装置に文字や地図として表示させるシステム。

道路などが建設された場合、カーナビの地図にはないルートを走るケースもあります。このような場合、自動運転車は**高精度三次元地図**に従って走行するため、走行不能になることも考えられます。つまり、自動運転の要素技術の一つがこの高精度三次元地図であり、自己位置の正確な認識や信号機などの情報を得ることができます。すでに高速道路などで、高精度三次元地図を約三万二〇〇〇キロメートル整備済みであり、今後は一般道の整備も進みそうです。

現時点では、高速道路を走っていると通信回線がとぎれたりしますが、自動運転車では通信がとぎれると制御不能となり、命の危険も出てきます。しかし、5G時代の到来により、通信切れの心配は少なくなると思われます。また、自動運転車になると、カーナビで動画も見るなど、車内でエンターテインメントを楽しむことができるようになります。その観点で、ソニーはEVのコンセプトモデル「VISION-S」を発表しました。ソニーは技術上の強みを生かして、三六〇度オーディオによる車内エンターテインメントの充実を目指しています。

自動運転に向けた地図とセンサーの組み合わせ

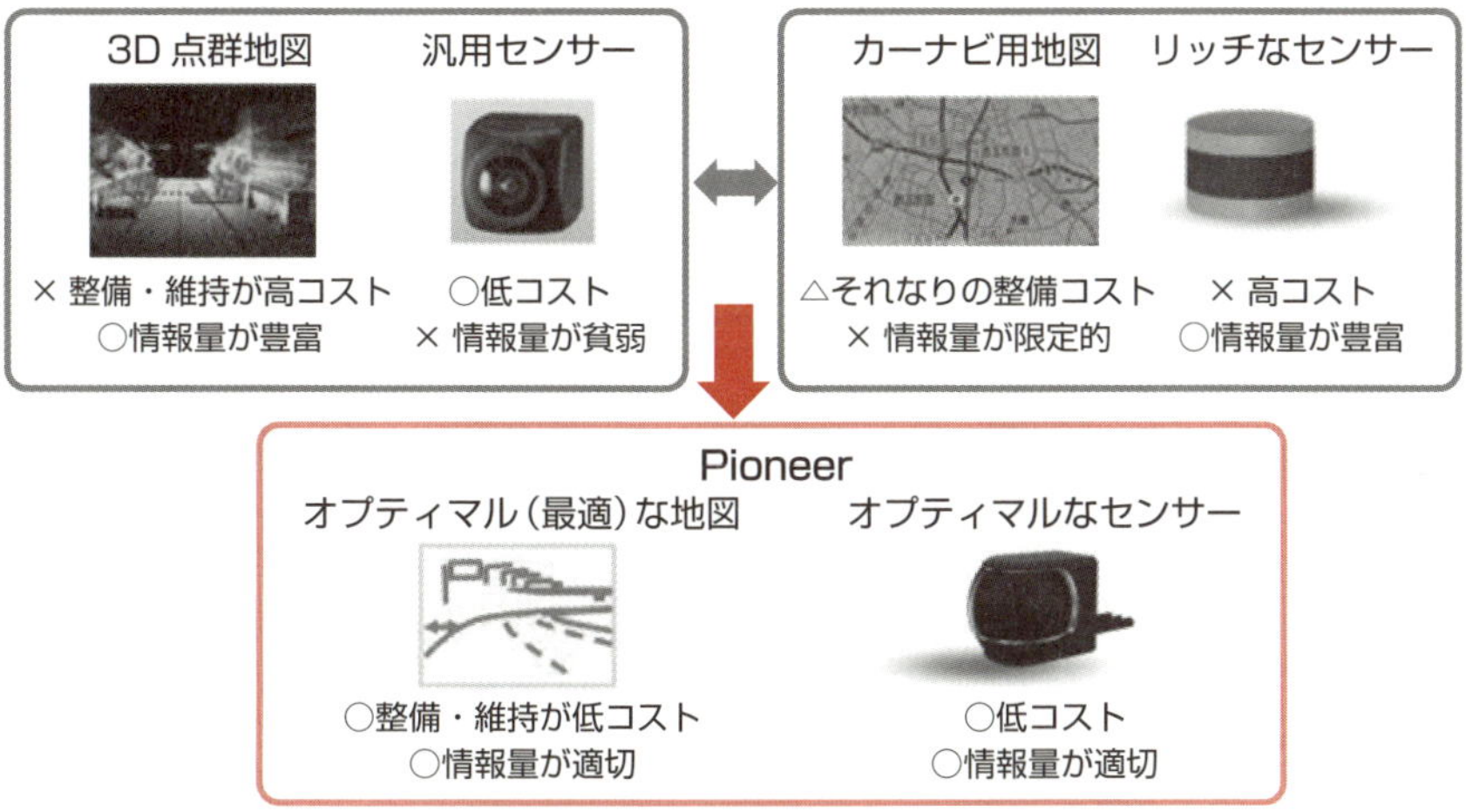

（原出所）パイオニア
（出所）カーナビ企業が語る、自動運転「デジタル地図の重要性」（2ページ目）
　　　　未来コトハジメ（nikkeibp.co.jp）

用語解説

＊**テレマティクス**　一般的に、車へのサービス提供に使用されている。エアバッグ連動の自動緊急通報機能や、車両盗難時の追跡機能、カーナビと連動した天気予報や渋滞情報などの閲覧、電子メールのやり取りなどの機能がある。

11

「機械」から「デジタル商品」へ

ハイブリッド車の部品には精密な電気機器が多く、問題があっても触れるとメーカーの保証が受けられなくなります。将来、電気自動車の普及によって、系列が崩壊の危機にさらされるかもしれません。

●電気自動車のアーキテクチャ

電気自動車は機械なのか、それともデジタル商品なのでしょうか。世界中のベンチャー企業で電気自動車が相次いで生まれています。部品のすり合わせによって高品質な車を製造してきた日本の自動車メーカーの強みは、電気自動車では十分に生かされません。

トヨタの「プリウス」の電子制御ブレーキは単なるスイッチです。ペダルの根元の角度センサーが何度動いているかの信号を出し、その信号を受けたコンピュータが指示を出して、モーターや電磁弁が車を操作します。これだけではペダルはフラフラするので、運転者の踏みごたえ感覚を作るために、仮想の踏みごたえを現実に感じるようにしているのです。

ハイブリッド車の構造はガソリン車とは異なるため、ガソリンスタンドでは専門知識がないと点検ができません。そのため、ハイブリッド車の内部構造を学習させて、点検できる人材を育成しようとしています。**全国石油商業組合連合会**が作った独自の講習プログラムは、実車研修を含めて最短で二日かかります。ハイブリッド車の部品には精密な電気機器が多く、問題があっても触れるとメーカーの保証が受けられなくなります。このような触れられない電気機器については、ディーラーに問い合わせることになります。

車が構造的に電気機器の塊のようになって対応を迫られるのは、自動車メーカーだけではなく、保守点検を行うガソリンスタンドも含まれます。

●電気自動車普及で系列が崩壊の危機に

　これまでは完成車メーカーをピラミッドの頂点として、一次部品メーカー、二次部品メーカー、設備メーカー、中小下請を底辺に産業構造が形成されていました。しかし、電気自動車では必要とされる部品が少なくなり、一次部品メーカーの存在が脅かされることになります。その下の部品メーカーも、車に必要な原材料の変化を受けて、事業転換を迫られる企業も出てきます。電気自動車の普及によって、**系列が崩壊***の危機にさらされるかもしれません。

　今後、ハイブリッド車、プラグイン・ハイブリッド車、電気自動車がますます増えていく傾向にあり、現在、まさに車の心臓部が内燃機関から電池へと代わるというパラダイム転換の時期なのかもしれません。欧州ではこれまで燃費の良いディーゼル車の開発に重点を置き、フォルクスワーゲンはトヨタの三代目「プリウス」よりも低燃費のディーゼル車を発売していますが、欧州メーカーも、将来的には電気自動車への流れは変えられないと見ています。

電気自動車（EV）の基本構造

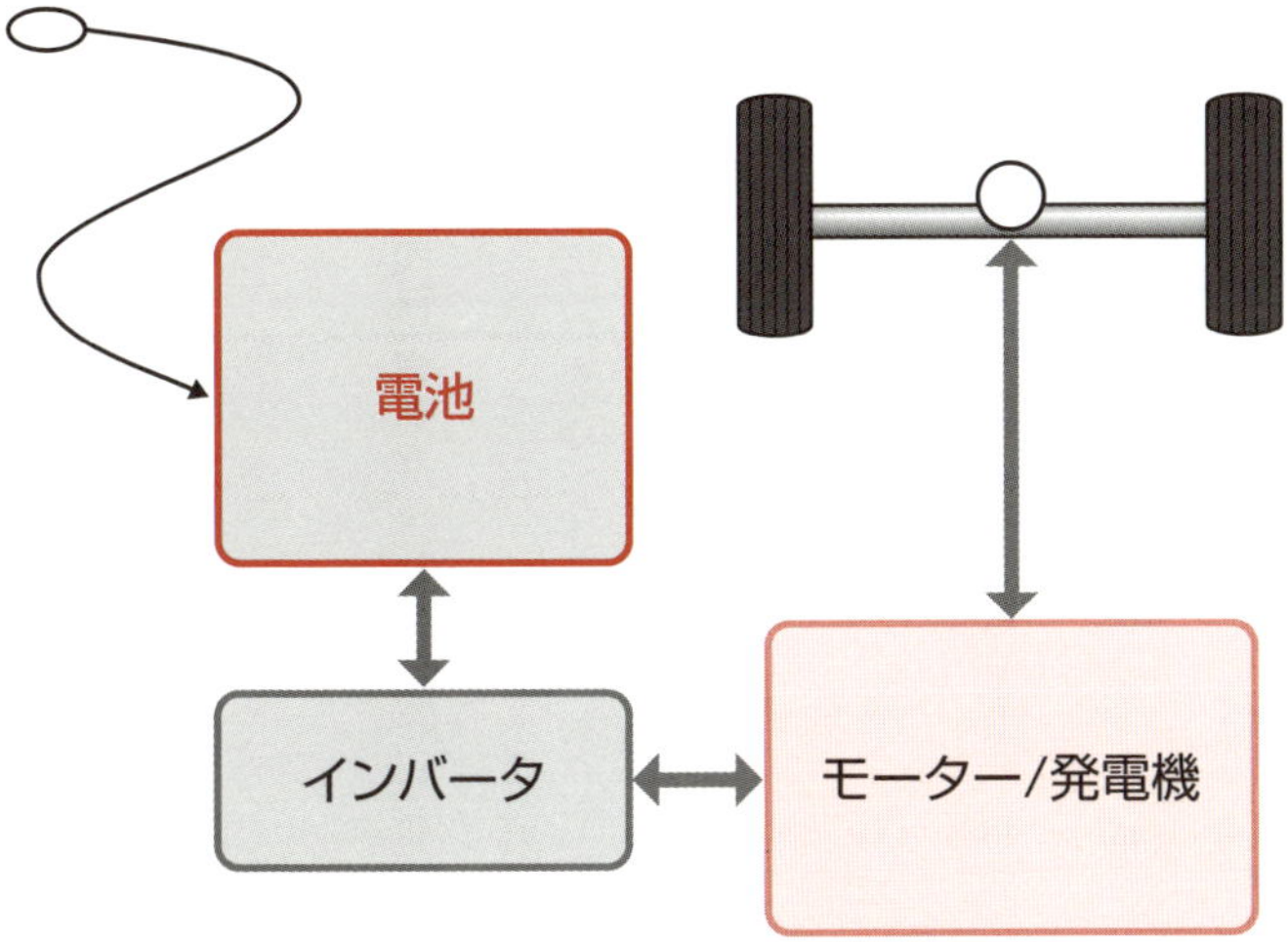

（出所）日本自動車工業会ホームページ

用語解説

＊**系列が崩壊**　日産は、1999年の「日産リバイバルプラン」において、3年間で20%のコスト削減目標を系列の部品メーカーに示した。さらに、2002年には3年間で平均15%の追加コスト削減を提示した。その後、日産は保有する1,394社の部品メーカーの株式の大半を売却し、系列は崩壊した。

12 自動車燃費規制とエコカー減税・補助金

エコカー補助金は、エコカーの普及を促進するための補助金です。一方、エコカー減税車は税金と燃料代の両方が安くなることから、人気を集めています。

●日本の自動車燃費規制

地球温暖化が引き起こす海面上昇、異常気象、農作物や海洋生物への被害を軽減するために、自動車メーカーもエコカーの研究開発に注力し、CO_2削減努力をしています。

しかし、日本では各自動車メーカーが燃費規制を達成できなかったときの罰則というものはありません。これでは、EUの規制やカリフォルニア州の**ZEV規制**が未達成の自動車メーカーに罰金を課しているのと比べると、日本の自動車メーカーの規制遵守の実行性が担保できません。

二〇二〇年四月一日施行の日本の二〇三〇年度燃費基準推定値は二五・四キロメートル/リットルです。ハイブリッド車並みの燃費を、企業平均で目指すことになります。

燃費基準未達成の自動車メーカーに対して罰金を課す制度を日本で導入しても、それをクリアできる自動車メーカーは多いと思われます。むしろ罰金の導入によって、未達成の自動車メーカーの能力の底上げにつながる可能性が高いでしょう。

その際、カリフォルニア州のZEV規制で導入されている「基準値未達成の自動車メーカーにクレジットを売却できる」システムの導入が考えられます。その理由は、クレジット売却システムがないと、下回った分を他社に売ることができず、自動車メーカーはさらなるCO_2排出削減に励むようなインセンティブを持ちにくいためです。

ワンポイントコラム

【ホンダのハイブリッド車「インサイト」】 初代「インサイト」は1999年のグッドデザイン賞、2000年のインターナショナル・エンジン・オブ・ザ・イヤーを受賞したが、2006年に生産中止となった。2009年にコンセプトを変更し、2代目「インサイト」が復活し、2009-2010のカー・オブ・ザ・イヤー、2009年度グッドデザイン金賞を受賞した。

●エコカー補助金とエコカー減税とは？

エコカー補助金は、ゼロエミッション車をはじめとする環境に優しいエコカーの普及を促進するための補助金であるため、エコカーが普及すると減額されます。対象車は電気自動車（EV）、プラグインハイブリッド車、クリーンディーゼル車、そして燃料電池車（FCV）などであり、購入に際してクリーンエネルギー自動車導入事業費補助金という補助金が経済産業省から出ます。

燃料電池車はまだ普及段階に入っていませんが、普及が進めば、補助金がなくても購入するのに問題がない程度の販売価格になっていくでしょう。

一方、**エコカー減税**とは、排出ガス・燃費性能に優れた自動車に対して、自動車重量税が減税・免税される制度で、適用期間は二〇二三年四月末までです。また、二〇一九年九月末に自動車取得税が廃止され、新たに排出ガス・燃費性能に応じて減税・免税される環境性能割が一〇月から導入されました。このような環境対応車は税金と燃料代の両方でメリットがあります。

エコカー減税（自動車重量税）の概要

〔適用期間〕自動車重量税（重量税）：2021 年 5 月 1 日 ~2023 年 4 月 30 日
〔適用内容〕減税対象車について、適用期間中に新車新規登録等を行った場合に限り、特例措置が適用（1 回限り）

●乗用車

<table>
<tr><th colspan="2">対象・要件等</th><th colspan="2">税目</th><th colspan="6">特例措置の内容</th></tr>
<tr><td colspan="2">・電気自動車
・燃料電池自動車
・天然ガス自動車（2018 年排出ガス規制適合）
・プラグインハイブリッド自動車</td><td rowspan="2">重量税</td><td rowspan="2">新車
新規検査</td><td colspan="6">免税</td></tr>
<tr><td colspan="2">・クリーンディーゼル乗用車</td><td colspan="6">免税</td></tr>
<tr><td rowspan="2"></td><td rowspan="2">燃費性能
排出ガス性能</td><td colspan="2" rowspan="2"></td><td colspan="6">2030 年度燃費基準</td></tr>
<tr><td>60%</td><td>70%</td><td>75%</td><td>85%</td><td>90%</td><td>達成</td></tr>
<tr><td>ガソリン車・LPG 車（ハイブリッド車を含む）</td><td>2018 年排出ガス規制 50% 低減</td><td>重量税</td><td>新車
新規検査</td><td colspan="2">25% 軽減</td><td colspan="2">50% 軽減</td><td colspan="2">免税</td></tr>
</table>

（出所）国土交通省ホームページ

column

トヨタとホンダの起業家精神

本田技研工業の飛行機部門（HondaJet）の将来は、好調に見えます。同種の飛行機の販売を目論《もくろ》んでいる三菱重工の飛行機が、いまだ販売されていないのとは対照的です。HondaJetは、速度が旅客機と同じであるにもかかわらず、旅客機よりも高くまたは低く飛び、渋滞や気流の乱れを避けられるというメリットがあります。そして航続距離は、同種の飛行機が2,000kmくらいなのに比べ、10,000kmと長く、軽量コンパクトながらゆとりのある客室空間、飛行速度、燃費にも優位性があります。

創業者の本田宗一郎は、飛行機製造の夢を抱いていたようですが、それが実現しました。もし、ホンダが自動車会社から飛行機製造会社へと製造の重点を移すならば、「企業変身」が実現することになります。このような重点移動は、固定資産が膨大で多くの技術力を蓄積している企業にとって、容易ではありません。しかし、「分社化」を図るのであればその限りではありません。実際にも、本田技研工業の航空事業会社である「ホンダエアクラフトカンパニー」が、HondaJetの研究開発・製造・販売を担っています。

トヨタの創業者は豊田佐吉です。本田宗一郎ほど世間に名が知れ渡っていません。その理由は、佐吉が1867年の生まれであり、織機の発明家というイメージがあるにすぎないからかもしれません。佐吉は1885年発布の「専売特許条例」に触発され、特許を得るために織機の発明に心血を注ぎました。当時の企業が欧米技術の導入一辺倒であったのとは一線を画します。1933年、豊田自動織機製作所内に自動車製作部門が設置されました。関東大震災に直面して、自動車の公共性・利便性が社会から広く求められるという認識が芽生えてきたからです。独立して、トヨタ自動車となるのは1937年です。1975年にはトヨタは住宅部を新設し、自動車の後継となる事業の創出を目指して、1976年に総合企画室を設けました。総合企画室から始まる新規事業の試みは、1986年に「新規事業プロジェクト委員会」に改組され、将来の有望分野を選定することとなります。

ホンダが自己の技術的夢の実現を目指して事業を展開しているのに対し、トヨタにとっては社会から求められるものを作ることこそ夢の実現だという点が、両社の大きな差異です。ホンダは航空事業を分社化し、「ホンダエアクラフトカンパニー」を作りました。豊田自動織機製作所から分社したトヨタは今後、社会的要請を敏感に取り入れて、分社化により次にどのような事業を育て上げるのでしょうか。

第6章

世界で進む業界再編（提携とその戦略）

1998年の"世紀の合併"でダイムラー・クライスラーが誕生しましたが、合併は2007年に解消されました。その後、ルノー、日産、三菱の資本提携、FCAとPSAの経営統合によるステランティスの誕生、トヨタグループの拡大などの業界再編が起こっています。本章では、世界で進む業界再編とその戦略について解説します。

ダイムラー・クライスラーと三菱

1

二〇〇〇年、三菱自動車とダイムラー・クライスラーが資本提携し、販売増や小型車強化を目指しました。しかし、経営再建に苦しむ三菱に見切りをつけたダイムラーは、二〇〇五年に資本提携を解消しました。

●三菱自動車とダイムラー・クライスラーの資本提携

二〇〇〇年三月、三菱自動車とダイムラー・クライスラーが資本提携に合意しました。資本提携後の両社の売上高および販売台数は世界第三位となりました。

三菱は欧米での販売増を目指し、ダイムラーはアジアでの販売と小型車の強化をする計画でした。具体的には、オランダにある三菱とボルボの合弁会社「**ネッドカー**＊」を三菱が買い取り、三菱とダイムラーが折半出資して小型乗用車を共同生産する計画でした。

三菱はアジアでのシェアが二六％あり、アジアでトラックの販売網を持たないダイムラーにとって、アジアに強い三菱のトラック部門は魅力的でした。しかし、三菱はトラック事業でボルボと資本提携をしていました。一方、ダイムラーとボルボはトラック市場で一位の座を争うライバル同士でした。この両者が三菱にともに資本参加するのは異常なことでした。

一兆七五〇〇億円の有利子負債を抱える三菱は当初、提携先としてGMやフォードと交渉しましたが、それらが難航すると、小さな提携を積み重ね始めました。一九九九年に、三菱はプジョーへエンジン技術の供与、次にフィアットと四輪駆動車の共同開発、ボルボとトラック事業での資本提携を行いました。しかし、生き残りを保証するような大きな資本提携を結ぶことには難航し、まずGMとフォードが去り、最終的にダイムラー・クライスラーと資本提携を行うことができました。

三菱は、株主総会で**拒否権**を行使できる三四％の資

用語解説

＊**ネッドカー**　オランダ政府、三菱、ボルボの出資により設立された量産車メーカー。1995年より量産を開始し、三菱自動車の小型乗用車「カリスマ」を生産した。1999年にオランダ政府が株主を抜け、2001年にボルボの株を三菱自動車が買い取り100％子会社としたが、2012年にVDLグループが三菱自動車から全株式を買い取り、「VDLネッドカー」となった。

本をダイムラーに握られました。三菱は三人の役員をダイムラーから迎え入れましたが、代表取締役には三菱側が就きました。しかし、重要な経営案件はすべてダイムラーの意向を尊重しなければならなくなりました。

●資本提携解消

二〇〇四年、ダイムラーは三菱への増資には応じず、資金援助も行わないと発表しました。二〇〇五年一月の三菱の経営再建策の決定には、ダイムラーはいっさい関わりませんでした。当時、三菱自動車の株価は一〇〇円台に低下しており、ダイムラーが三菱自動車株を売却した場合、巨額の売却損が発生します。その後、三菱支援に積極的だったダイムラーのシュレンプ会長の退任が決まり、株価が三〇〇円台まで急騰したため、二〇〇五年一一月、ダイムラーが保有する全株式を売却し、資本提携を解消しました。ダイムラーは、欧州での販売不振で業績が低迷しており、自社の再建に集中する考えでした。一方、三菱自動車は販売拡大を目指し、二〇一一年、軽自動車に関わる合弁会社を日産自動車と設立しました。

三菱自動車　世界販売台数

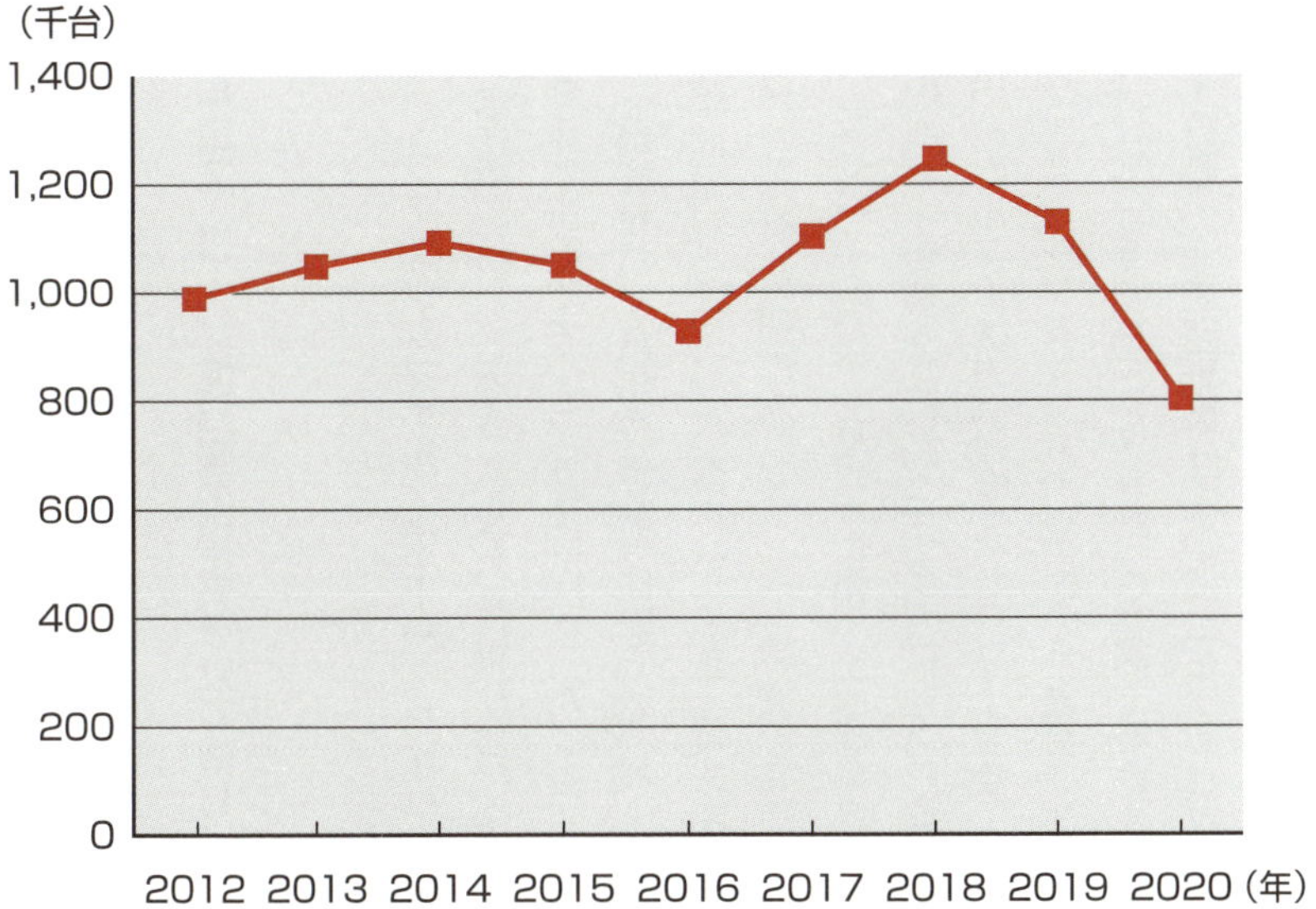

(出所)日本自動車工業会データベース

2 ルノー、日産、三菱の資本提携

日産・ルノーの提携は成功しました。ルノーから送り込まれたカルロス・ゴーンは日産の経営を立て直し、二〇一六年には三菱自動車もグループの傘下に入りました。

●ルノー、日産、三菱の資本提携

一九九〇年代末、**日産・ルノー**の提携が成功しました。この提携による経済効果は大きく、ルノーが日産の株を四三・四%、日産がルノーの株を一五%所有、二〇一六年には、日産が三菱自動車に三四%を出資し、三社連合が成立しました。

日産は「技術の日産」といわれ、優れた技術やデザインで評価されていましたが、収益性の低さが課題でした。一九九九年には販売している四三車種のうち、わずか四車種しか黒字を計上しておらず、工場の稼働率は五〇%ほどでした。その上、**官僚主義**と**セクショナリズム**に陥っていました。ルノーは日産に**カルロス・ゴーン**を送り込んで、経営再建に着手しました。ゴーンは「**クロス・ファンクショナル・チーム**」*を作り、部門横断的な仕事のやり方を導入して、社員が会社全体のことを考えて行動するように仕向けました。

ゴーンは「**日産リバイバルプラン**」に沿って、村山工場（東京都武蔵村山市）や日産車体京都工場の閉鎖、余剰人員の削減、系列の部品メーカーの株の売却や車種ラインナップの見直しなどを行い、結果、日産の約二兆円の有利子負債を二〇〇三年までに返済し終えました。日産とルノーは車のプラットフォームやエンジン、トランスミッションなどの部品の共通化、部品の共同調達などを通じてコスト削減を図っています。ルノー・日産・三菱自動車は二〇二二年、モビリティのバリューチェーンに焦点を当てた「Alliance 2030」を発表しました。

用語解説

＊**クロス・ファンクショナル・チーム**　日産はリバイバルプランを実行するために、9つのクロス・ファンクショナル・チームを作った。各チームは10人余りのメンバーで構成され、①事業の発展、②購買、③製造・物流、④研究開発、⑤マーケティング・販売、⑥一般管理費、⑦財務コスト、⑧車種削減、⑨組織と意思決定プロセスなどが改善された。

●日産の経営独立性の問題

第二次世界大戦時に、ルノーはドイツ軍に協力した罪に問われ、一九四五年にシャルル・ド・ゴール将軍の行政命令により国有化されました。戦後に「4CV」をヒットさせた**「ルノー公団」**は、一九九六年にフランス政府の持ち株比率が五〇％を切り、民営企業となりました。現在、政府の持ち株比率は一五％です。

フランスのフロランジュ法により、二年以上保有している企業の株式の議決権を二倍にすることが可能になり、ルノーでのフランス政府の議決権が拡大しました。しかし、フランス政府は日産の経営に介入しないことで合意しました。日産が使用した切り札は、日本の「会社法三〇八条」で、これは日産がルノーへの出資比率を現在の一五％から二五％以上に引き上げれば、ルノーが持つ日産株の議決権はなくなり、フランス政府の影響力を弱められる、というものです。

また、日産はルノーとの不平等な提携関係を見直し、必要ならばルノー株を買い増す権利も認めさせて、経営の独立性を維持できるようになりました。

日産の経営独立性

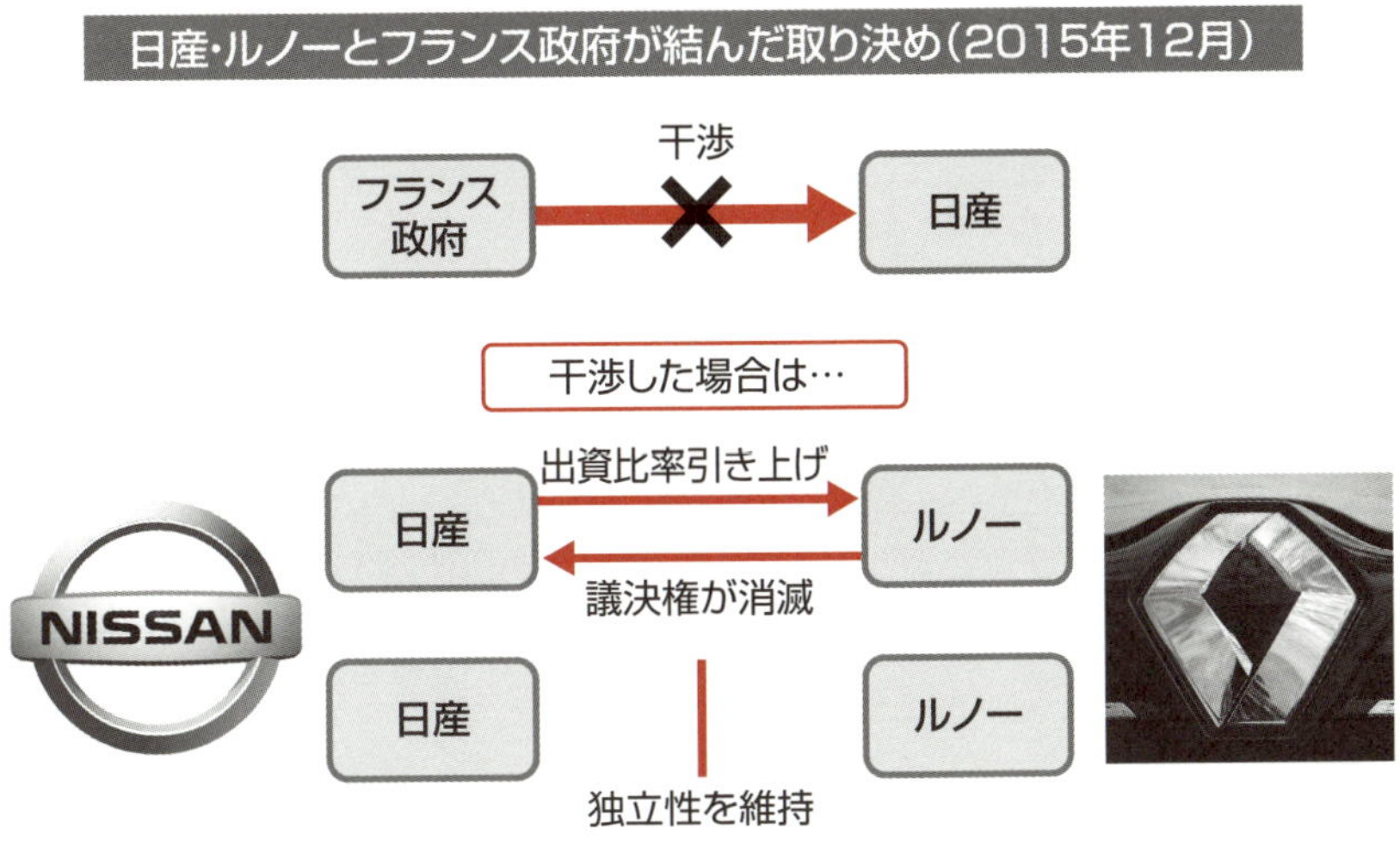

（出所）日本経済新聞、2015 年 12 月 13 日の資料をもとに作成

3 ルノー、日産、ダイムラーの資本提携

二〇一〇年にルノー、日産、ダイムラー（現・メルセデス・ベンツ・グループ）の提携が始まり、共同開発から共同生産まで幅広くパートナーシップを発展させてきました。

●ルノー、日産、ダイムラーの資本提携

自動車の世界再編が起きたとき、ルノーとダイムラーは日産を取り合ったライバル同士でした。一〇年以上を経て、二〇一〇年にルノー、日産、ダイムラー間で資本・業務提携をすることになりました。提携の目的は技術獲得です。

ダイムラーは低公害型のディーゼルエンジン、ルノーは小型車の開発、日産は電気自動車や電池技術に強い。したがって、部品の共通化によるコスト削減や、エンジン供給、電気自動車などの環境技術で協力し、相互の強みを補完し合うことができます。日産・ルノーとダイムラーの相互出資比率は三・一％であるため支配関係はなく、穏やかな連携といえます。

この提携には、ダイムラーの「小型車を強化したい」という意図が顕著に表れています。ダイムラーは高級車販売に競争力を持っていますが、欧州では世界で最も厳しい**CO_2の排出規制**が実施されており、それをクリアするために小型車の販売を増加させる必要がありました。しかし、ダイムラーが一九九八年に発売した**小型車「スマート」**の販売は低調で、すぐにでも「スマート」の後継モデルを市場投入する必要がありました。そのため、ルノーの小型車「**トゥインゴ**」*とプラットフォームを共通化してコストを削減し、さらには小型車を共同開発してこのセグメントを立て直したい、と考えたのです。

ダイムラーがスマートのテコ入れに固執する理由の一つとして、新興国での小型車販売で競争力を持つ

用語解説

* **トゥインゴ**　初代トゥインゴは、ルノーが1993年に発売した小型車である。その開発にはコンカレント・エンジニアリング手法がルノーで初めて導入された。また、トゥインゴの販売によって、フランス国内市場におけるルノーのシェアが増大した。

フォルクスワーゲンへの対抗意識もありました。

●ダイムラーとルノー・日産の戦略的協力関係の深化

二〇一四年、日産スカイラインに、ベンツEクラスなどに使われているダイムラー製のダウンサイジングターボエンジンが搭載されました。日本のメーカーが外国メーカーのエンジンを搭載する例は、OEMを除けばこれが初めてとなり、注目されました。

二〇一五年には、ダイムラーと日産が折半出資し、メキシコ中西部のアグアスカリエンテスに合弁工場を設立しました。ここでは、メルセデス・ベンツとインフィニティの両ブランドの次世代プレミアムコンパクトカーが生産されました。日産は二〇一〇年、ルノーと共同で、ダイムラーと資本・業務提携し、北米での共同生産を実施してきましたが、二〇二一年、保有する独ダイムラー株のすべてを売却しました。しかし、日産は今後もダイムラーとの協業をこれまでどおり継続していくとしています。ルノーも二〇二一年に、保有するダイムラーの株式一・五四％分を売却しました。

ルノー・日産、ダイムラーの資本・業務関係

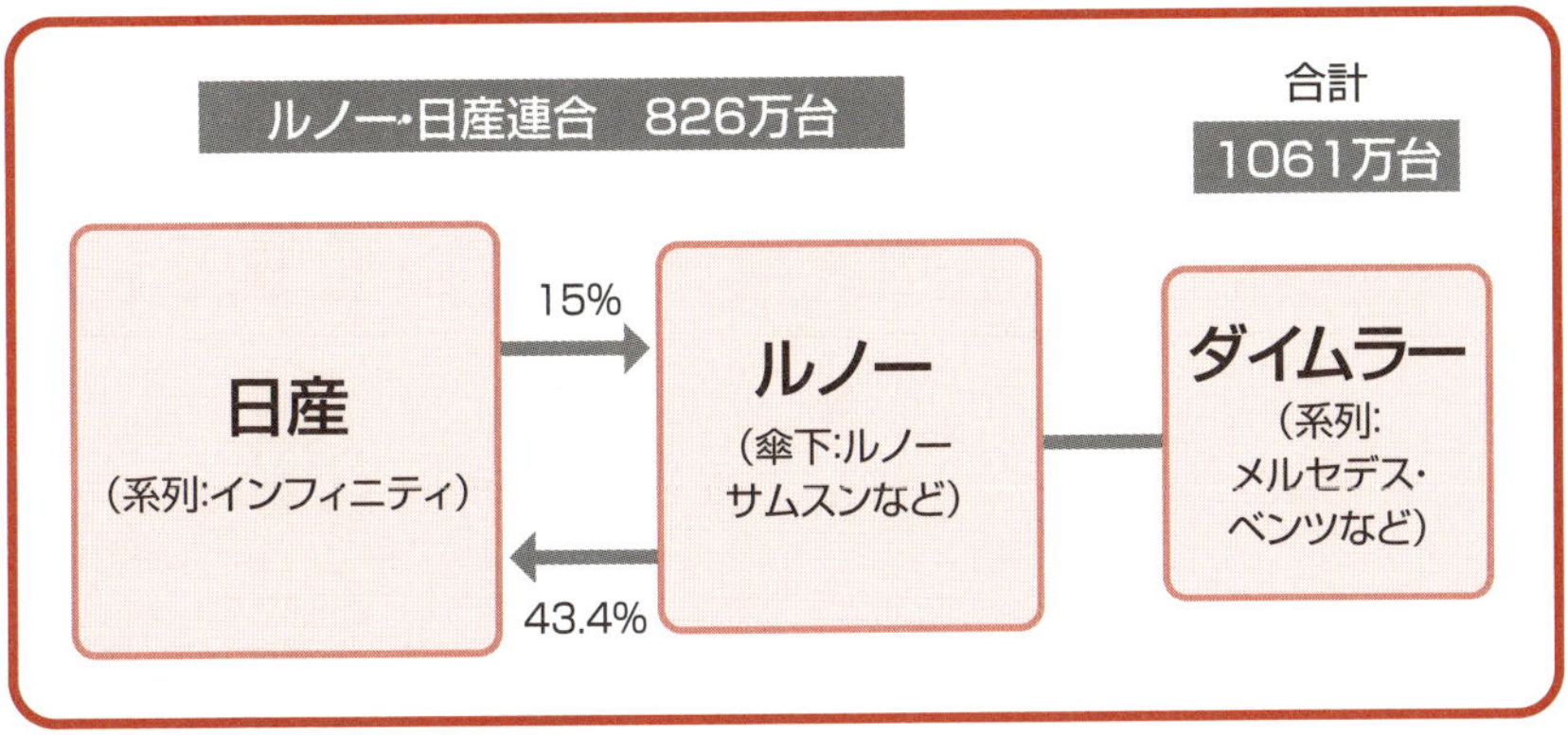

強み
・電気自動車など環境技術
・高級車から商用車、小型車まで幅広い品ぞろえ

弱み
・中国以外の新興国と北米で出遅れ

4 ステランティスの誕生（PSAとFCAの経営統合）

二〇二一年一月にFCAとPSAが経営統合してステランティスが設立され、世界第四位の自動車グループが誕生しました。FCAは電動化の面で、PSAは北米市場の競争力の面で、シナジー効果があります。

●ステランティスの誕生

二〇一四年、クライスラーはフィアットの完全子会社となり、**FCA***が誕生しました。その後、FCAはフランスの自動車メーカーPSAにアプローチした結果、二〇二一年一月にFCAとPSAが経営統合して**ステランティス***が誕生しました。

同社はアバルト、アルファロメオ、クライスラー、シトロエン、ダッジ、DS、フィアット、ジープ、ランチア、マセラティ、オペル、プジョー、ラム、ボクスホールという一四ブランドを持っています。ステランティスの名称はコーポレートブランドとしてのみ使用し、一四ブランドのブランド名やロゴに変更はありません。多くのブランドを有する二つのグループが統合されたステランティスは、年間販売台数が約八七〇万台規模となり、世界第四位の自動車グループになります。

二〇二一年上半期は、ステランティスの日本での販売が好調で、合計すれば輸入車ブランド一位のメルセデス・ベンツに次ぎ二位です。中でもプジョーとシトロエンは、どちらも前年比プラス七〇%でした。

●経営統合によるシナジー効果

PSAとFCAの統合によって、シナジー効果が出ています。例えば、FCAの課題は電動化の遅れですが、その点、PSAがすでに明確な電動化プランを持っています。PSAの電動化戦略では、小型車用として電気自動車とエンジン車を並行ラインナップでき

用語解説

＊**FCA**　Fiat Chrysler Automobilesの略。

＊**ステランティス**　Stellantisは、ラテン語で「星の光で輝く」を意味する動詞「stello（ステロ）」にちなんだ造語である。対等合併である以上、PSAやFCAのどちらかの名前を入れることができないため、新社名がつくられた。

る「CMP」プラットフォームを、上級のC～Dセグメントにはハイブリッドやプラグインハイブリッドを想定した「EMP2」プラットフォームを使います。「EMP2」は後輪にモーターを備える4WDであり、ジープにも転用可能と思われます。

一方、PSAは、二〇一七年にオペル／ボクスホールを買収して欧州市場で販売台数を伸ばしましたが、北米市場では競争力がありません。そのため、PSAにとって旧クライスラーを含むFCAとの合併は、新たな可能性をもたらします。FCAのフルサイズピックアップ「ラム」は世界中に輸出されているため、PSAにとって魅力的なブランドを持つことになります。

経営統合による両社のブランドの共食いも少ないと思われます。FCAの伝統的な乗用車のラインナップはすでに整理されつつあり、欧州市場でプジョーやシトロエン、オペルとブランド同士で衝突するような大きな不安要素はなさそうです。ステランティスにとって最大の不安要素は、PSA、FCAともに世界一の自動車市場である中国で存在感がないことです。

ステランティスのブランドポートフォリオ（2021年）

ブランド		設立	現在の取締役
イタリア	アバルト	1949年	ルカ・ナポリターノ
イタリア	アルファロメオ	1910年	ティモシー・クニスキス
米国	クライスラー	1925年	
フランス	シトロエン	1919年	ヴァンサン・コベ
米国	ダッジ	1914年	ティモシー・クニスキス
フランス	DS	2014年※1	ベアトリス・フーシェ
イタリア	フィアット／フィアットプロフェッショナル	1899年	オリヴィエ・フランソワ
米国	ジープ	1941年	クリスチャン・ムニエ
イタリア	ランチア	1906年	アントネッラ・ブルーノ
イタリア	マセラティ	1914年	ダヴィデ・グラッソ
ドイツ	オペル	1862年	ミヒャエル・ローシェラー
フランス	プジョー	1882年	ジャン・フィリップ・インパラト
米国	ラム	2009年※2	マイケル・コヴァル
イギリス	ボクスホール	1903年	スティーブン・ノーマン

※1　シトロエンブランドからスピンオフ
※2　ダッジブランドからスピンオフ
（出所）ステランティス - Wikipedia

5 スズキとVWの資本提携破綻とその後

スズキは、小型車の共同開発や環境技術に期待してフォルクスワーゲン（VW）と資本提携を行いましたが、提携を解消し、他社との戦略的提携を推し進めています。

●スズキの危機感

スズキとフォルクスワーゲンは二〇一〇年一月に資本提携を行いました。これにより、販売台数世界一位となる巨大グループが出来上がりました。

スズキは「グループで年一〇〇〇万台の生産・販売がないと生き残れない」という危機感がありました。スズキは二〇〇八年度に二三〇万台の車を販売しましたが、利幅の薄い軽自動車では一〇〇〇万台の規模がないと部品共通化のメリットが小さいのです。

スズキは、韓国の現代自動車や、一台二〇万円で販売するインドのタタ・モーターズに対抗するために、フォルクスワーゲンと部品の共同調達を行う必要があると考えました。インドの自動車市場は二〇一三年に二五五万台程度ですが、一〇〇〇万台の市場になるのもそれほど遠い話ではありません。**エンジン排気量**が一〇〇〇cc級の小型車をフォルクスワーゲンと共同開発し、それぞれのブランドで販売しようとしました。

スズキはハイブリッド車や電気自動車の研究開発を怠ってきたため、**フォルクスワーゲンの環境技術**にも期待しました。スズキのSUV向けに、フォルクスワーゲンのハイブリッドシステムや低公害ディーゼルエンジンなどの環境技術が供与される予定でした。

スズキは、一九八一年からGMと資本提携を行っており、二〇〇〇年にはGMの出資比率が二〇％まで上がりました。その後、二〇〇八年に**GMとの資本提携を解消**しました。二〇〇九年にはGMが破綻し、スズキはカナダにあるGMとの合弁工場から撤退しまし

用語解説

＊**持分法適用会社**　持分法は、非連結子会社と関連会社への投資に適用される。持分法が適用されて、純資産および損益の一部が投資会社の連結財務諸表に反映される被投資会社を、持分法適用会社という。

た。今回、スズキはフォルクスワーゲンからの出資比率を一九・九%にとどめ、持分法適用会社*になるのを避けて、自主独立経営を目指しました。

●スズキとフォルクスワーゲンの提携解消とその後

資本提携におけるスズキの狙いは、フォルクスワーゲンからの次世代エネルギー技術をはじめとする技術供与でした。しかし、経営の主導権問題や当初の目論みどおりに技術供与を受けられなかったことなどから、この提携は二〇一五年に早くも解消されました。

二〇一八年、フォルクスワーゲンと日野自動車は、トラックやバスなどの商用車の電動化や自動運転などの分野で包括提携を検討することで合意しました。一方、スズキは二〇一七年にトヨタと、環境や安全、情報技術、商品・ユニット補完等での業務提携を発表しました。自動車業界では、取り巻く環境がこれまでにない速さで大きく変化しており、先進技術の開発分野で他社との提携の重要性が増してきています。

スズキ、地域別電動車販売比率（2020年度）

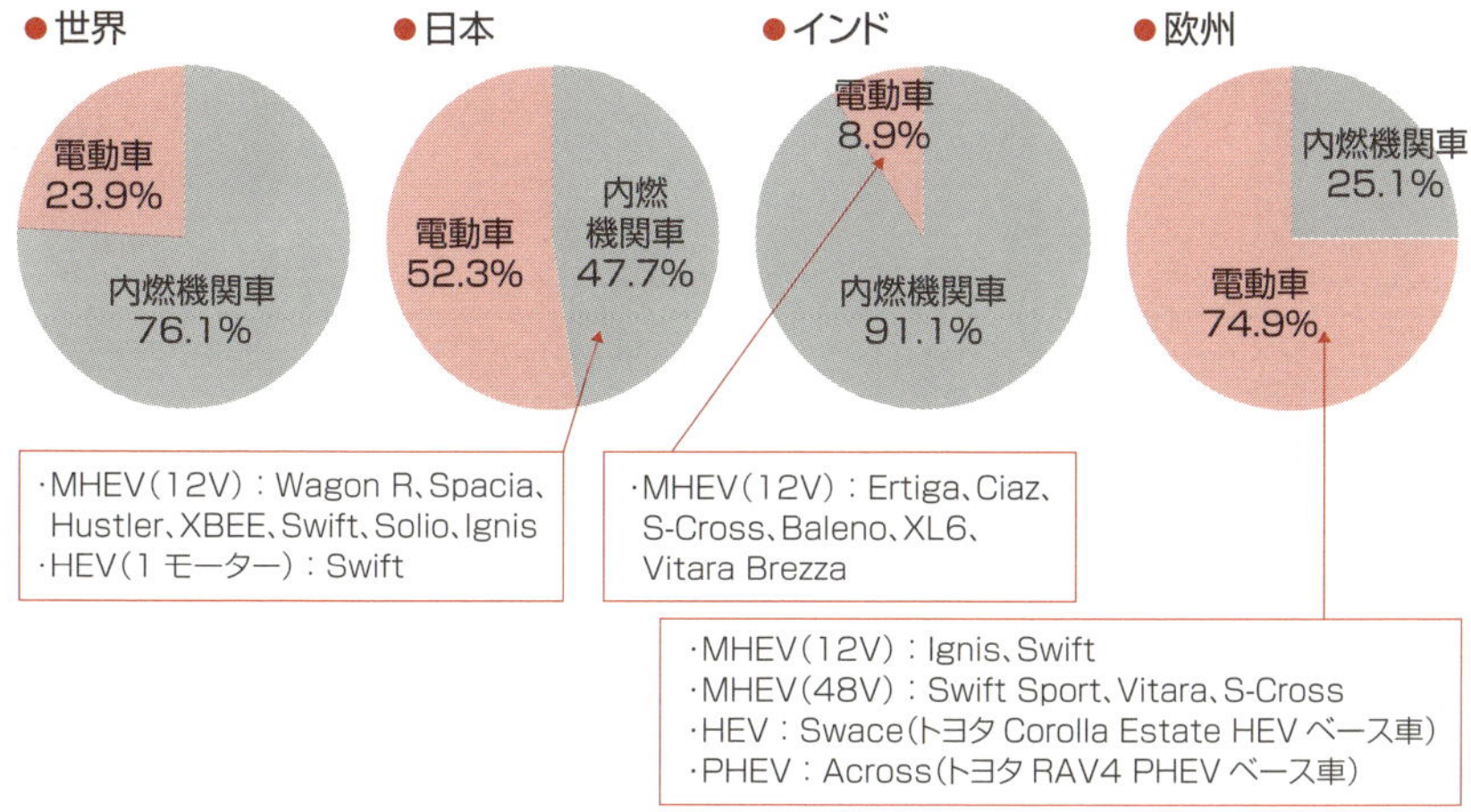

（原出所）スズキ決算資料、スズキ広報資料より作成
（出所）FOURIN　日本自動車調査月報 No.269　2021.8（27）

6 電気自動車への転換と進む「小型車」の開発

「脱炭素」を背景に世界で進む電気自動車の販売拡大。販売が伸びると予測される「小型車」では、地場の自動車メーカーの低価格化に学ぶところが多々あります。

●先行していた日本の環境技術

環境技術では、トヨタ、ホンダなどがハイブリッド車、燃料電池車において先行していました。トヨタは**ハイブリッドシステム**をフォードや日産、マツダにも技術供与していました。しかし、究極のエコカーは排出物ゼロの電気自動車であり、世界の主流は電気自動車になりつつあります。ホンダは、二〇四〇年までに世界での新車販売をすべて電気自動車と燃料電池車に転換する、という目標を掲げました。

トヨタは二〇一〇年、当時はまだ米国のベンチャー企業であり、電気自動車で二人乗りスポーツカーの「ロードスター」を欧米で二〇〇〇台以上販売したテスラに約二％出資し、テスラ製のEVパワートレインを積んだ「RAV4 EV」などの共同開発や生産を行いました。しかしその後、開発をめぐる技術陣の衝突で提携に新たな展開が見込めないこと、「RAV4 EV」の販売が二〇〇〇台を下回っていたことを主な理由に、テスラはトヨタとの共同プロジェクトを二〇一四年に終了させました。

二〇二一年、トヨタは脱炭素という世界的な流れを背景に、「全方位戦略」として、特に電気自動車分野の強化を図り、二〇三〇年のEVの世界販売目標を三五〇万台と掲げ、約四兆円の投資を発表しました。

●低価格小型車の開発

環境技術をめぐるその他の国際的提携として、電気自動車やハイブリッド車の開発で提携した中国自動車メーカーのBYDとフォルクスワーゲン、中国で電気自動車の生産を目指すダイムラーとBYDなどが挙げられます。今後、「新興国」で販売台数が最も伸びるのは燃費の良い「小型車」です。二〇一〇年には新車販売台数におけるBRICs*市場など新興国の比率が、初めて世界市場の過半に達しました。自動車メーカーは現地に適した車を開発・販売する必要があります。日本の自動車メーカーは、先進国で販売した高性能・高品質・高価格の車を新興国市場に導入しがちです。新興国の自動車メーカーから、次元の異なる低価格小型車の開発や製造について積極的に学ぶべきです。また、新興国の中でも国ごとに売れる小型車のタイプが異なるので、販売網の拡充も必要です。

　小型車はEUでも販売増が見込まれます。EUでは各自動車メーカーに対し、年間に販売する乗用車のCO_2排出量を二〇三〇年までに二〇二一年目標から三割削減するよう求めています。CO_2排出量の大きい高級車メーカーは、小型車をPHVやEVにして規制をクリアしようと必死です。

日本完成車メーカー、海外自動車生産台数推移（2019/2020年）・メーカー別構成（2020年）

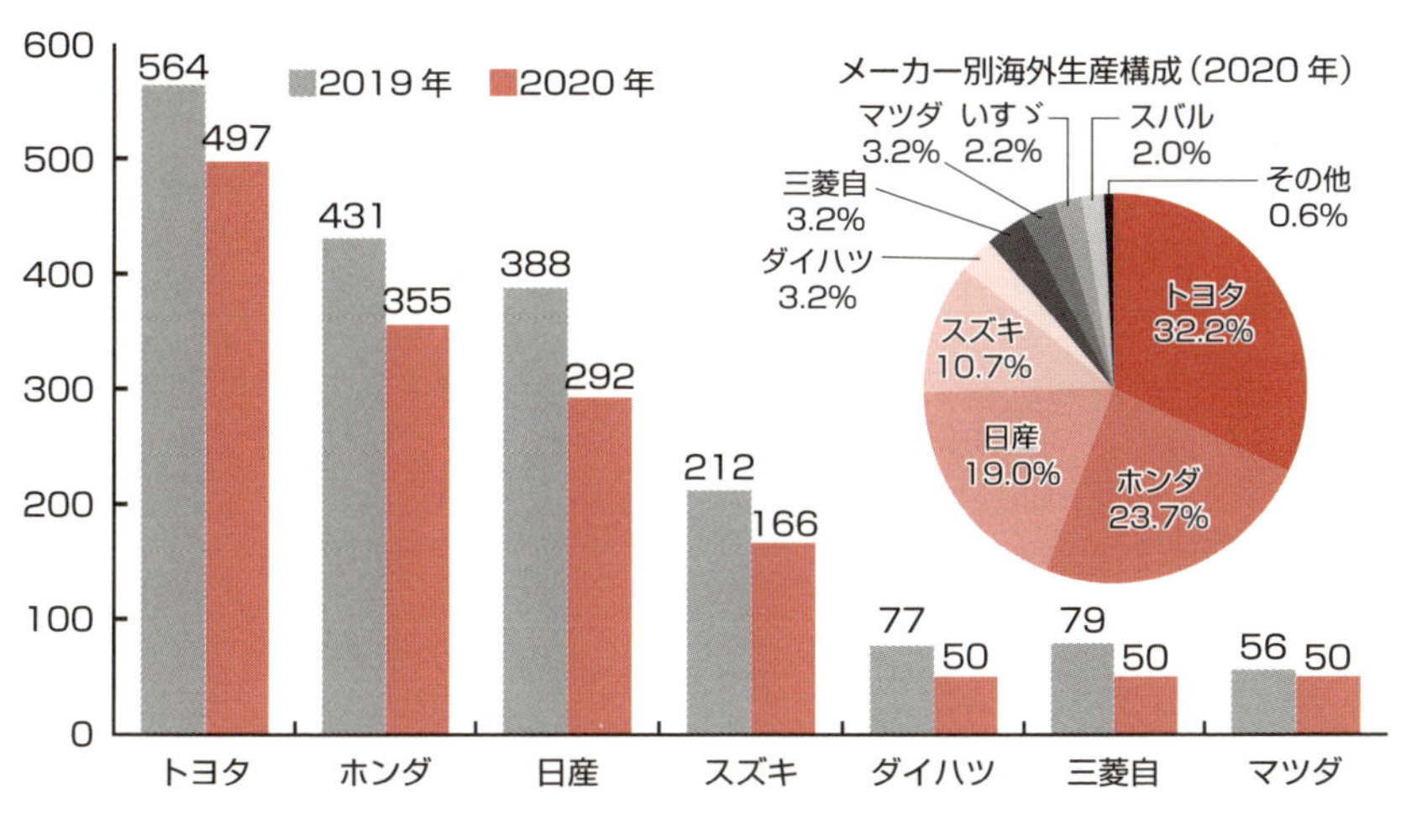

（出所）FOURIN　日本自動車調査月報、No.266 2021.5、5ページ

用語解説

＊**BRICs**　ブラジル、ロシア、インド、中国の4カ国を表す。これら4カ国は近年、経済成長が目覚ましく、世界経済に大きな影響を与えている。国土、人口、天然資源に恵まれている。2050年には、BRICsの経済規模がG6（日、米、英、仏、独、伊）の1.5倍になると予測されている。

7 トヨタグループの拡大と共同開発

トヨタグループには、資本関係を持つダイハツ、日野、スバル、マツダ、スズキの五社があります。トヨタは他社と自動運転やEVなどで共同開発を行っており、素早い市場導入を目指しています。

●トヨタグループの拡大

日本には、八つの乗用車メーカーと、四つのバス／トラックの商用車メーカーがあり、国内で多くのメーカーが競争し、技術を磨いてきました。しかし、インターネット対応のコネクテッドカー、自動運転など、**CASE***という自動車産業の転換期を迎え、トヨタは他の自動車メーカーと資本提携し、グループとして将来の生き残りを図っています。まず、**ダイハツ工業**はトヨタの完全子会社です。バス／トラックメーカーの**日野自動車**も、二〇〇一年からトヨタの子会社となっています。マツダ、そしてこれまで日産との関係が深かった**スバル**もトヨタと資本提携をしています。

さらには、スズキもトヨタとの業務提携を検討し、資本関係もあります。現在、ダイハツ、日野、スバル、マツダ、スズキ、いすゞと、国内全一二メーカーのうち六社がトヨタとの資本関係を築き上げました。

●他社との共同開発

自動運転分野では、米国のグーグルやアップル、中国の百度（バイドゥ）などが膨大な資金を投じて、人工知能を軸に自動運転技術の高度化に挑んでいます。これらのIT企業は、完全自動運転で必要となるプラットフォームの構築の面で、自動車メーカーよりも進んでおり、トヨタはIT企業と提携するか、または独自のプラットフォームを構築する必要があります。

膨大な蓄積データの解析に強みを持つ巨大IT企業の自動運転技術を導入する場合は、IT企業に車の

用語解説

＊**CASE**　Connected（コネクテッド）、Autonomous/Automated（自動化）、Shared（シェアリング）、Electric（電動化）の略。

付加価値の大部分をとられてしまいます。それを回避するため、トヨタはグループの拡大を図るだけではなく、異業種の企業と提携し、共同開発をしています。

例えばソフトバンクグループと、自動運転など次世代移動サービスを手がける共同出資会社「**モネ・テクノロジーズ**」を設立しました。この会社にはスズキやマツダ、スバルなどトヨタグループ各社も出資し、自動運転分野の遅れを取り戻そうとしています。また、米国「**オーロラ・イノベーション**」は自動運転システムでトヨタと協業しており、中国のライドシェア大手である滴滴出行（ディディチューシン）はトヨタの法人向け電気自動車「**eパレット***」で提携しています。

二〇一八年発足の「**トヨタZEVファクトリー**」では、EV開発のためにトヨタ、スバル、スズキなどからメンバーが集まり、分散していた人材を一つの組織にしました。その結果、無駄な調整が減り開発期間が短縮化されます。ここで車両開発や生産ラインの設計なども行っています。トヨタグループは世界的に環境規制が強まる中、各国の規制やインフラ整備の状況に合わせてEVなどを素早く投入していく方針です。

トヨタ自動車の資本関係

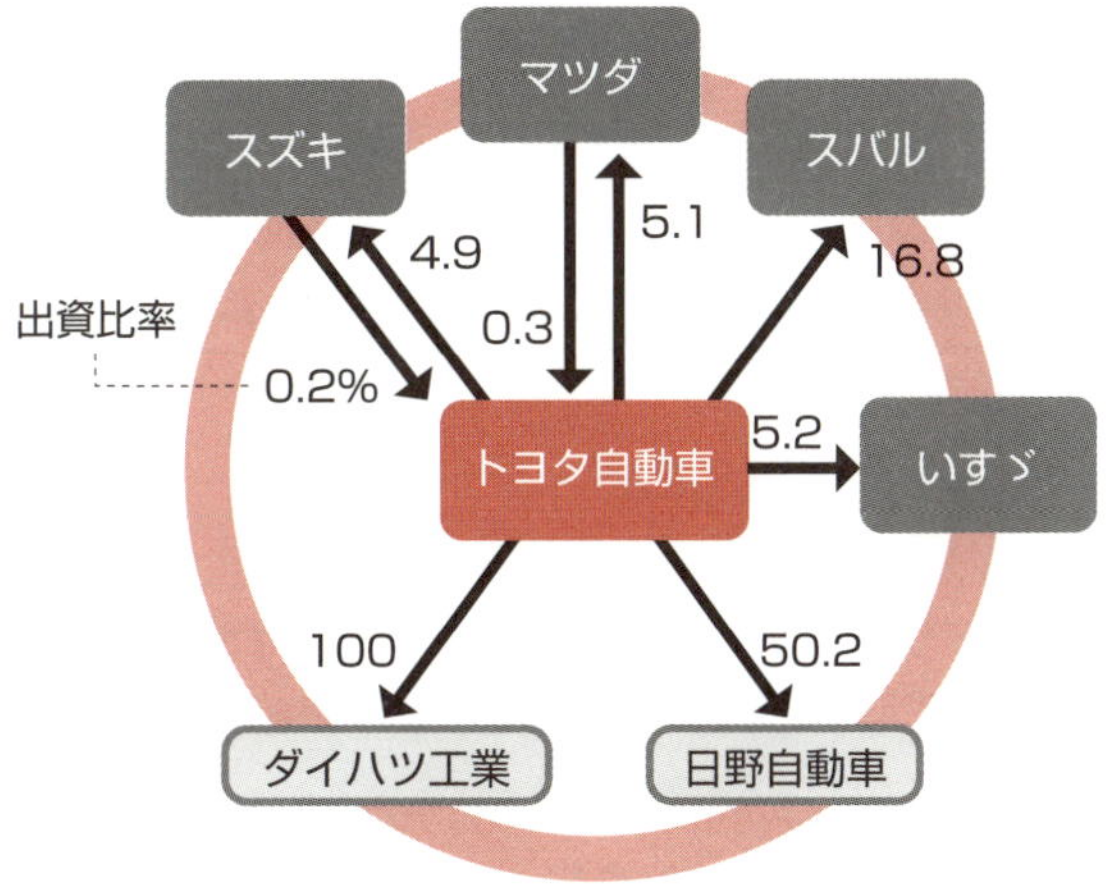

（出所）【図解・経済】トヨタ自動車の資本関係（2019年8月）：時事ドットコム (jiji.com)

用語解説

***eパレット**　e-Palette（イーパレット）とは、トヨタがCASE時代に備えて推し進めるMaaS戦略を象徴する存在として開発された**自動運転専用EV**である。車は単なる「移動手段」ではなく、ユーザー次第で「移動式ホテル」や「移動式店舗」、「移動式工場」など何にでもなれる。

column

デンソーの統合報告書

統合報告書は、企業にとって義務的な情報のみを記載したものではありません。義務的な情報とは、「財務諸表」(金融商品取引法)および「計算書類」(会社法)であり、企業に強制している情報です。(連結)貸借対照表、(連結)損益計算書、株主資本等計算書は、双方の法から求められています。そのほか、金融商品取引法は(連結)キャシュフロー計算書と(連結)附属明細書、会社法は個別注記表と連結注記表の作成・開示を求めています。さらに、一定基準の企業は、このような財務諸表および計算書類以外に、事業報告(会社法)や有価証券報告書(金融商品取引法)の開示も求められています。

上記のような「財務情報」と「非財務情報」を統合して開示することが「統合報告」であり、それを具体的に表示したものが「統合報告書」です。非財務情報は義務的情報の内容を補完するものであり、財務情報以外の情報開示をいっそう進めていくことが非財務情報の中心的課題です。例えば、企業の社会的責任、コーポレートガバナンス、環境報告、社会性報告、コンプライアンス、リスクマネジメントなどがあります。

投資家だけでなく利害関係者一般にまで開示先を広げて、企業活動の取り組みを積極的に開示していく姿勢が、いま、企業に求められています。

デンソーの「統合報告書2021」は、次のA～Gから構成されています。「A.基本理念、サステナビリティ経営」「B.事業環境を踏まえた社長の考え方とビジョン」「C.経営方針体系」「D.デンソーの強み」「E.デンソーの事業(概要)」「F.コーポレートガバナンス向上の取り組み」「G.価値創造プロセス」。

これらの情報の一部は、これまでIR(インヴェスター・リレーションズ)活動の枠の中で開示されてきました。今日では、企業は資本家との関係を重視するだけでなく、社会的な存在としての企業像が求められています。その例が、ESG(環境、社会、ガバナンス)情報の重視です。2013年12月に国際統合報告評議会(IIRC)が公表した「国際統合報告フレームワーク」は、ESG情報を組み込んだ企業の価値創造力、情報の結合、ステークホルダーとの関係、統合報告の信頼性、比較可能性などに言及しています。多くのグローバル企業は、国際統合報告評議会の指針に基づいて統合報告書を作成し、公開しています。デンソーのみならず、統合報告書を重視しようとする企業は今後ますます増えていくでしょう。

第7章

新興国（新たな市場への戦略）

新興国では自動車市場の著しい成長が見られます。しかし、新興国で成功する条件は、国内や先進国の市場での成功条件とは異なります。新興国には単なる「低価格車」ではなく、現地に適したスタイリングも重要です。本章では、中国、インド、ロシア、ブラジルの新興国市場での自動車メーカーの戦略について解説します。

コロナ禍での新興国市場の動向と商品戦略 1

東南アジアでは、コロナ禍でのロックダウンや半導体のひっ迫により、車や部品の生産が停止しました。日本に納入する部品が生産できず、日本の自動車メーカーの減産にもつながりました。

●コロナ禍での新興国市場の動向

東南アジアでは、コロナ禍の影響で車や部品の生産が停止し、半導体のひっ迫により部品が生産できず、自動車メーカーの減産につながりました。

インドでも、全土ロックダウンにより生産・販売が停止し、新車販売台数が減少しました。インドの自動車市場規模は世界四位で、持続的な経済成長には自動車業界の持ち直しが重要です。インド政府は、車両登録料の引き上げ延期や、公用車の買い替え容認など、低迷する自動車販売に多様な支援を行っています。

中国の二〇二〇年の自動車販売台数は二五三二万台で、三年連続の前年割れでしたが、新エネルギー車の販売は伸びました。購入者への補助金支給や取得税の免除、上海や北京など大都市でのナンバープレート優遇策その他で後押しされています。一方、コロナ禍の影響による資金の調達難や販売不振などで、苦戦するEVメーカーもあります。廉価なガソリン車のイメージがぬぐえない既存の自動車メーカーの多くは、割高感のあるEVで消費者の信頼を獲得できていません。

マレーシアとベトナムは、減税による自動車販売促進策をいち早く打ち出しました。これは、マレーシアがプロトンやプロドゥアなどの国民車メーカー、ベトナムも新興国民車メーカーの**ビンファースト***などを抱えていることが影響しています。

タイの自動車産業においてもコロナ禍で年間生産台数が減少しました。タイでは、二〇三〇年までに国内の自動車生産台数のうち、EVの占める割合を三〇%

用語解説

***ベトナム国民車メーカーのビンファースト**　1993年創業のベトナムの大手複合企業であるビングループは、2019年にビンファーストを設立した。2021年の国内販売台数は36,000台。テスラ車の半分の値段でEVの受注を国内や欧米市場で始めた。電池はリースで低価格化を図っている。

まで引き上げることを目標としています。特にバッテリーやモーターの部品など、EVに欠かせない材料の部品メーカーが国内に少ないため、材料の大半を海外から輸入していますが、今後三年間でEVの完全自国生産が可能になると推測されています。

●新興国市場の商品戦略

新興国で成功する条件は、国内や先進国市場での成功条件とは異なります。新興国では所得が低いため、価格を抑えなければなりません。新車開発の現地化で解決する必要があります。さらに、単なる「低価格車」ではなく、現地に適したスタイリングも重要です。今後は、日本で開発した車をただ輸出したり現地生産するだけでは、新興国市場に対応できません。

アジアの新興国の中間層消費者の多くが、「今後購入するとしたら日本車」と答えました。しかし、**日本車**のイメージは「高品質」ではあるものの、「独創的・ユニーク」「世界をリードしている」という観点では低評価でした。アジアの人々に適した新しいライフスタイルを提唱する、というマーケティング活動が求められます。

タイの自動車生産業の動向

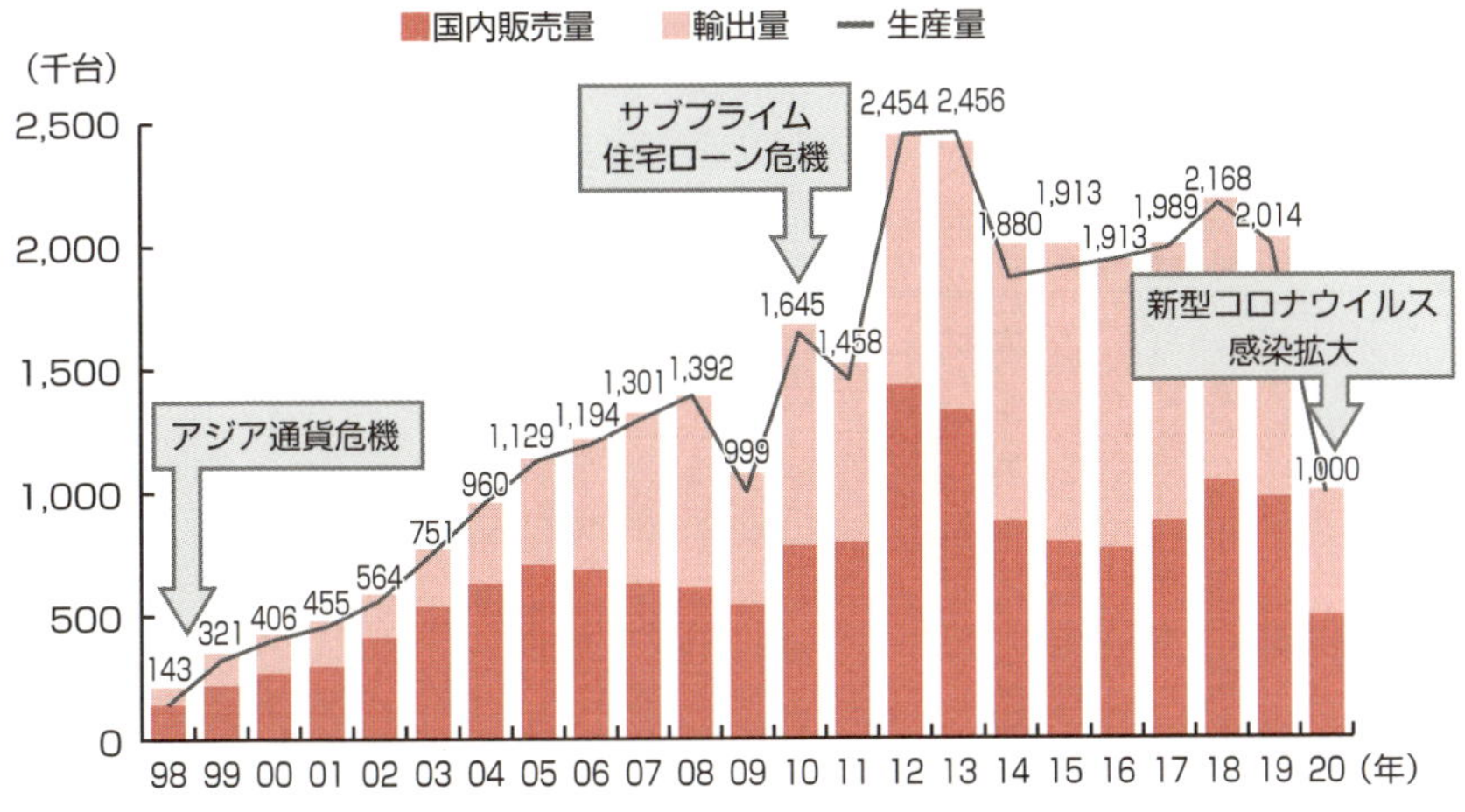

（出所）タイ工業連盟

2 中国自動車産業の歴史

中国政府は三大三小二微政策をとり、重点的に特定の乗用車メーカーを育成しました。しかしのちに、中国政府は新たな外国の自動車メーカーの参入も認めました。

●中国自動車産業の勃興

一九五六年、旧ソ連の援助を受けて第一汽車製造廠が設立され、国産トラック「**解放**」を製造したのが、中国自動車産業の始まりとなりました。その後、北京、瀋陽、上海、済南などに自動車工場が設立されました。**文化大革命***期の一九六九年には第二汽車製造廠が設立されました。地方では小さな自動車組立工場や部品工場が次々に設立され、現在一〇〇社近くあります。外資との合弁会社など一部の自動車メーカーを除き、多くのメーカーの生産規模は小さく非効率です。

●三大三小二微政策

中国政府は、国内の自動車メーカーを外資の自動車メーカーと提携させることによって、育成しようとしました。特に、三社の大型乗用車メーカーと三社の小型車メーカーに重点を置いて、外資から先端技術や経営管理方式を導入して、育成・発展させようとしました。一九八三年に、北京汽車とAMCによって初の自動車合弁会社である**北京ジープ**が設立されました。これに、**広州プジョー**と**天津汽車**を合わせて、**三小メーカー**といわれました。**三大メーカー**とは、**一汽VW**、**上海VW**、**神龍汽車**をいいます。中国政府は三大三小メーカーを乗用車メーカーとして保護・育成する方針でしたが、他の外国自動車メーカーに対しては、中国市場への参入を阻む政策となりました。

一九九〇年代はじめには、スズキと長安汽車との合弁会社**長安鈴木**と、富士重工が技術供与した**貴州航**

用語解説

＊**文化大革命**　毛沢東の主導により、1960年代後半から70年代前半まで続いた中国の政治･社会運動。資本主義文化を批判し、社会主義文化を新しく創造しようとしたが、実際には社会的混乱を招き、主要な文化遺産が破壊され、経済が停滞することとなった。粛清により数千万人の犠牲者が出た。

天とが、軽自動車を生産する**二微メーカー**として三大三小に追加されました。このようにして、中国の乗用車プロジェクトは、**三大三小二微政策**と呼ばれるようになりました。重点的に育成された自動車メーカーは大量生産体制を確立しました。第一汽車、上海汽車、東風汽車などは、弱小メーカーを吸収合併し、業界の再編に貢献しました。しかし、中国にはいまなお多くの弱小自動車メーカーが存在しています。また、中国乗用車市場では生産台数が過剰気味となっており、今後、販売面での政府の政策が重要となります。一九九〇年代後半、中国政府は三大三小二微以外にも、新たな外国の自動車メーカーの参入を認めました。一九九七年には米国GMと上海汽車の合弁で上海ゼネラルモータースが設立されました。一九九八年にはホンダと広州汽車が合弁で**広州本田汽車**を設立しました。二〇〇〇年にはトヨタと天津汽車が**天津トヨタ汽車**（のちの天津一汽トヨタ汽車）を設立して、小型乗用車の生産を開始しました。そのほかにも、フォードや韓国・欧州の自動車メーカーも現地生産を行っており、中国自動車産業は新たな段階に入っています。

中国の三大三小二微メーカー

	三大メーカー		
メーカー	一汽 VW	上海 VW	神龍汽車
設立年	1990	1984	1992
外資メーカー	VW	VW	シトロエン
提携形態	合弁	合弁	合弁

	三小メーカー			二微メーカー	
メーカー	北京ジープ	広州プジョー	天津汽車	長安鈴木	貴州航天
設立年	1983	1985	1984	1993	1992
外資メーカー	AMC	プジョー	ダイハツ	スズキ	富士重工
提携形態	合弁	合弁	技術供与	合弁	技術供与

3 WTO加盟後の中国の現状

WTO加盟により、中国自動車産業は関税と非関税の二重の保護を失いました。しかし、中国自動車メーカーにとっては、国際競争力を高めるよい機会となりました。

●WTO加盟の影響

WTO*加盟により、中国の国内自動車産業は**関税**と非関税の二重の保護を失い、輸入車や自動車部品にかけられた一〇〇～八〇％の税率が二五％まで引き下げられ、輸入車の価格が安くなりました。**輸入数量制限**は、割当数量が六〇億ドルから年率一五％の割合で拡大され、最終的に二〇〇五年に輸入数量制限が廃止されました。

WTO加盟以前、中国の自動車メーカーと輸入車との本格的な競争はありませんでしたが、加盟後は競争が避けられなくなりました。中国のWTO加盟は、外国の自動車メーカーの中国市場での輸入車の大量販売を可能にしました。主要な外国メーカーは、すでに中国で現地生産を行っていたため、販売台数の多い小型車は現地生産し、高級車やスポーツカーは輸入するという戦略をとり、商品ラインナップを充実させることができました。

中国政府はWTO加盟を、第一汽車、東風汽車、上海汽車などの大手メーカーを中心に中国自動車産業を再編して国際競争力を高めるよい機会だと考えました。中国の乗用車メーカーは、外国メーカーに対して技術、品質、価格では大きな差があったからです。

●自動車販売台数世界一位

中国政府は二〇〇九年一月に「自動車産業振興計画」を発表し、中国メーカーの独自開発車のシェアを四〇％以上に引き上げるという目標を設定しました。

用語解説

＊**WTO**　世界貿易機関（WTO：World Trade Organization）は、GATTに代わり、1995年に発足した。WTOは、加盟国間で自由にモノやサービスなどの貿易ができるように規則を定め、貿易障壁を削減・撤廃するための交渉の場を提供する国際機関である。本部はスイスにあり、2020年11月現在で164カ国・地域が加盟している。

中国自主ブランド車は次第に増加し、三割近くシェアを伸ばしました。しかしその後、外資系自動車メーカーが低価格のローエンド車分野に参入したため、中国自主ブランド車は、シェアを落とし始めています。

二〇一七年、中国の自動車販売台数は二八八七万台で、二位の米国の一七五八万台を大きく引き離し、世界一位の重要な市場になりました。しかし、人口が一三億人強もいるため、自動車保有台数は人口一〇〇〇人当たり二〇一四年末時点で一〇五台程度です。これは、米国や日本の八～六分の一程度です。したがって、今後さらに販売台数が伸びる可能性があります。

中国では、中国地場の比亜迪自動車（BYD）が二〇〇八年に世界初の量産型プラグインハイブリッド車を発売しました。同社は電気自動車の販売で、二〇一六年に世界一位になりました。中国政府は二〇一九年に、自動車メーカーに対して一〇％の新エネルギー車（NEV）の製造・販売を義務付ける規則を導入しました。世界最大の中国市場で電気自動車の普及が進むため、日本および世界の自動車メーカーは電気自動車への取り組みをさらに加速せざるを得ません。

中国、セグメント*別乗用車市場シェアの推移

（出荷ベース、2013～2020年、2021年1～10月）

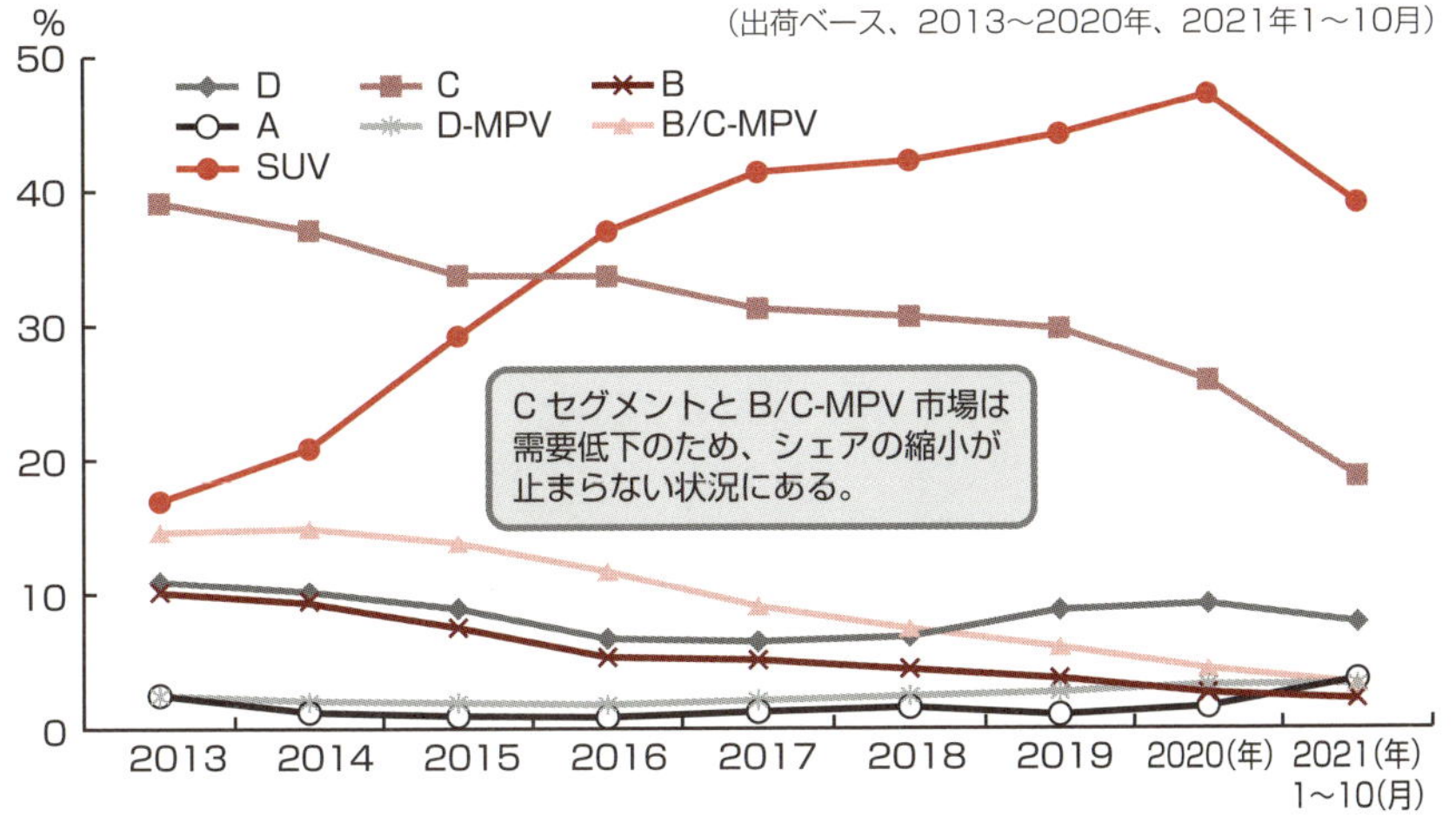

CAAM データより FOURIN 作成

（出所）FOURIN　中国自動車調査月報、No.310　2022.1、6 ページ

用語解説

＊**セグメント**　主に自動車の全長やホイールベース長をもとにした大まかなクラス分け。全長でおおむね次のとおり。A：～3.7m、B：～4.3m、C：～4.6m、D/E/F：4.7m～

4 中国自動車メーカーの動向

二〇〇九年、中国自動車市場が米国を抜いて一位になり、記念すべき年となりました。中国ではモータリゼーションが起きており、低価格車を販売する民族系メーカーが販売を伸ばしました。

●小型車向け減税により販売増に

中国では、二〇〇九年一月から年末まで排気量一六〇〇cc以下の小型車の取得税が一〇%から五%に引き下げられた結果、販売台数の七〇%を一六〇〇cc以下の小型車が占めました。特に奇瑞、BYD、吉利などの民族系メーカーの販売が伸びました。中国で最も売れる車は七万元（約九五万円）以下の押し出しの強いデザインの車です。近年、SUVの人気も高まっており、二〇一七年にはSUVの販売台数が一〇〇〇万台を超えました。

二〇〇九年に、中国の自動車市場は米国を抜いて**世界最大の市場**となりました。しかし、自動車メーカーにとって不安要因もあります。排気量一六〇〇cc以下の小型車の取得税が、二〇一五年一〇月～二〇一六年末に車両価格の五%、二〇一七年に七・五%とされ、自動車消費の喚起を図りました。しかし、この減税政策は、需要の前倒しにより、将来の新車販売の減速を引き起こします。また、乗用車各社の二〇二〇年の生産能力は合計で四六〇〇万台に達し、生産過剰になると推測されます。そのため、値引き競争を引き起こしかねません。ストや人件費高騰も大きな問題です。

中国では外資系自動車メーカーは現地企業二社までとしか提携できないことになっていますが、形骸化してきています。トヨタは一九八〇～九〇年代にかけ、中国政府からの合弁の要請に難色を示し、中国進出を遅らしたという経緯があり、いまだ政府内にはトヨタを問題視する傾向があります。二〇〇九年当初、トヨタの**カローラ**は一八〇〇ccモデルしかなく、同年夏以降に一六〇〇ccモデルを投入しましたが、完全に出遅れてしまいました。日産は「リヴィナ」や「ティーダ」の減税対象車で販売を伸ばしました。

●民族系メーカーの品質向上戦略

中国の**国有自動車大手**が中・高級ブランドを販売するというのがこれまでの役割分担でしたが、それが崩れつつあります。**民族系メーカー**が高級車ブランドを買収するケースが出てきました。二〇一〇年三月に**吉利汽車**が、フォードから「**ボルボ**」を買収しました。ボルボは規模が小さいため、新車や環境技術などの開発費の負担が大きすぎ、単独では生き残れません。吉利汽車は、世界各地のボルボの営業基盤を引き継ぐことができ、国際業務に長けた人材を必要としています。

BYDは中国の後発の民族系メーカーですが、乗用車市場でシェアを急激に伸ばしています。BYDは日本の**金型メーカー**「**オギハラ**」*の一工場を買収しました。これによって、デザイン性と剛性が必要な車体用金型技術を習得し、競争力向上を図りました。

高まる新エネルギー車（NEV）の存在（中国のNEV販売台数と割合）

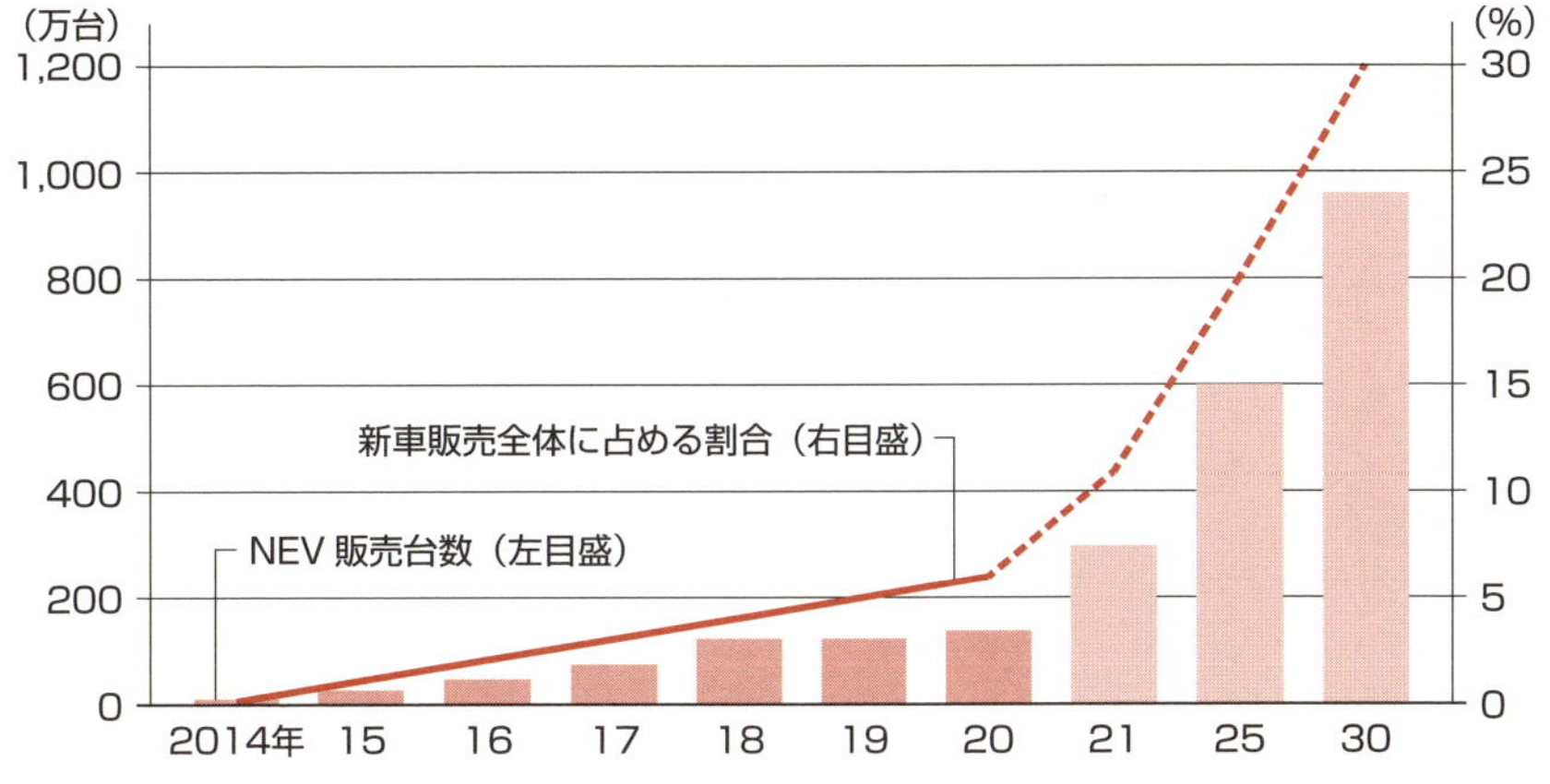

（注）2021年以降は予測値

（出所）週刊東洋経済、2021.10.9、64ページ

用語解説

*オギハラ　オギハラは、自動車用金型で世界中の自動車メーカーと取引する世界最大手の金型メーカーである。2010年に、中国の自動車メーカーのBYDがオギハラの館林工場を買収し、館林工場と従業員約80人がBYDに引き継がれた。BYDはオギハラが開発した金型を中国に持ち込み、活用することになる。

中国系メーカーの製品開発

5

中国の民族系自動車メーカーは新車の設計や金型製造の能力および資金に欠けるため、そういった業務をイタリアカロッツェリアや中国の「上海同済同捷科技」にアウトソーシングしました。

●開発業務のアウトソーシング

中国の民族系自動車メーカーの有力大手には、奇瑞、吉利、BYD、華晨、長城、江淮などがあります。民族系は新車の設計や金型製造の能力および資金に欠けているため、その業務をアウトソーシングしました。設計会社としてイタリアカロッツェリア*の「**ピニンファリーナ**」「**イタルデザイン**」「**ベルトーネ**」や、中国の「上海同済同捷科技」を利用し、技術支援会社として日系の金型メーカーを利用しました。中国の自動車市場はいまや世界一であり、民族系メーカーに設計能力や資金が欠けていてもとにかく自動車を販売するという戦略がとられました。また、中国のユーザーの多くは、先進国ほど高品質の車を求めていないという背景もありました。民族系自動車メーカーは車を自社開発するのではなく、多くの既存部品を寄せ集めて作るという設計思想を持っています。天津夏利のシャシーを流用し、**瀋陽航天三菱のエンジン**を調達できる市場基盤が整っています。逆にいえば、中国市場には欧州や日本の設計会社にとって大きなビジネスチャンスがあるのです。民族系自動車メーカーは商機を逃さないために、発売日から逆算して開発スケジュールを組み、約一〇～三〇カ月でスタイリング、設計、試作・評価を行うよう設計会社に依頼します。イタリアカロッツェリアの引き受け価格は中国系設計会社の五～八倍ですが、それに見合う先進的で高級感あふれるスタイリングが可能です。中国の設計会社「上海同済同捷科技」は、これまで開発した自動車が三〇〇を超え

用語解説

*カロッツェリア　イタリア特有の自動車デザイン工房。カロッツェリアは、イタリア語で「自動車製作所もしくは四輪車を製造すること」という意味である。

ており、開発人員一四〇〇人を有し、年間二〇～三〇の新車を同時開発しています。設計会社は既存モデルをデータベース化しているため、他社の車とよく似たモデルが出てくることもあります。

●技術支援会社の存在

日系の技術支援会社は、中国の自動車メーカーに設計開発での改善提案を行ったり、量産直前の金型の設計変更を提案したり、生産で問題が起きないようにしています。特に民族系自動車メーカーは、試作車用の簡易金型を作らず、いきなり生産に使われる**金型**を作るため、問題が発生しやすいのです。民族系自動車メーカーが多くの新車を発売できる背景には、日本やイタリア、中国の開発支援会社の存在があります。しかし、このような自動車産業の分業構造も確立されたものではなく、民族系自動車メーカーの中でも開発資金と能力を獲得できたところは自社内で開発し始める、という変化も生じています。また、今後の自動車産業の再編に伴い、開発能力を持つ大手メーカーに集約される可能性もあります。

中国市場のボリュームゾーンの大衆車がEVに変わる！

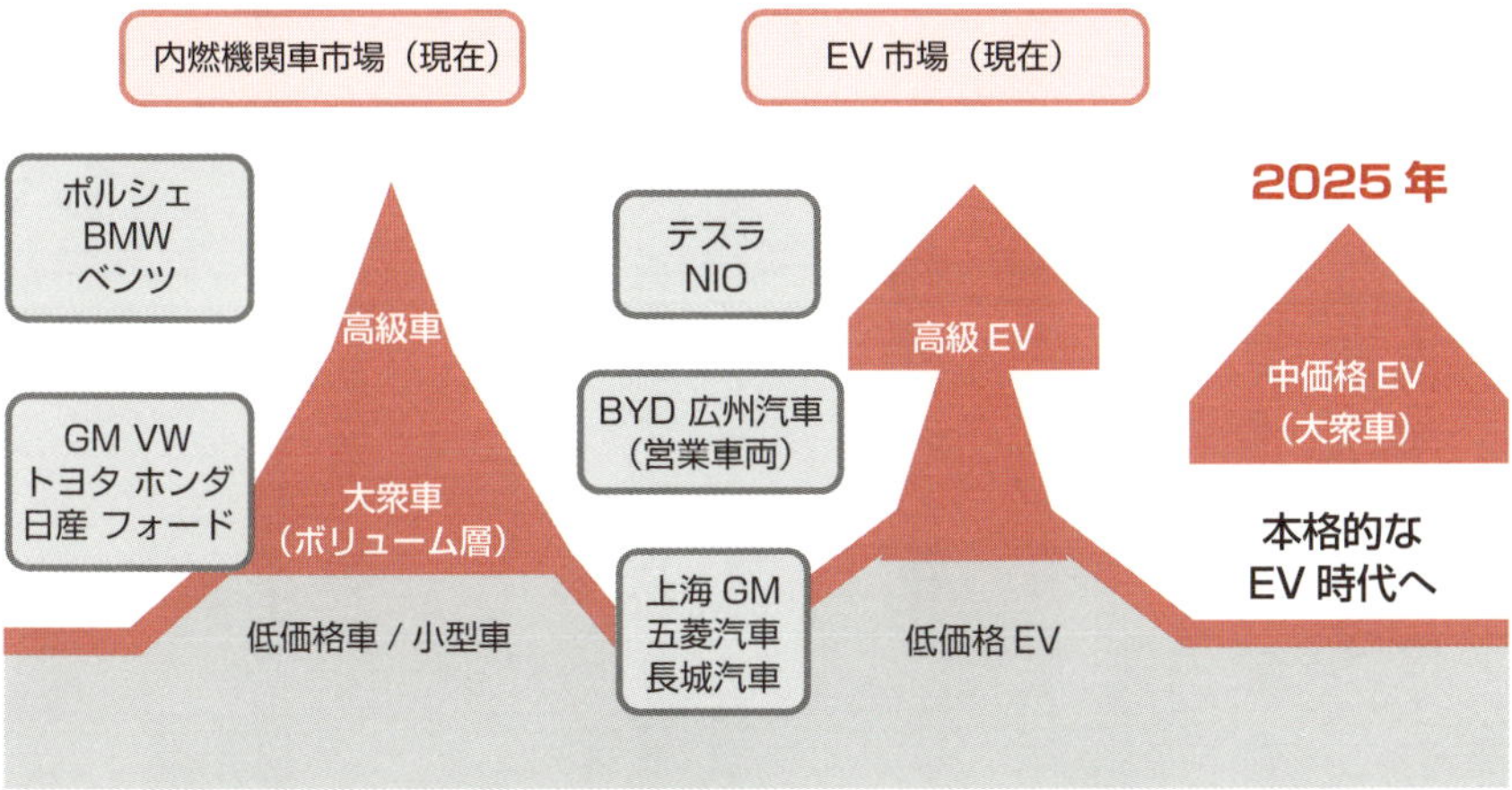

（出所）週刊エコノミスト、2021.9.7、29ページ

6 インド自動車産業の現状

二〇一七年現在、インドは世界第四位の自動車販売国です。最も売れているのは全長四メートル以下の小型車です。外資規制によって、完成車メーカーは現地の部品メーカーを活用せざるを得ません。

●インド自動車産業の歴史

インドの人口は現在一三億人を超えており、二〇五〇年には一六億人に達する見通しです。インドでは、一九五〇年前後から**ヒンドゥスタンモーターズ**と**プレミアオートモービルズ**の二社が乗用車を生産していました。一九四九年に完成車の輸入が禁止され、一九五〇年には一部部品の輸入関税を引き上げられ、国内産業の保護・育成政策が導入されました。完成車メーカーは、部品の国産化比率を段階的に引き上げることが義務付けられました。一九六〇年代半ばにはほとんどの車種で七〜九割以上の国産化率が達成されました。一九八二年になって、大企業と外国企業に乗用車生産への参入が認められましたが、新規参入したのは**マルチウドヨグ**（現マルチ・スズキ）のみでした。同社は一九八三年にスズキとインド国営企業との合弁で設立された企業で、低価格・低燃費の**小型乗用車マルチ800**の生産により、停滞していた乗用車市場に新風を吹き込みました。

●「小型車」で販売競争激化

インドの新車販売台数は、二〇一七年に約四〇一万台に拡大し、世界第四位となりました。市場の六割をコンパクトカーが占めます。政府が排気量一二〇〇cc以下の小型車の物品税を引き下げたため、最も売れているのは全長四メートル以下の小型車です。ホンダは二〇〇九年六月、物品税優遇を受けるために、「**ジャズ**」（日本名フィット）に一二〇〇ccのエンジンを採用しました。二〇〇九年頃から**カローラ**のようなミドルクラスの需要も伸びてきています。地方や農村でもディーラー網が整備され、タイヤやカーオーディオ、アクセサリーなどを扱う自動車用品店も誕生しました。インドの主要な自動車生産拠点は、ニューデリー近郊にスズキとホンダ、プネにタタ・モーターズ、チェンナイに現代自動車と日産自動車、バンガロールにトヨタ自動車と散在しています。インドでは外資規制*が厳しいため、完成車メーカーに伴って各国の部品メーカーがインドに進出することが難しく、完成車メーカーはインドの地場の部品メーカーから部品を調達します。そのため、品質維持の目的で現地の部品メーカーを育成しました。インドでは一〇〇万円以下の低価格車が売れ筋で利幅が薄いため、製造コストを下げなければなりません。コスト的にも、競争優位のある現地の部品メーカーを活用することはメリットがあります。今後、経済成長に伴って環境問題がさらに深刻化していくため、インド政府は二〇三〇年までにガソリン車やディーゼル車の販売を全面規制し、すべて電気自動車に限定すると表明しました。

2020年度のインドでの乗用車販売台数比率（%）

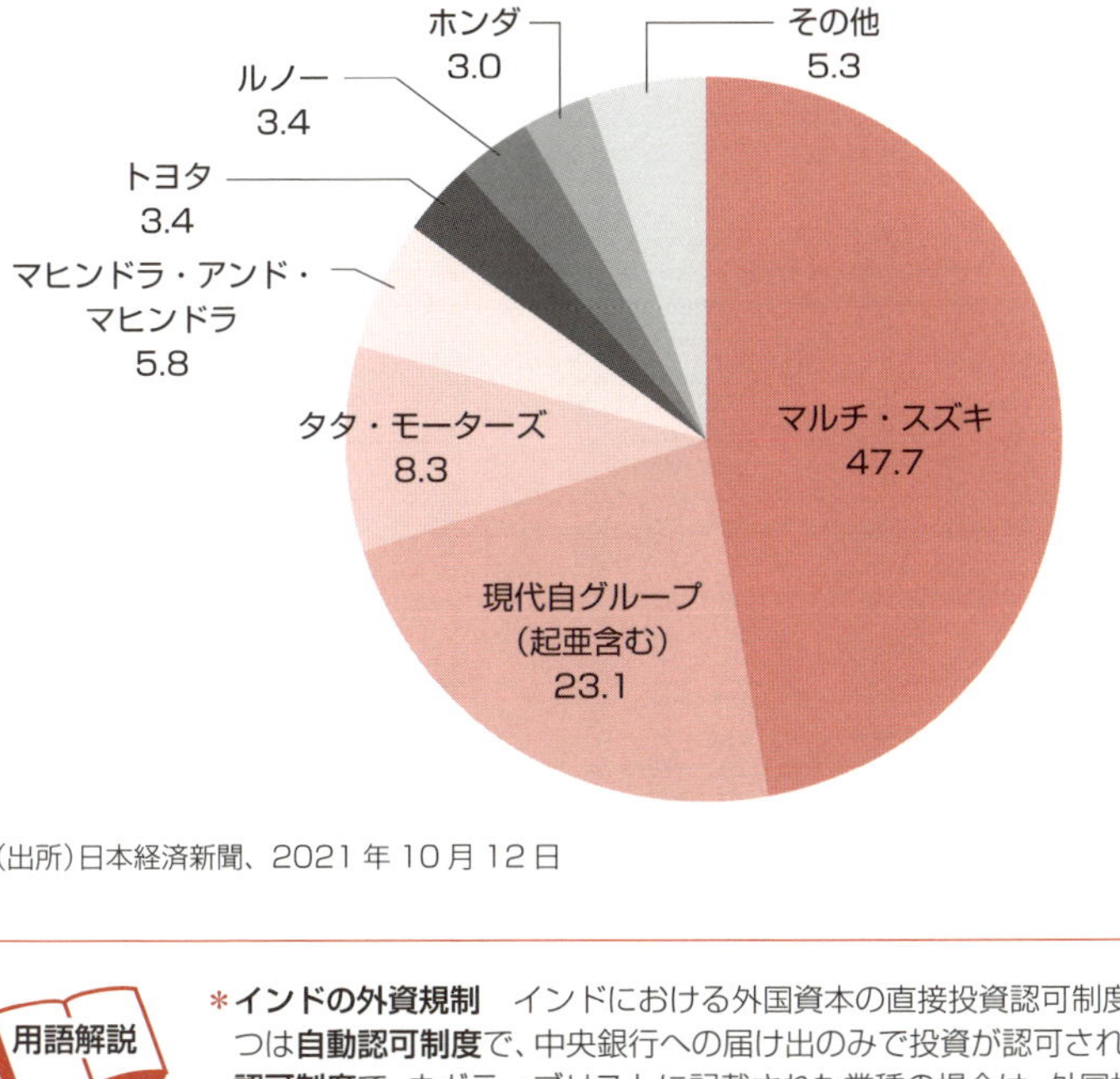

（出所）日本経済新聞、2021年10月12日

用語解説

*インドの外資規制　インドにおける外国資本の直接投資認可制度には2種類ある。1つは**自動認可制度**で、中央銀行への届け出のみで投資が認可される。もう1つは**個別認可制度**で、ネガティブリストに記載された業種の場合は、外国投資促進委員会から個別に認可を得る必要がある。

インドでのシェア一位はスズキ

7

スズキはシェア一位をとれる市場としてインドを選び、日本の他の自動車メーカーに先駆けて現地生産を開始しました。スズキの小型車製造技術が、小型車需要の大きいインドで生かされています。

●スズキは国内よりもインドで強い

インドの首位の自動車メーカーは一九八三年に生産を開始したスズキで、乗用車では二〇一六年に約五割のシェアを持っていました。スズキは他の日本の自動車メーカーに先駆けて、いち早くインドに進出しました。スズキは軽自動車で培った「低価格で小型車を製造する」技術をインドで十分に生かしています。二〇〇五年からは、世界戦略小型車「**スイフト**」をインドで生産し、販売が大きく伸びました。それにはインド全土をカバーするディーラー網が貢献しています。スズキはさらに、インド向けに開発した「**Aスター**」*を二〇〇八年から生産しており、欧州にも輸出しています。二〇一七年、インドの乗用車販売台数のトップ三は「アルト」「ワゴンR」「バレーノ」であり、すべてスズキが占めています。スズキの二〇一七年インドでの販売台数は約一七七万台で、日本での販売台数を上回っています。スズキは三〇万円台でも利益が出る低価格車を作っており、他の自動車メーカーはその製造能力を学習したいと考えています。

インドでは、従来比約六割の削減を求める排ガス規制が大都市で導入され、欧州並みの厳しい水準まで引き上げられました。そのためスズキは、主力車種のすべてを低公害型エンジンに切り替える計画です。

●現代とマヒンドラが二位争い

スズキを追いかけるのが韓国の**現代自動車**です。**タタ・モーターズ**は、マヒンドラと並んでインドで存在

用語解説

＊ **Aスター**　Aスターは、インドのマルチ・スズキ社が、インドの乗用車市場向けに販売しているコンパクトカーであり、約150カ国に輸出される世界戦略車でもある。Aスターは、他国に先駆けてまずインドで生産が立ち上げられた初のケースとなった。AスターのCO_2排出量が103g/kmであるため、欧州市場では欧州排出ガス規制のユーロ5をクリアできた。

感を示す国内メーカーです。タタ・モーターズは、一九七〇年代までは中・大型商用車を専門にしていましたが、八〇年代に小型商用車、九〇年代には乗用車部門に進出しました。独自に開発した約二〇万円という超低価格車「**ナノ**」を、自動車を購入できずオートバイに乗っていた層に向けて売り出し、話題になりました。

　現代自動車は、韓国の現代自動車グループの子会社で、一九九〇年代に設立された自動車メーカーの中で最も目覚ましい活躍をしています。二〇二一年五月、現代自・起亜のインド市場でのシェアは三五%で、マルチ・スズキ（三二%）を月間で初めて上回りました。

　自動車各社はインドでの増産投資を活発化させるとともに、インドを輸出拠点として位置付ける傾向が出てきました。人件費が中国より三割程度安く、鉄鋼石などの資源も豊富にあって生産に向いているからです。二〇一七年には約七三万台の乗用車がインドから欧州や中東などに輸出されています。しかし、好調な国内経済を背景に賃上げ圧力が強まり、ストライキが増加傾向にある中で、コスト競争力の低下や納入トラブルなどを懸念する向きもあります。

スズキのインドでの自動車販売台数推移（2015～2020年）

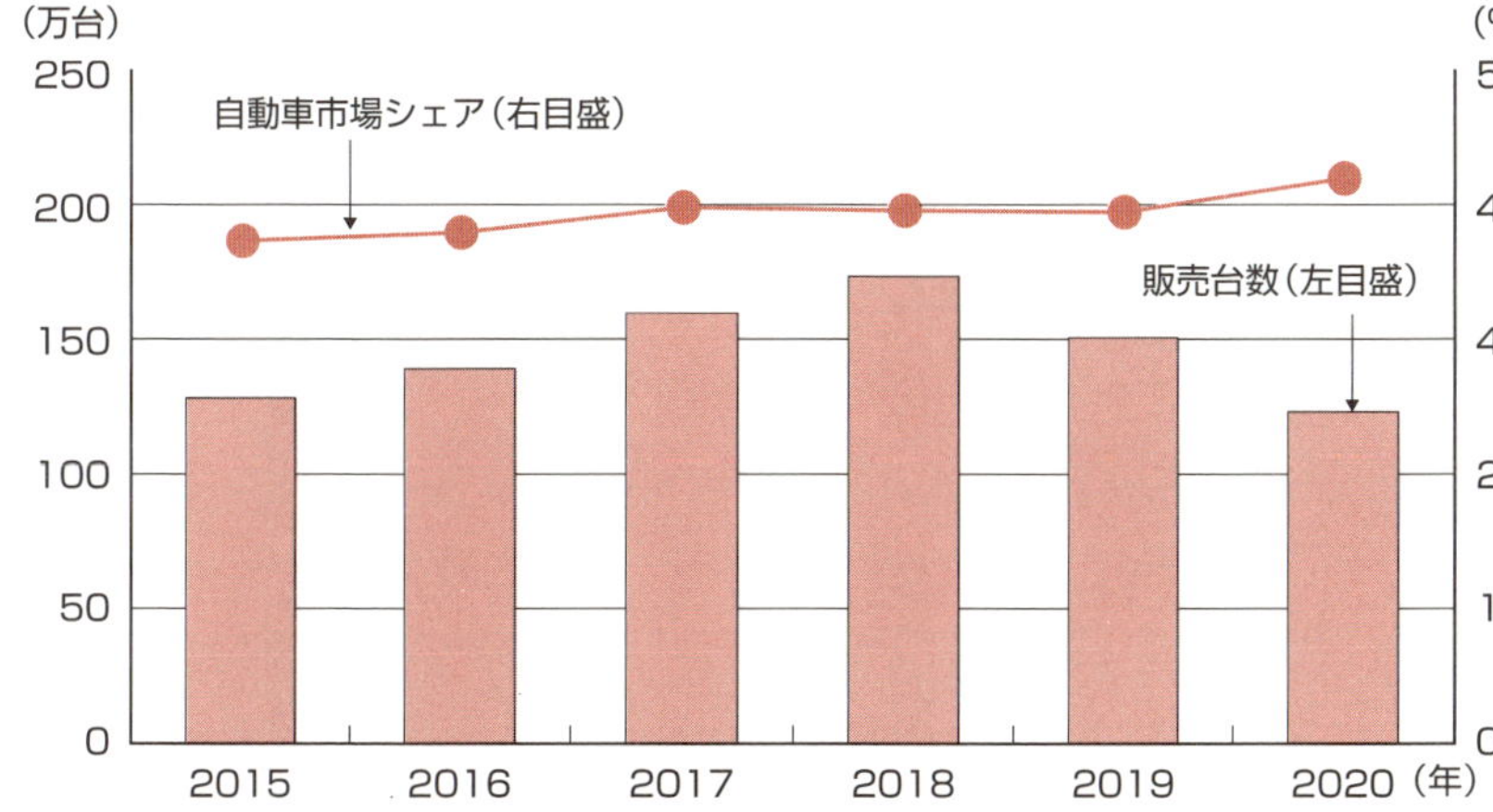

（出所）FPURIN　日本自動車調査月報、No.266　2021.5、32ページ

8 インドとASEAN市場

超低価格車「ナノ」は、インドで急増しつつある年収約二五万～五五万円程度の世帯向けの国民大衆車です。タイは自動車生産のハブであり、輸出拠点ともなっています。

●インドの小型車市場

タタ・モーターズから二〇〇九年に発売された「**ナノ**」は、新興国向けの車として象徴的な存在といえます。まず、六二四ccの四人乗りで、価格が**一一万ルピー（約二二万円）**です。ワイパーが一本しかなく、サイドミラーも運転席側しかありません。もちろんエアバッグやオーディオ機器もついていません。最高時速は一〇五キロメートルで、三四馬力しかありませんが、インドでは待ち望まれていた車なのです。二〇一五年にフルモデルチェンジをし、車名を「GenX」に変えて発売しましたが、二〇一七年には二〇〇〇台強しか売れませんでした。

インドでスズキが販売してきた最も安い小型車「マルチ800」でさえ「ナノ」の二倍はします。しかし、スズキは「アルト」「ワゴンR」「スイフト」などインドでよく売れる車種を多く持っています。利幅の薄い小型車で利益を上げるために、スズキは過剰品質をなくし、必要最低限の仕様で車づくりをしています。現地調達率も九〇%を超えており、インドに進出して三五年以上経つスズキならではの高さです。数年間はスズキの一位は揺らがないものと思われます。「スイフト」は、欧州では**Bセグメント***（全長四・一メートル以下）と呼ばれており、大人四人が遠出できる最低限の車です。このBセグメントは、新興国だけでなく欧州などの先進国でも販売増が見込まれます。

日産は、インド市場へはスズキ、ホンダ、トヨタに比べて参入が遅れました。しかし、日産が他社と異なる

用語解説

＊**Bセグメント**　Bセグメントには、トヨタのヴィッツ、ホンダのフィット、BMWのミニ、アウディのA1がある。

のは、最初から輸出を念頭に置いて、インドでの生産を始めたことです。生産コストを低減させるために、工場のプレス機に韓国メーカー製を採用し、さらにルノー工場の中古品も導入しました。部品の現地調達率も八五％に設定しています。そして日産は、超低価格車「ナノ」に対抗するため、インドや中国の現地メーカーと相次いで合弁事業を開始しました。

●ASEAN市場

ASEAN五カ国（タイ、インドネシア、マレーシア、フィリピン、ベトナム）の二〇一五年の自動車生産台数は約三八八万台でした。タイは自動車生産のハブであり、輸出拠点ともなっています。

タイではこれまでエコカー政策が実施されてきました。二〇一七年には、タイ投資委員会による電動車生産促進のための新投資奨励策が発表され、トヨタ、ホンダ、マツダ、日産、スズキなどがプラグインハイブリッド車、電気自動車を生産する計画です。しかし、タイや他のASEAN諸国で電動車の普及がいつ本格化するかは不透明のままです。

アジアの地域別四駆車保有台数の推移（2012～2020年）

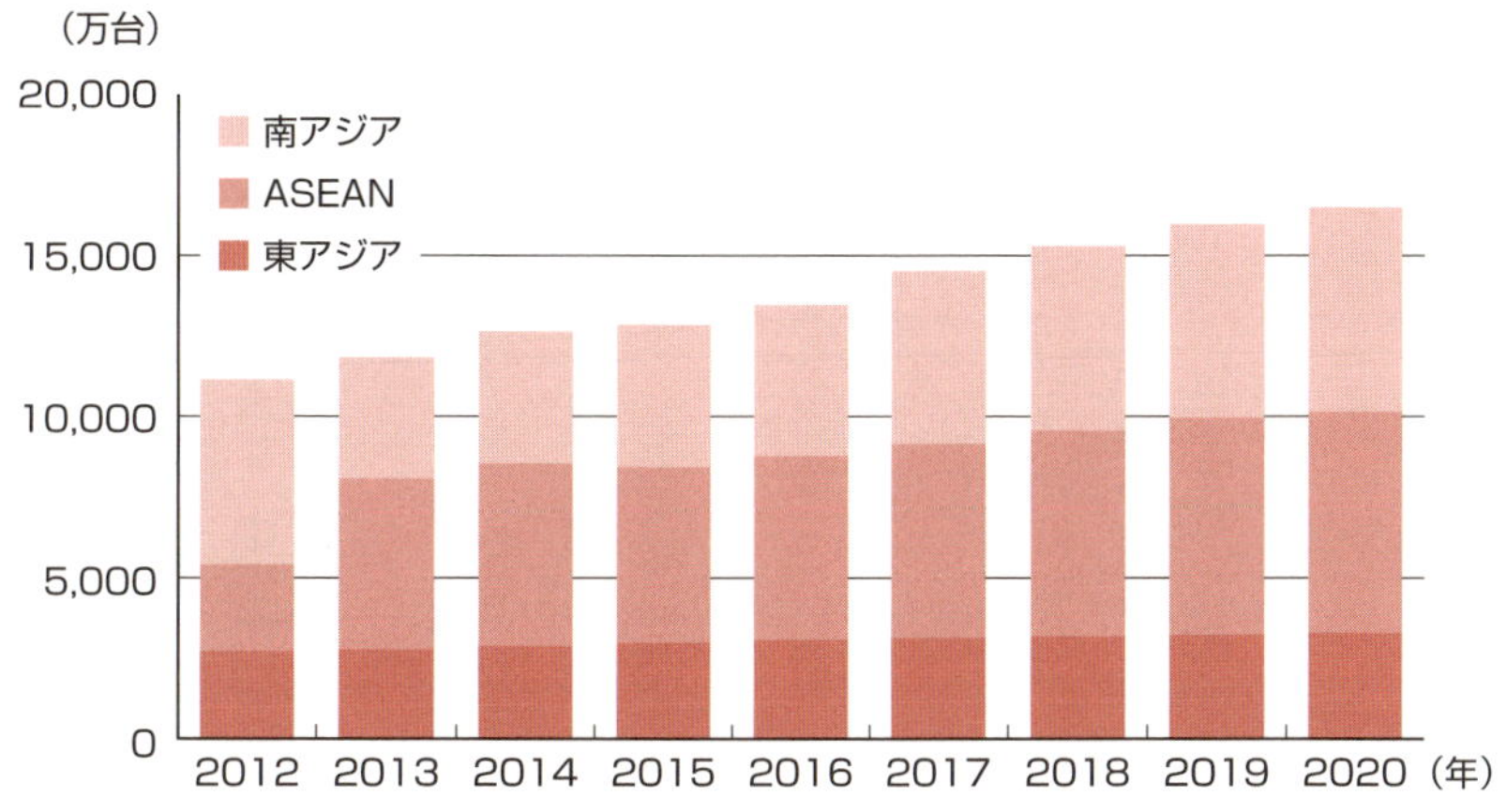

注）原則として各年末時点だが、インドは３月末時点、ネパールは３月中旬時点、FOURIN推定値を含む（各国陸運局資料／統計局資料等よりFOURIN作成）。

（出所）FOURIN　アジア自動車調査月報、No.179　2021.11、12ページ

9

ロシアと中東

ロシアの乗用車市場では、外資メーカーが積極的に現地生産比率を高めています。中東市場は、輸入車主体であり、自動車産業の黎明《れいめい》期に当たります。

●ロシアの乗用車市場

ロシアの小型自動車市場が最も拡大したのは、二〇一二年の二九四万台で、その後減少に転じ、二〇一六年は一四三万台でした。二〇一七年には五年ぶりに回復し一五九万台となりました。今後、自動車市場も回復基調にあると見られ、現在、日本メーカーをはじめとする多くの外資メーカーが、ロシアでの現地生産に積極的に取り組んでいます。ロシアで乗用車生産台数が多いのは外資メーカーであり、トップ六はルノー／日産／アフトワズグループ、現代自動車／起亜グループ、VW、トヨタ、フォード、GMとなっています。

ロシアで生産される乗用車は、純国産車と外国車に大別されます。しかし、純国産車の生産台数は伸びず、外国車の生産台数が急増しています。純国産車の大半は、二〇～三〇年以上前の技術をベースとした一万ドル以下の低価格車です。消費者は、性能の悪い低価格車よりも、高品質の車を求めるようになってきています。しかし、その中でもロシア国内自動車メーカー最大手の**アフトワズ**が製造・販売する「**ラーダ**」は、価格の安さと整備の簡単さにより、現在も人気があります。アフトワズは、二〇〇八年に販売不振などによりルノーから出資を受け、現在の「ラーダ」はルノーと日産の技術をベースにした車です。二〇一七年の小型自動車販売上位二〇モデルの中に、「ラーダ」の五モデルが入っています。

ロシア自動車産業が抱える問題は、輸出シェアの低さ、部品メーカーの製品開発能力の弱さなどです。国内市場の回復、現地生産車の比率の増大、中東や南米、アフリカなど新興国へのさらなる輸出増大が、ロシア自動車産業の課題です。

●中東市場

中東湾岸七カ国（サウジアラビア、UAE、クウェート、オマーン、カタール、バーレーン、イエメン）は、自動車の生産国というよりも、輸入国という特徴を持っています。サウジアラビアでは、現地の大学や企業が自動車の生産と開発を目的とするプロジェクトを進展させており、自動車産業の黎明期となっています。サウジアラビアの自動車市場では、二〇一六年、トヨタが約六七万台で三一％のシェア一位でした。二位の現代自動車は二四％であり、この二社で半分以上のシェアを占めています。

　世界で唯一、女性の自動車運転を禁止していたサウジアラビアが、二〇一八年に女性の運転を解禁しました。かつては家族全員で乗れる大型SUVが主流でしたが、女性が運転できるようになり、今後は小型車の販売が伸びる可能性が大きいと思われます。

ロシアでの自動車生産・販売台数の推移 / 見通し・予測（2016 ～ 2022 年）

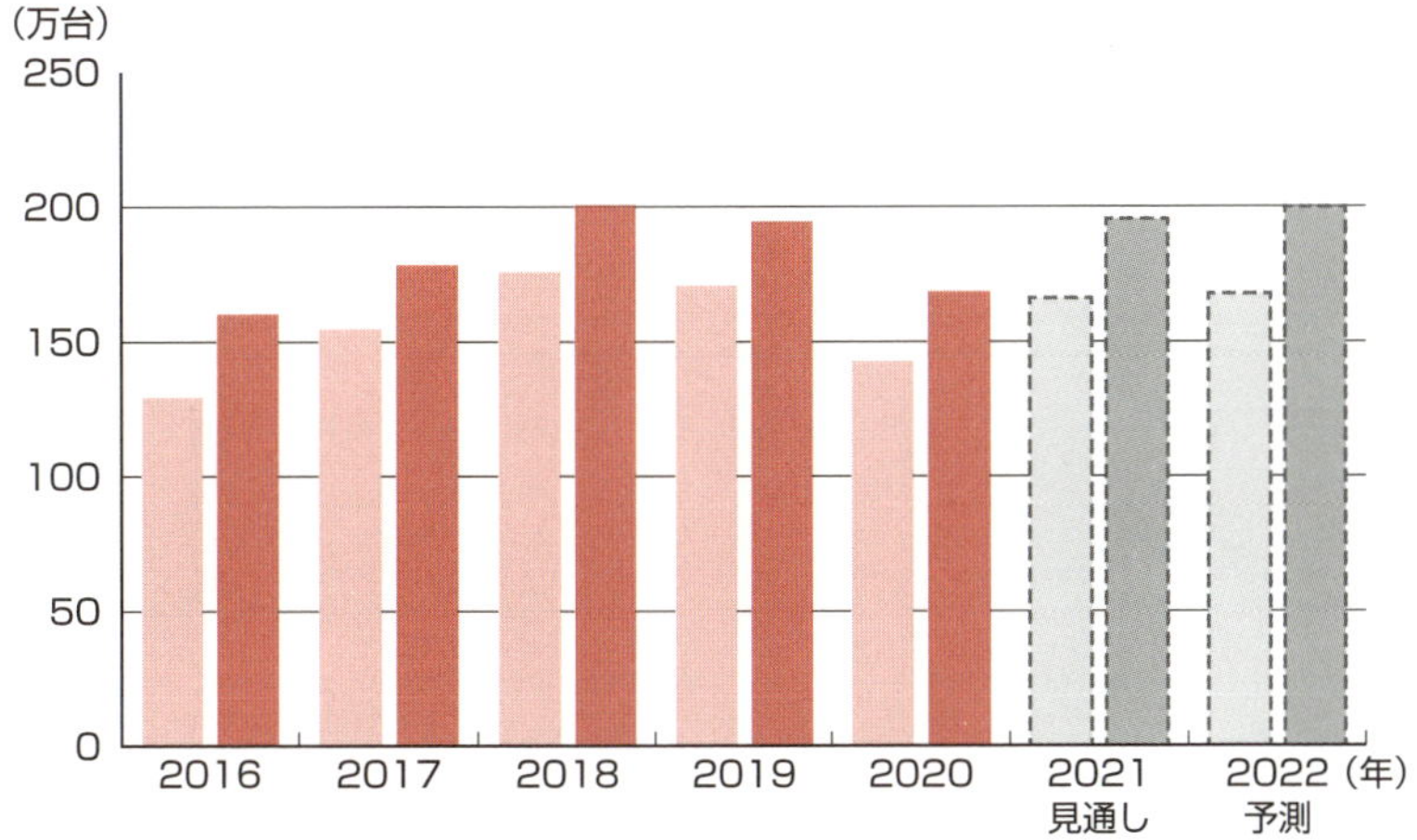

注）生産 / 販売見通し・予測は FOURIN。

（出所）FOURIN　世界自動車調査月報、No.436　2021.12、44 ページ

10

ブラジルとトルコ

ブラジルでは自動車生産に対する輸出比率が二〇一七年に約三〇％あり、拡大傾向にあります。トルコは輸入車の割合が高く、小型車に人気があります。

●ブラジルは世界八位の自動車市場

ブラジルの自動車販売台数は二〇一三年に三七六万台で世界四位でしたが、次第に需要が落ち込み二〇一七年は二二三万台で、世界八位の自動車市場となりました。二〇一九年は二七八万台となり、販売が拡大しましたが、その後、コロナ禍で不安定な状態です。

ブラジルでは、自動車生産に対する輸出比率が二〇一七年に約三〇％ありました。ブラジルでは小型自動車の需要が高く、小型自動車生産が多い自動車メーカーを見ると、二〇一七年は一位がFCA、次にGM、フォルクスワーゲンの順です。ブラジルには国内メーカーはありません。現地生産している日本の自動車メーカーには、トヨタ、ホンダ、日産、三菱自動車があります。

ブラジル政府は、WTO違反と批判された保護主義色の強い自動車産業政策を二〇一七年に終了し、自由貿易に転換しました。国際的に通用するような競争力のある自動車産業を再構築しようとしています。

ブラジルの自動車保有率は、先進国と比べると低く、保有自動車一台当たり人口比率は、二〇一三年に五・一人であり、自動車市場のさらなる拡大が見込まれます。ブラジルでは小型車が売れていますが、高いデザイン性や性能を備えた車に人気が出てきました。

●トルコの自動車市場

二〇一七年のトルコの自動車販売台数は約九八万台です。乗用車市場での輸入車比率は約七〇％です。自動車の輸出も多く年間一〇〇万台にのぼり、輸入も約七五万台あって、特異な市場といえるでしょう。

二〇一六年に乗用車の特別消費税が増税になった影響もあり、二〇一七年は二年ぶりに販売台数が一〇〇万台に届きませんでした。二〇一七年の自動車販売台数の九七%は小型車であり、市場シェアはルノー、フィアット、フォルクスワーゲン、フォードの順です。トルコでは同四社が小型車シェアの五〇%を占め、他の自動車メーカーを大きく引き離しています。

トヨタがトルコで現地生産を開始したのは一九九四年で、二〇〇二年には他国への輸出を開始しました。二〇一三年にカローラの生産を開始し、二〇一六年には小型SUVのC-HRの生産も開始しました。トヨタのトルコ工場で生産される自動車の大部分は、世界五〇カ国以上へ輸出されており、一大輸出拠点となっています。トヨタのトルコでの販売シェアは、日本メーカーの中では最大であり、全体で見ると七位になっています。

トルコ政府は、二〇一八年に乗用車の保有税を引き上げましたが、狙いは低排気量なのに高額な輸入車の増加を抑制することにあると見られています。

ブラジルの自動車販売・生産台数の推移（2013～2020年実績、2021年予測）

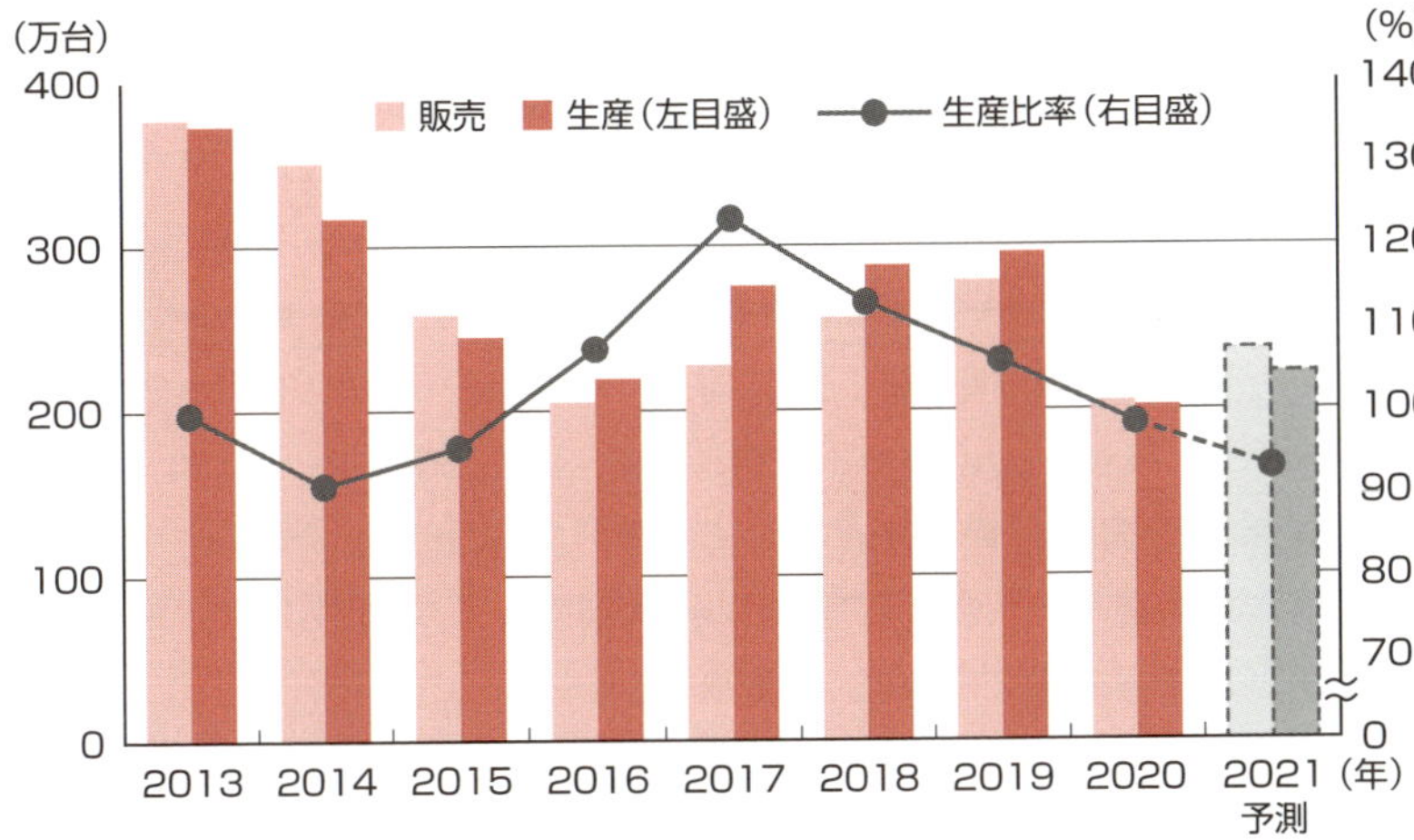

注）生産比率は対販売の値

（出所）FOURIN　世界自動車調査月報、No.431　2021.7、53ページ

column

自動車の原価企画

人々が社会生活をしていく中で購入を希望するもののうち、自動車は不動産の次に高価です。この高い価格を少しでも下げて、購入者に容易に入手してもらえる車づくりが、社会から求められています。自動車メーカーにとっては、自動車の原価をいかに低減できるか、ということが最大の課題となります。部品価格と組立てコストを合算して原価を求め、売価の決定に至るというのは昔の話です。今日では、まず市場を念頭に置き、どの購買層に的を絞って自動車を開発し、製造するかが自動車メーカーの命運を決めます。とりわけ中間層向けの自動車では、まず売価を決定し、そこから原価を決めることが至上命題となります。すなわち、「**原価企画**」の取り込みが重要となるのです。これはかつての、各製造段階の原価を積み上げて売価を決定していた流れとは逆の発想です。

原価計算ではなく原価企画とは、商品の企画から開発終了までのすべての段階で、目標利益を確保した上で原価を低減する活動を指します。これは英語でTarget Costingといい、直訳すると「目標原価計算」となり、直訳の方が意味を把握しやすいかもしれません。原価企画では、まず品質・機能・納期・信頼性などを満たすコストの許容度を設定するという原価の作り込みが行われ、商品の企画・開発段階で実施されることに特徴があります。なお、原価企画に類似する用語として「**原価改善**」があります。これは原価低減を製造段階で行うことであり、企画・開発段階で実施される「原価企画」とは異なります。

原価企画の手続きは、いくつかの段階を経ることになります。まず、新製品の企画開発プロセスで発生する原価の目標額を決定します。次に目標原価の細目割付がきます。これは、原価低減の実効性を上げるために、ある基準によって分割することです。分割にあたっては、機能別・組織別・費目別・部品別・担当者別などに細分化します。さらに、図面による原価の作り込みが行われ、その達成度合いの評価が行われます。このとき、評価される見積原価が目標原価以下であることが求められます。

自動車産業から始まった原価企画は、機械、電気、輸送用機器などの組立産業で普及し、いまでは原価企画に適さないといわれた石油、化学、鉄鋼などの装置産業にも広がってきています。特に景気が後退期に突入すると、この傾向は顕著になります。

第8章

自動車産業界の将来像とその可能性

日本の自動車メーカーが、ガソリンエンジン車からエコカーへと移行する過程においても競争力を維持するためには、何が必要とされるのでしょうか。多様な次世代型エコカー戦略が考えられます。人々の価値観の変化に基づいて、自動車産業の未来を真剣に考える必要があります。本章では、自動車産業界の将来像について解説します。

1 日本メーカーのEV戦略と全方位戦略

トヨタは水素エンジン、EV、HV、FCVを同時開発し、全方位戦略をとります。一方、ホンダは二〇四〇年に世界市場で販売する全車両をEVとFCVとし、ガソリン車とHVを捨て去って事業転換を図ります。

●トヨタとホンダのEV戦略

日本の自動車メーカー各社は、それぞれ異なる長期的なEV戦略を定めています。例えばトヨタは、水素エンジン、EV、HV、FCVを同時開発することで、どれが主流となってもついていけるようにしています。このような**全方位戦略**は、大規模メーカーで財務的にゆとりのある企業にしかとれません。トヨタは、欧州や中国では主にEVとFCVを販売し、北米や日本、アジアなどではHVを販売するといった地域に応じた戦略をとり、脱炭素時代を勝ち残る道を模索しています。一方、ホンダは「二〇四〇年に世界市場で販売する全車両をEVとFCVにする」と公表しました。二〇四〇年までに、既存事業のガソリン車とHVを捨て去り、新規事業のみへと転換します。ホンダがHVを二〇四〇年までに放棄するのは、トヨタと同額の予算をEVに割いてしまった場合、HVへの投資余力がなくなる恐れがあるからです。F1への参戦も二〇二一年に終了しました。この両社の財務基盤の差が、全方位戦略をとれるトヨタと、選択・集中せざるを得ないホンダとの違いを生み出しています。

トヨタは国内で販売される車の二倍以上を国内生産し、残りは輸出しています。トヨタは日本を生産基地にしています。一方、ホンダは基本的に販売する車の現地生産を目指しています。トヨタは多くの系列部品メーカーを抱えており、これまで原価低減に協力してきた部品メーカーを今後も支えていきたいと考えています。このように、国内の生産規模と系列に対する考

ワンポイントコラム
【ホンダのF1撤退】　ホンダは2015年のF1復帰以来、好成績を上げていたにもかかわらず、2021年をもってF1への参戦を終了した。ホンダは、F1で培った技術と人材を、脱炭素化を実現するEVやFCVの開発に生かすべく、経営資源の再配分を行うと発表している。

え方から、内燃機関を温存できるHVや水素エンジン車を将来の商品ラインナップの一部として重要視しているのです。財務基盤の違い、国内を製造拠点とするかどうかといった両社の事情により、トヨタは全方位戦略を、ホンダはEV／FCVへの選択・集中戦略をとることになったのだと思われます。

●既存事業と新規事業の両立

　トヨタと異なる戦略をとるホンダも、新規事業のみへの転換は約二〇年をかけて行い、その間は既存事業と新規事業を両立させた経営となります。日本では車の平均使用年数が約一三年であることを考えると、内燃機関の車を扱う既存事業がただちに消失することは想定しにくい一方、日本では二〇三五年のガソリン車販売禁止の方針が決まるなど、EVやFCVを後押しする環境も整いつつあります。日本の自動車メーカーは当面の間、ガソリン車やHVのモデルチェンジに投資して既存事業を維持しつつ、EV、FCVの新車開発や電池技術の向上に取り組み、新規事業でも競争力を獲得しようとするでしょう。

トヨタの全方位戦略

エンジンある	エンジンなし
水素エンジン（新規開発へ）	FCV（新規事業化へ）
HV（既存事業の温存）	EV（新規事業化へ）

ホンダの既存事業から新規事業への転換

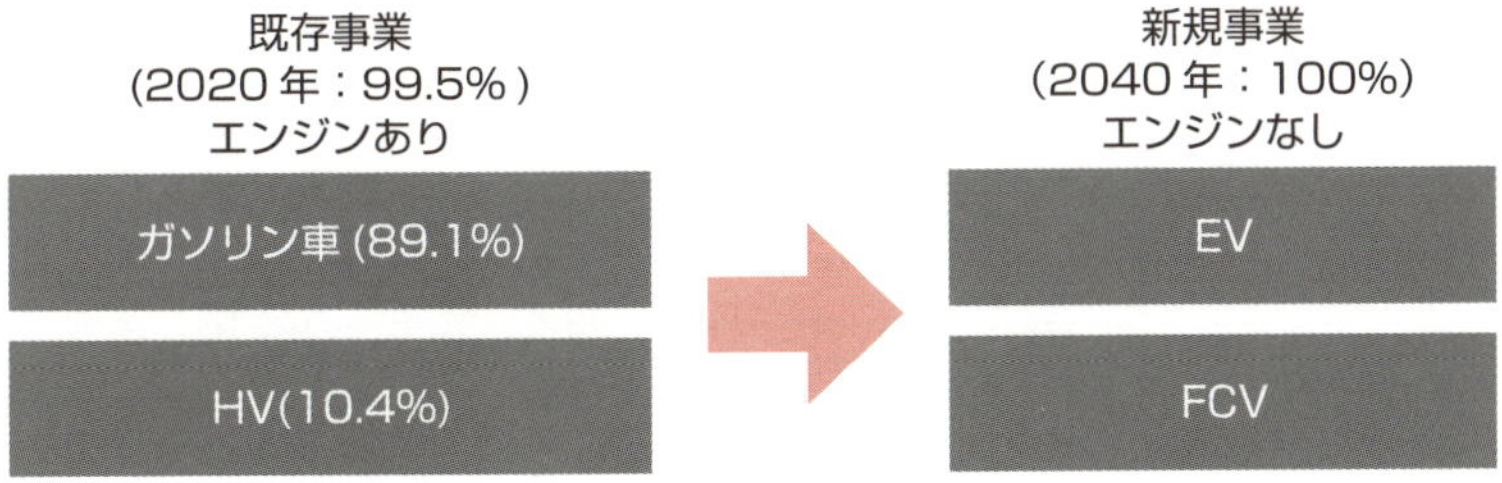

2 いかに低燃費・低価格の車を開発するか

日産はトヨタやホンダに遅れて、二〇〇三年に中国市場に進出しましたが、二〇一七年の販売台数は一五一万台で日系メーカーの中では一位です。理由は、中国人に好まれるデザインの車を低価格で提供したことです。

●当たり前のことを徹底的に行う

トヨタが、自社ブランドに求められる品質を維持しながら低価格車を開発するには、系列以外から低価格部品を調達する必要があります。日産はルノーとともに、「マーチ」「キューブ」などの車台を共通化して低価格車を製造しています。部品については海外生産での現地メーカーを支援して、低コストで製造できるようにしています。また、日産の中国開発拠点は広州市の工場に隣接しており、現地調達する部品を設計・開発の視点でチェックし、調達可能かどうかを決めています。そこには二七〇人ほどの**中国人開発技術者**がいるため、設計に現地のニーズを組み込むことができます。例えば、「マーチ」のカーナビは中国語表示です。日産「ティアナ」には、中国人の好む派手な内外装や幅広い後部座席も取り入れています。給与水準は、常に他社を**ベンチマーク**して決定しているため、従業員の不満は出てきません。日産は自助努力プラス他社との提携によって車の低価格化を目指しているのです。

一方、ホンダは独立を貫いており、自社内ですべての課題を解決しようとしています。ホンダの製品開発戦略*は、採算の悪い車の生産を停止し、開発中の車も開発を中止するという思い切ったものです。これによって余裕ができた資金を、低燃費小型車、次世代環境車の開発に投入します。

●新たな時代のエンジンの未来

欧州は乗用車でもディーゼル比率が高かったのです

用語解説

＊**ホンダの製品開発戦略**　ホンダがこれまでに生産を停止した車は、スポーツ車のS2000、シビックTYPE Rなど。開発を中止した車は、日本国内用のシビックのガソリン車、レジェンド、エリシオンである。

が、二〇一五年にフォルクスワーゲンによるディーゼル排出ガス規制の不正が発覚したことにより、ディーゼルのイメージが悪化して人気がなくなりました。その影響を特に強く受けた日本のメーカーはマツダです。マツダはSKYACTIV-Dと呼ばれるクリーンディーゼルターボを搭載し、優れたクリーン性能と動力性能を両立させています。しかし、今後の欧州市場の動向を見ながら、マツダをはじめとする日本メーカーはディーゼルエンジンの種類を抑えたり、販売を終了したりすることになるでしょう。

トヨタはハイブリッド車で低燃費化を実現してきましたが、他の自動車メーカーが既存の内燃機関でトヨタをしのぐような低燃費を実現したため、危機感を抱いています。新興国では価格の高いハイブリッド車の需要が少ないため、トヨタは熱効率の良いガソリンエンジンを搭載した乗用車を市場に投入し始めました。今後、車の普及期を迎えるアフリカで、トヨタはスズキとの協業によって、いかに低価格で小型高効率エンジンの車を販売するかが、トヨタの成長力を左右するものと思われます。

ソフトウェアファーストの思想を取り入れたコックピットのUX/UI開発手法（トヨタ）

トヨタにおけるコックピットのUX/UI開発工程

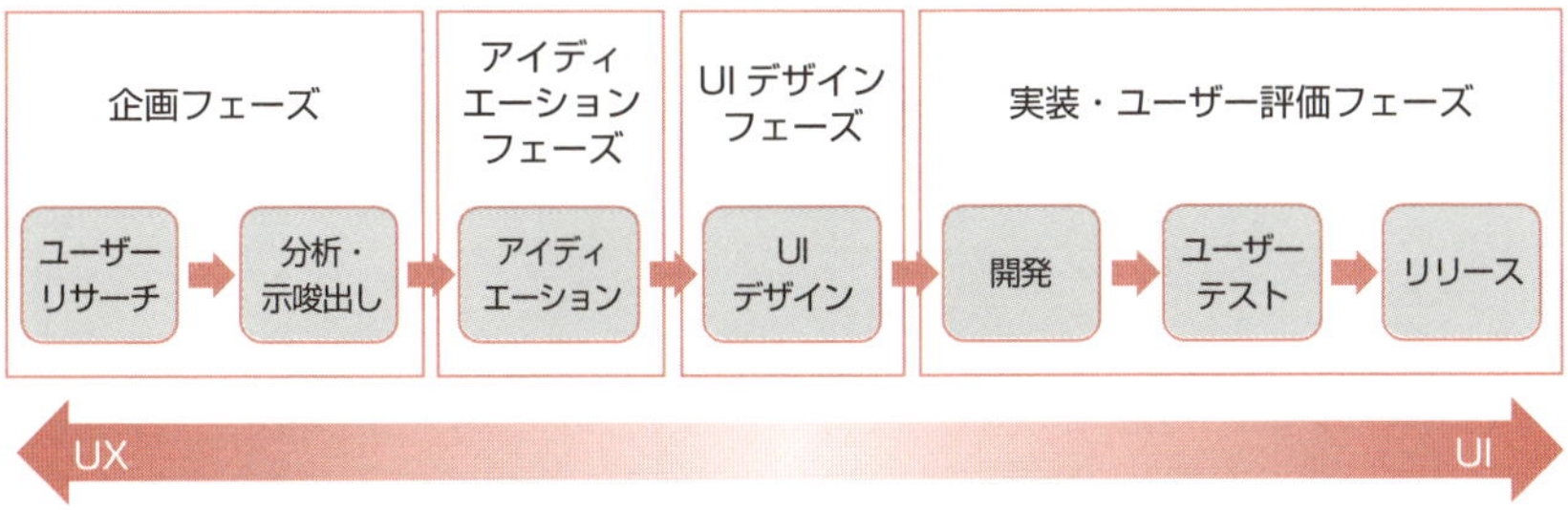

トヨタは車に関わるユーザーの体験（UX）を設定し、それにふさわしい機能をUIで実現することを意識している。
一般的にはUI/UXの順であるが、トヨタではUX/UIと表現する。

（出所）FOURIN　日本自動車調査月報、No.265　2021.4、7ページ

3 受注生産向けサプライチェーン

需要変動の激しい昨今、生産車種をすぐに入れ替えることができる多品種混流ラインが威力を発揮します。受注生産にはＪＩＳがコスト削減のキーとなります。

●需要変動に柔軟な多品種混流ライン

日本の自動車メーカーの多くは、一つの生産ラインで八車種を生産するというような、**多品種混流ライン**をとっています。これを実現させているのが、優れた生産技術です。例えばホンダは、二〇〇三年までに全世界の工場に多品種混流ラインを導入し、車種、地域別に需要変動が起きても、生産車種をすぐに入れ替えることができます。このような柔軟な生産体制がないと、工場の稼働率低下を招き、生産コストを高め、利益率が低下してしまいます。日本の自動車メーカーにとって、国内で多品種混流ラインを導入するのはそれほど困難ではありませんが、今後、全世界の工場間で、車種、生産量の調整を行う必要性に迫られています。

●受注生産にはＪＩＳ（順序順守方式）が貢献

欧米の自動車メーカーも、多品種混流ラインを導入しています。しかし、受注生産を組み入れた多品種混流ラインには、高度な生産技術が必要となります。ベンツのＣクラスセダンには、エンジンが九、ステアリングが二、トランスミッションが三、国別仕様が三あり、この組み合わせだけで九六のモデルがあります。さらに、それに八〇の特別装備、一四のボディの色、五つの内装色、三つの繊維素材のオプションを掛け合わせると、一六一万通りあります。顧客から受注した特定のＣクラスセダンの生産日が順次決定されていきますが、実際に生産される七日前までならばオプションの変更ができます。このような受注生産が可能となるのは、

用語解説

＊**JIS**　Just In Sequenceの略。

部品サプライヤーと自動車メーカーとの緊密な調整と納入システムがあるからです。

　日本のサプライヤーは、必要なものを必要なときに必要な量だけ生産・納入するという**JIT**を使っています。しかし、JITは「どのように」納入するかという点があいまいです。欧米の組立工場では、作業員の手元に、使用順序に沿ってモジュール部品を納入する**JIS***が活用されています。部品メーカー自身が**順序立てて部品を納入**することにより、自動車メーカーの負担を軽くすることができます。種類が少なく、軽くて小さな部品では、JISを必要としない場合が多いです。また、JISが必要な場合も、部品工場から順序立てした部品をトラックで直接運ぶこともあれば、サプライヤーの倉庫から在庫を順序立てて運ぶこともあります。自動車メーカーが、低コストの部品を海外の部品メーカーから集中的に調達し、多くの工場で使用するケースも出てきており、調達が複雑化しています。グローバルな視点で部品調達のネットワークを構築するのは難しいことですが、競争力のある低価格車の生産には不可欠です。

ベンツのサプライヤー・システムにおける3つの納入標準形式

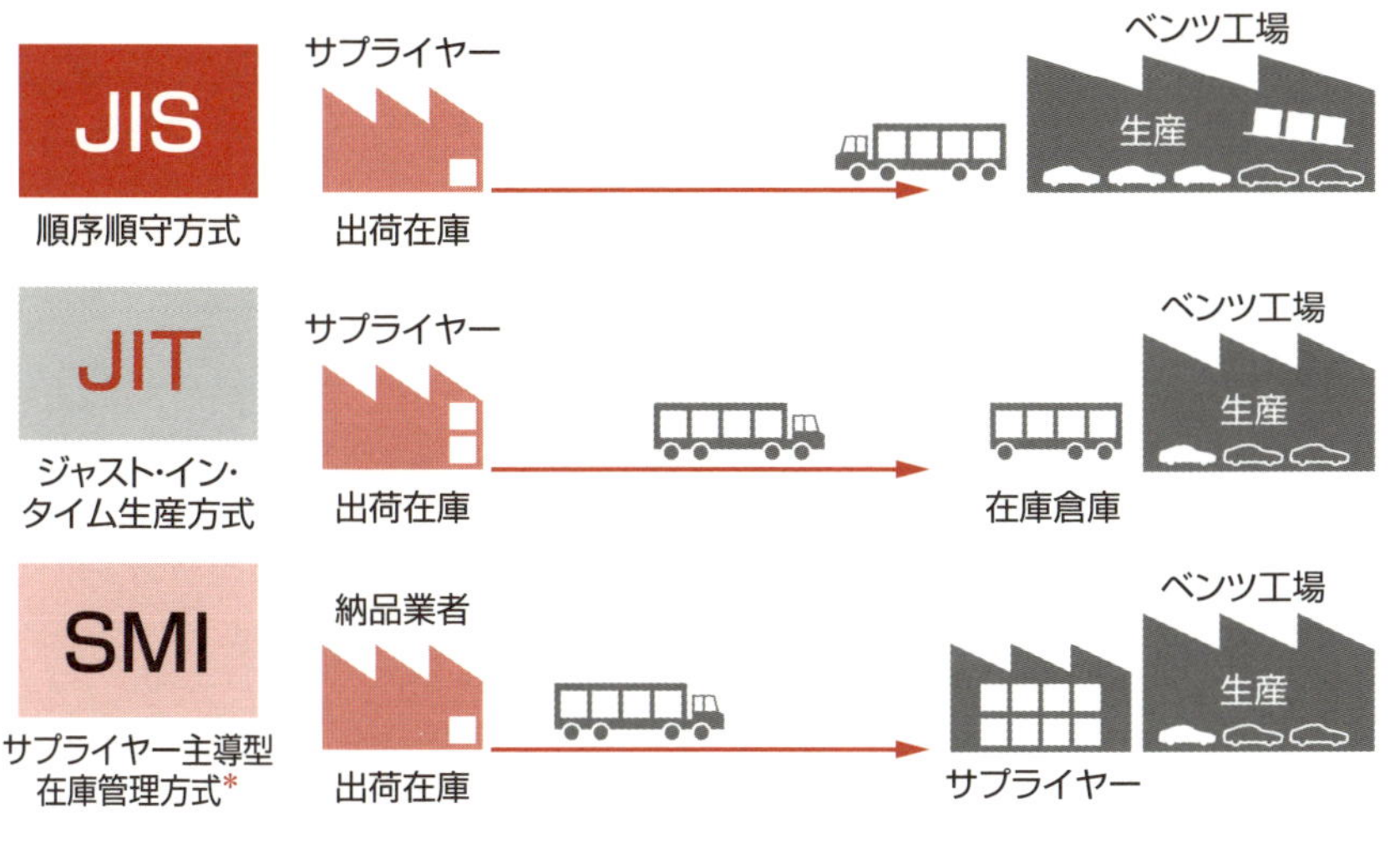

用語解説

***サプライヤー主導型在庫管理方式**　略称はSMI（Supplier Managed Inventory）。完成車組立工場に隣接した部品サプライヤーの集積をサプライヤー・パークといい、組立工場に隣接した敷地でサプライヤーが部品を製造し、コンベアやトラックで納入している。1990年代から自動車産業で導入された。1980年代、欧米では、数十キロ離れたサプライヤーの工場からJITで納入されていた。

4 多様な次世代型エコカー戦略

今後も燃費の良いガソリン車の需要が多いと思われます。自動車メーカー各社は、どのようなエコカーをそろえるのか、それを自社開発するのかといった環境車戦略を慎重に考えていかなければなりません。

●まだまだ需要の多いガソリン車

世界全体で見ると、自動車産業は成長産業です。次世代型エコカーとしてハイブリッド車と電気自動車が有望ですが、新興国では今後も**ガソリンエンジンの低価格小型車**に人気が集中するでしょう。

ガソリン車でも、環境対応技術を組み込むことで燃費が良くなります。例えば、停車時にエンジンを自動停止する「**アイドリングストップ**」や、摩擦抵抗の少ない「小型エンジン」は、CO_2排出量を低減します。

また、欧州では低公害ディーゼル車に人気が集まっています。近年のディーゼル車は、技術の発達により、排ガス中の有害物質を除去する触媒の効率を高めています。

●電気代はガソリンの約四分の一

電気自動車では、ガソリン代はかかりませんが電気代がかかります。三菱の「**アイ・ミーブ**」と、そのベースとなるガソリン車「**アイ**」を比較すると、走行距離当たり約三・五倍もガソリン車の方が高くつきます。車を動かすエネルギー量も、電気自動車は約五分の一で済みます。ガソリン車は、ガソリンの持つエネルギーの約一五%しか使っておらず、残りを熱として捨てているからです。さらに、電気自動車の優れている点は、CO_2を排出しないことです。その点、燃料電池車も水蒸気以外は排出しません。

電気自動車や燃料電池車の普及には、充電・燃料補給設備という社会インフラの改革を伴います。「**車づく**

用語解説

＊**後発企業の優位性**　先発企業が確固たる地位を築き、開発費を回収する前に、後発企業がより良い技術を開発・成功する可能性がある。また、後発企業は先発企業の失敗事例を観察できるので、技術開発について無駄な投資が抑えられ、より少ない投資で最大限の利益が得られる。

り」よりも「**街づくり**」の方に大きな比重があるかもしれません。先行する企業が社会インフラの構築に費用をかけ、後発企業がそれに「ただのり」することもあり得ます*。電気自動車や燃料電池車をいつ発売するかは、各社の戦略と技術にかかっています。

一方、ハイブリッドカーは電気自動車の普及までのつなぎの車と考えられていましたが、まだ長くエコカーの主流として活躍するでしょう。世界の自動車メーカーの中には、単独で次世代型エコカーを開発できるだけの技術も資金もない企業が多く存在します。それを克服する手段として、自動車メーカー間の提携があります。トヨタやホンダのように、他社との提携に頼らず、技術開発を社内で行う独立した自動車メーカーもあります。トヨタは、ハイブリッドシステムを供給する部品メーカーとしても活躍しそうです。各社の次世代型エコカーの開発には、多くの選択肢があります。つまり、全種類のエコカーを販売するのか、それともあるエコカーに特化するのかという選択肢と、環境技術を自社で開発するのか、それとも他社の技術供与に頼るのかという選択肢です。

トヨタの提携関係図（2021年11月時点）

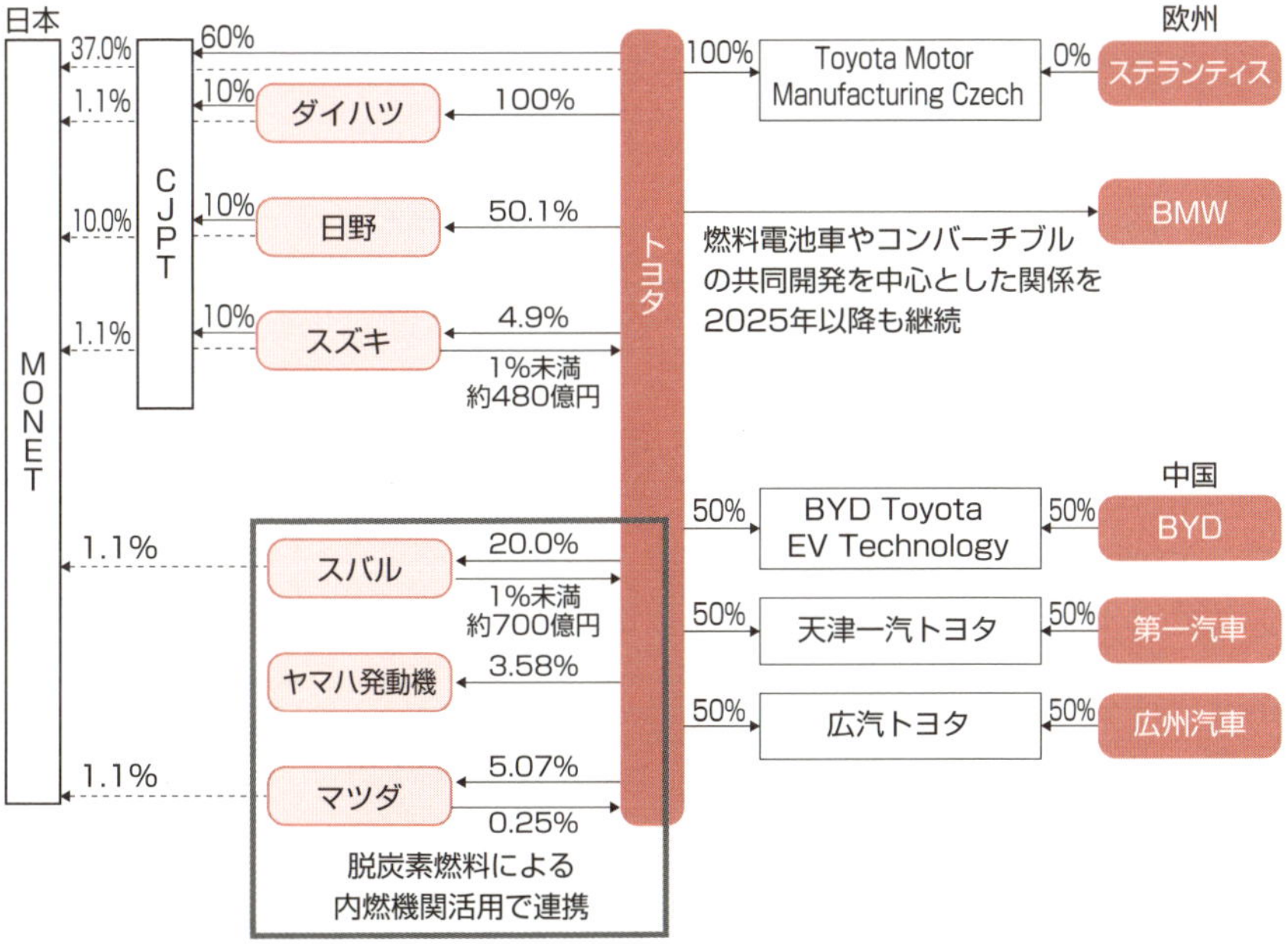

←---- MONET Technologyへの各メーカーの出資比率、上記以外の出資比率：ソフトバンク 37.3%、ホンダ 10.0%。小数点第2位以下四捨五入。

（出所）FOURIN　日本自動車調査月報、No.273　2021.12、14ページより作成

5

「ケタ違い品質」でリコール防止

車の品質向上には、特に開発と生産をつなぐコミュニケーションが重要となります。生産現場に開発スタッフを常駐させたり、生産・製造技術者に優秀な人材を採用することによって解決できそうです。

●生産技術が弱い北米

近年のトヨタの膨大なリコール対象台数、その後の米国での制裁金の支払いを教訓として、自動車メーカーは少しでも品質に疑わしい箇所が見つかると、すぐにリコールに踏み切るようになりました。今後、リコールを出さないような車の開発・生産体制が求められます。

品質向上には、特に開発と生産をつなぐコミュニケーションが重要です。しかし、生産現場に開発スタッフがいることはまれです。ホンダでは開発のトップを工場に常駐させ、さらに品質に関連する約束事を「**文書化**」して、関係者が閲覧できるようにしています。

海外の現地工場では、日本と異なる次元で品質問題が発生します。日本と同じ高度な設備を現地に持ち込んでも、人材や組織に問題があって保全できない場合が多々あります。特に北米では生産と保全が分業化しており、生産技術、生産管理、設備保全、品質管理が日本と比較すると弱い分野です。北米では**開発技術者**に比べて**生産技術者**の地位が低いため、優秀な人材がいないことが一因です。また、生産技術者は開発と生産をつなぐのが仕事ですが、この仕事は成果が見えにくく、短期的成果により人事評価がなされる北米では、職種として魅力がないのです。このような事情から、生産技術者は現場に適合しないような工程設計や設備設計を行い、品質問題へと発展していく可能性が高いのです。GMがプラグインハイブリッド車の「シボレー・ボルト」を二〇〇七年一月にコンセプトモデルとして発表して以来、二〇一〇年まで発売できなかったのも、弱い生産技術に一因があります。

●部品メーカーとの適切な関係とは

北米では生産管理のマニュアル化がすでに行われていますが、応用問題や緊急事態には対応できていません。マニュアル以外の**暗黙知***の伝承がなされていないからです。部品メーカーとの取引においても、自動車メーカーは短期的なコスト削減に重点を置くため、使われている部品技術を考慮した価格設定ができていません。その結果、北米の部品メーカーは疲弊しており、安定した取引関係から生ずる安定したサプライチェーンを確立できません。しかし、日本の部品納入システムや部品メーカーの設備投資のあり方は、自動車販売台数の増加を前提としたものであるため、金融危機後の販売縮小の状況では限界が生じます。

北米で現地調達率を上げるために、品質を精査せず安易に認めると、自動車のリコールにつながってしまいます。部品の品質基準のハードルを下げずに、北米の部品メーカーを指導・育成することが重要です。

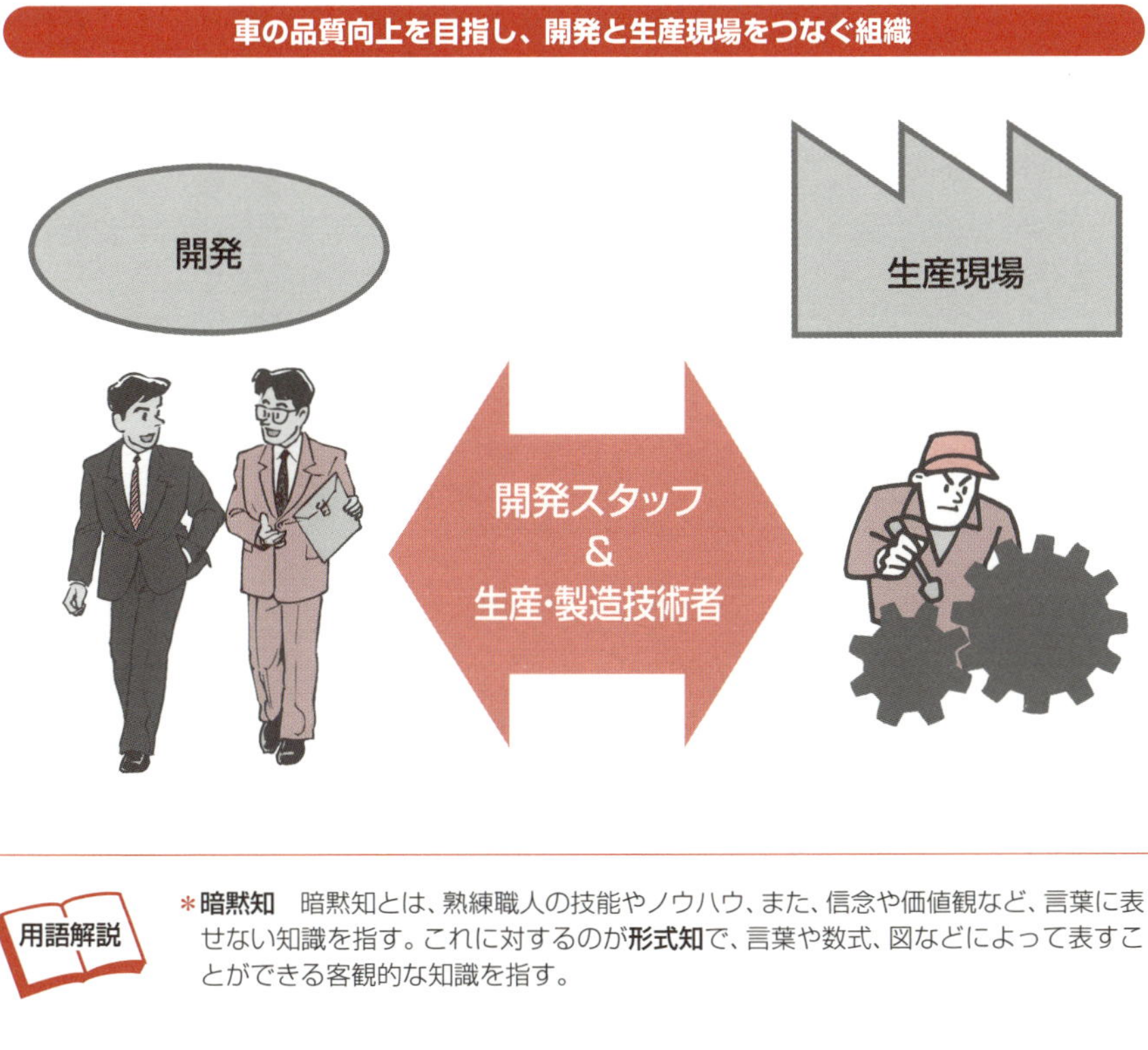

車の品質向上を目指し、開発と生産現場をつなぐ組織

用語解説

*暗黙知　暗黙知とは、熟練職人の技能やノウハウ、また、信念や価値観など、言葉に表せない知識を指す。これに対するのが**形式知**で、言葉や数式、図などによって表すことができる客観的な知識を指す。

6 価値観の変化に見る自動車産業の未来

国内の自動車販売は、縮小傾向にあります。しかし、ハイブリッド車の購入希望者は増加しています。自動車メーカーは多様な価値観を持ったユーザーを相手に、自動車の開発を行っていかなければなりません。

●日本の乗用車保有動向

日本の乗用車世帯保有率は、一九九九年から二〇〇七年まで七九％前後でしたが、二〇一一年は七七・五％に減少しました。複数保有率は、二〇〇一年から二〇〇七年まで四〇％前後で推移していましたが、二〇一一年には四一・八％に上昇しました。軽自動車が増加傾向にあり、二〇〇九年だけはエコカー減税などの影響で大衆車が増加しました。そして、車の保有期間は長期化しています。車の使用頻度や走行距離が減り、ユーザーの新車購買意欲が低下しているのです。

しかし、非常に低燃費で、排出ガスが少なく、**リサイクル率***が高い車が発売されたら、車を買い替えたいというユーザーは増えています。二〇一二年のオリンピック開催を機に、環境意識が高まり、ユーザーの九割以上は**エコドライブ**を実施しています。例えば、発進時にふんわりとアクセルを踏み、エンジンブレーキを積極的に使って加減速の少ない運転を行い、エアコンの使用を控えています。買い替え予定車として、ハイブリッド車を希望するユーザー比率は大きく増加しています。東日本大震災ではガソリン供給が滞り、電気自動車が切望されました。また電力供給源としても、電気自動車は大きな役割を果たすことができます。次世代エコカーは、消費者にとって大きな魅力を持っており、今後も市場を活性化させる車となるでしょう。

●技術の進化とその管理

今後、車は**環境技術**や**電子技術**の進化により、ます

用語解説

＊**車のリサイクル率**　2005年1月に自動車リサイクル法が施行され、自動車メーカーと輸入業者にフロン、エアバッグ、シュレッダーダストの回収とリサイクルを義務付けた。

ます快適性が増し環境に優しくなるでしょう。しかし、それに伴って車の構造が複雑化するため、最終的には様々な技術をどのように管理していくかが、大きな課題となってきます。自動車は一つの機械として耐用年数が比較的長いのですが、車に使用されている電子部品のライフサイクルは車より短く、そこにミスマッチが生じてきます。

車は賢くなり、駐車も運転も車にある程度任せておくことができます。カーナビのおかげで、もはや分厚い地図帳を車に置いておく必要もなくなりました。様々な電子制御のおかげで、車の運転がへたな人も、安全に運転できます。自動ブレーキは、いまや軽自動車にも搭載されています。

カーシェアリングによって、車の所有から利用へと変化しつつあります。また、月額定額で利用できる車のサブスクリプションも人気となっています。しかし、車を操縦して楽しむという本来の車の楽しみ方は、いつになっても求められ、スポーツカーが将来なくなってしまうこともないでしょう。社会の価値観は変化しており、さらに多様化しています。

スバルの運転支援システム「アイサイト」の安全技術

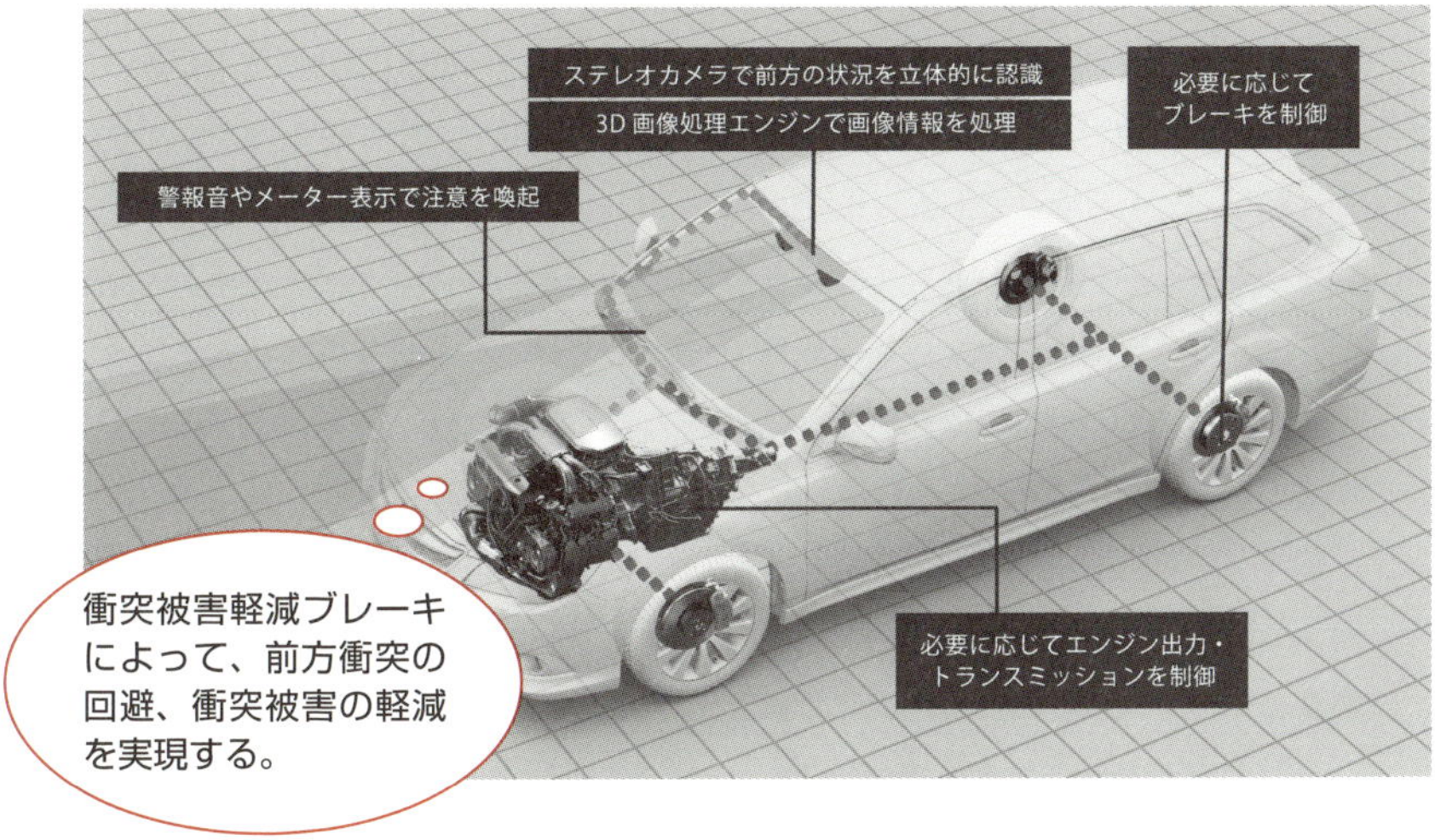
ステレオカメラで前方の状況を立体的に認識
3D 画像処理エンジンで画像情報を処理
必要に応じて
ブレーキを制御
警報音やメーター表示で注意を喚起
必要に応じてエンジン出力・
トランスミッションを制御
衝突被害軽減ブレーキによって、前方衝突の回避、衝突被害の軽減を実現する。

（写真提供）株式会社 SUBARU

column

自動車メーカーのCSR

多くの自動車メーカーは、労務費の低さや市場としての魅力から中国やインドなどに進出しており、それに付随して、現地では環境問題や人権問題が見られるようになりました。このような問題に対処するため、メーカー各社は確固とした自社の**CSR**(Corporate Social Responsibility:**企業の社会的責任**)方針を定め、企業責任を果たす必要があります。

フランスでは、2001年に同国の会社法が改正され、上場企業に財務・環境・社会的側面の情報開示が義務付けられました。ルノーも財務・環境・社会的側面の情報開示を行っています。ひるがえって日本企業を見ると、CSRに関わる全般的取り組みは、欧州企業に遅れをとっています。ルノーの影響が強い日産でさえ、2005年にCSRを定義付け、それを2006年に体系化し、2007年に社会に伝えていくようになったばかりです。しかし、CSRという言葉が日本企業の経営に導入される前から、日産をはじめ多くの日本企業が実質的に地域社会への貢献や環境保護活動を行ってきたのは確かです。

近年、グリーン調達を多くの企業が採用しています。「グリーン調達」よりもさらに拡大した概念が「**CSR調達**」です。CSR調達とは、環境保護だけでなく、人権尊重や社会的責任を果たしている企業から部材を調達することです。CSR調達を行うには、女性の活用、児童労働禁止の徹底、労働時間や賃金の適正化、衛生管理・安全対策などを納入企業に開示してもらう必要があります。グローバルに活動している企業は、世界各国のサプライヤーから部材を納入してもらうので、「グローバル・サプライチェーン」は自社のCSRに関する価値観を全世界に広めるツールともなり得ます。これまでのサプライチェーンがQCD(品質、コスト、納期)を重視してきたのに対し、グリーン調達によってQCDに環境重視が加わり、CSR調達によって社会性の重視が加わりました。

CSRの実践にはコスト負担を伴います。そして、その割には企業業績に直結しないという不満も出てきます。しかし、CSRは財務上の数字となって表れなくとも、無形資産である「ブランド価値」の向上につながります。

自動車メーカーにとって、燃費の向上は消費者の購買意欲を直接的に刺激しますが、工場の汚染物質排出量削減などの環境保護活動は、そう簡単には消費者に認知されません。しかし、真のCSRとは法令遵守以上のプラスの行動を含めたものなのです。

第9章

自動車産業に求められる人材

自動車産業に求められる人材とは、どのような人なのでしょうか。本章では、自動車の開発業務、販売業務、生産現場で求められる人材について解説します。そして最後に、自動車メーカーの経営者に求められるリーダーシップについても考えます。

1 開発で重要性を増してきたデジタル人材

自動運転や無線通信といった技術の進展により、ＩＴのノウハウや技術を持ち、課題を解決できる人材がますます必要になってきました。ＩＴ業界からの採用や、企業内部での人材育成が急務です。

●自動車の開発業務

自動車の開発は、①量産する車を開発する業務、②量産はせずにコンセプトカーを開発するといった少し先を見据えた開発業務、③一〇年先の車に必要とされる技術を開発する業務、というように、主に三つの業務に分けられます。

開発技術者は精神的にタフで我慢強くなければなりません。同時に、車のサイズ、コスト面での制約の中で創意工夫し、適切な技術的解決方法を導き出して商品化していくため、発想の豊かさも必要です。しかし、開発技術者は、このような開発作業にむしろやりがいや魅力を感じており、それを求めてこの業界に飛び込んでくる人が多いようです。

●重要になってきたデジタル人材

いま、自動車業界はＩＴエンジニアを多く採用しています。自動運転や無線通信といった技術の進展により、ＩＴのノウハウや技術を持ち、課題を解決できる人材がますます必要になってきたのです。ユーザーは、自動車に対しても購入後のサービスによる付加価値の向上を求めています。車載ソフトウェアの更新が必要なケースも増えていくため、更新するデータなどを無線で送受信する技術「ＯＴＡ*」に対応できる人材も必要です。

自動車業界が必要とするＩＴ人材には、セキュリティエンジニア、クラウドやサーバのエンジニア、**データサイエンティスト***などがあります。自動運転に

用語解説

* **OTA**　Over-The-Airの略。

よって、車は便利に、安全に、快適になっていきますが、サイバーセキュリティの強化や送受信トラブルへの対応も必要です。

二〇二一年一月に自動車のサイバーセキュリティとソフトウェアアップデートの国際基準が施行され、日本と欧州では、二〇二二年七月以降に発売される新型車はこの基準を満たさなければなりません。

このような状況から、デジタル人材の確保が急務となっています。また、ビッグデータを扱うデータサイエンティストも必要になってきます。ユーザーのニーズを分析し、ニーズに合ったサービスを創造して、CASE、MaaSといった先端技術の研究に対応します。しかし、そのような人材の確保が難しい場合、関連する知識のある人も含めて採用し、自社で育てようと考えている企業もあります。

ITエンジニアの中には、データやセキュリティという「無形」のものに加え、性能や機能から形作られる自動車という「有形」のものにも携われるため、魅力を感じる人も多いでしょう。自動車業界は、デジタル人材の新たな活躍の場となりそうです。

OTAによるソフトウェアの更新方法の変化

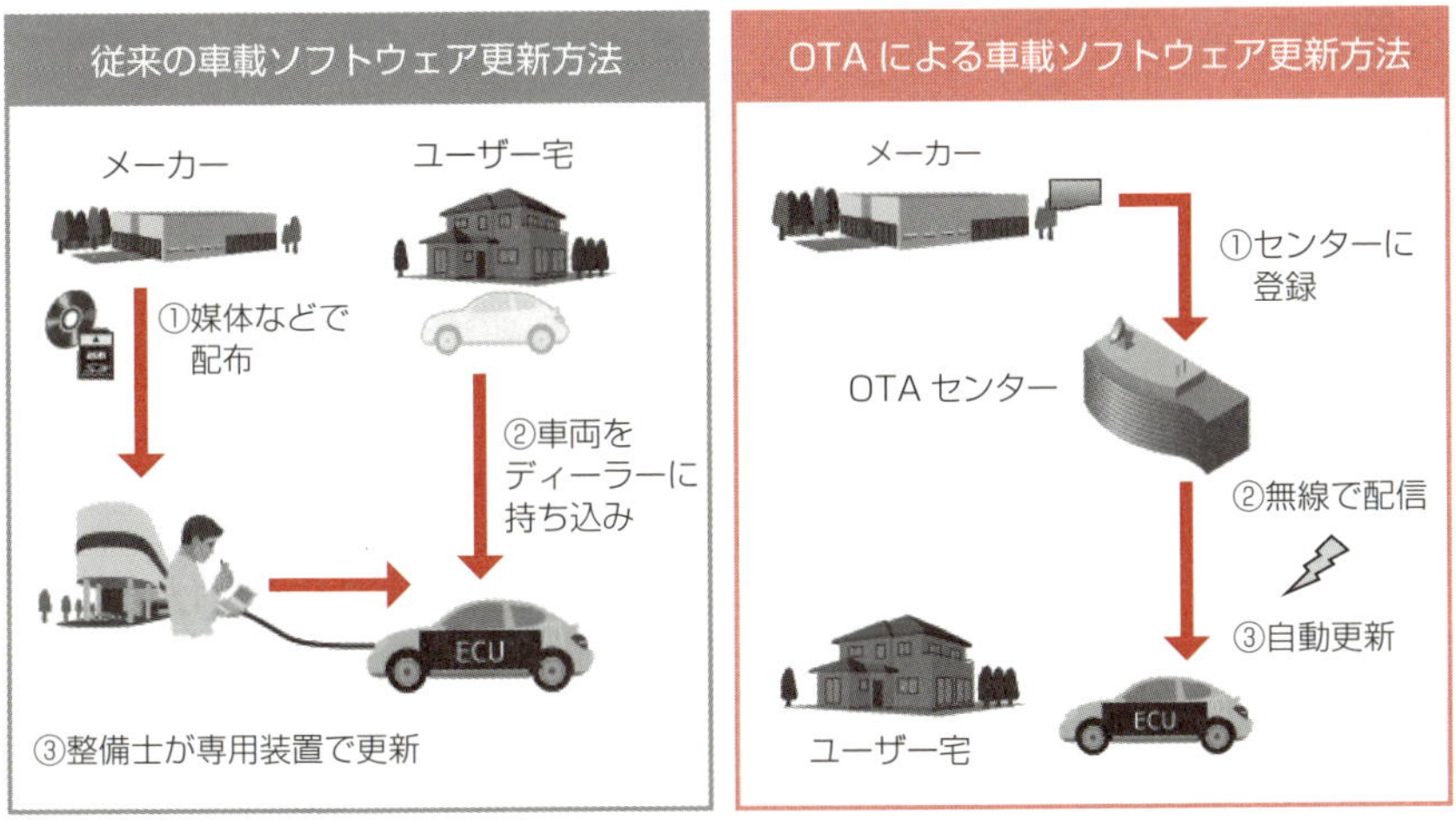

（出所）OTAによる自動車ソフトウェア更新技術－高信頼かつ短時間で－：研究開発：日立（hitachi.co.jp）

用語解説

＊**データサイエンティスト**　ビッグデータの分析を行う専門家である。近年の自動車メーカーは、CASEを実現するためのデータ解析が必要になってきている。自動車の走行情報、ディーラーシステムに保持する顧客販売情報、自動車の生産・品質データなどを活用して、新しい価値を提案できる人材が求められている。

2 日本と欧米のエンジニアの地位

日本では、エンジニアはジョブ・ローテーションによって、様々な設計業務に携わることができます。一方、欧米では分業化しており、決められた職種だけに従事します。

日本のエンジニアのジョブ・ローテーション

日本の自動車メーカーは、欧米の自動車メーカーのように厳密にエンジニアの職務範囲を定めてはいません。例えば、日本ではエンジニアと下級技術者との間に明確な区別はなく、教育レベルにかかわらず、新人のエンジニア兼下級技術者が設計図面を担当させられ、年月を経て徐々に部品の機能設計、組立て前の全体設計を担当させてもらえるようになります。その結果、日本のエンジニアはすべての段階における設計の経験を持つようになります。したがって、エンジニアは後工程を受け持つエンジニアとの間で、非常に容易に設計の調整ができます。例えば、詳細設計での許容誤差を次の機能設計で決定したり、機能設計での問題を次の全体設計で解決するというような措置をとることもできます。

したがって、日本ではエンジニアはOJTや**ジョブ・ローテーション**＊によって様々な設計業務に携わることができるので、経験によって自然と成長していくことができます。この職種に求められる人材は、基本的な設計作業の遂行能力と柔軟な思考を持つ人です。

欧米のエンジニアとの相違点

それでは、欧米と日本のエンジニアで、職種上の相違点はあるのでしょうか。欧米の自動車メーカーでは、第一にエンジニアの「**厳格な分業化**」、第二に「**設計技術者と製造技術者の地位の差**」に特徴があります。

まず厳格な分業化ですが、欧米では、基本設計、詳

用語解説

＊**ジョブ・ローテーション**　能力開発を目的に、社員に多くの業務を経験させようとして、定期的に職務の異動を行うことを指す。ジョブ・ローテーションには、同一部門内および部門間の異動がある。幅広い業務経験を通じて社員の適性を見極めることができるが、時間を要する専門スキルを獲得しにくいという難点もある。

細設計、テスト、分析というように、作業段階ごとに分業化するのが普通です。基本設計を行うエンジニアは、詳細設計図面を描くドラフターには決してなりません。エンジニアは、設計図を次のプロセスのエンジニアに手渡す前に、一〇〇%完璧に仕上げる必要があります。そして、各エンジニアは、数値を正確に決定した一つの設計図だけを次のプロセスのエンジニアへ手渡すことになります。第二に、欧米の設計技術者の地位が、製造技術者より高いことが挙げられます。製造技術者は設計技術者とインフォーマルなコミュニケーションを気軽にとることができません。設計部門と製造部門の間でフォーマルな情報の交換はなされますが、それだけでは伝え切れないものが残る可能性があります。

日本では、製造部門と設計部門のエンジニアの地位に歴然とした差がないため、**インフォーマルなコミュニケーション**が促進されやすい土壌があります。したがって、設計技術者が作成する独断的な設計図によって製造技術者が時間を無駄づかいしたり、あるいは、設計部門に設計図を描き直させるといった無駄が省け、効率的な開発ができます。

設計業務のコラボレーション

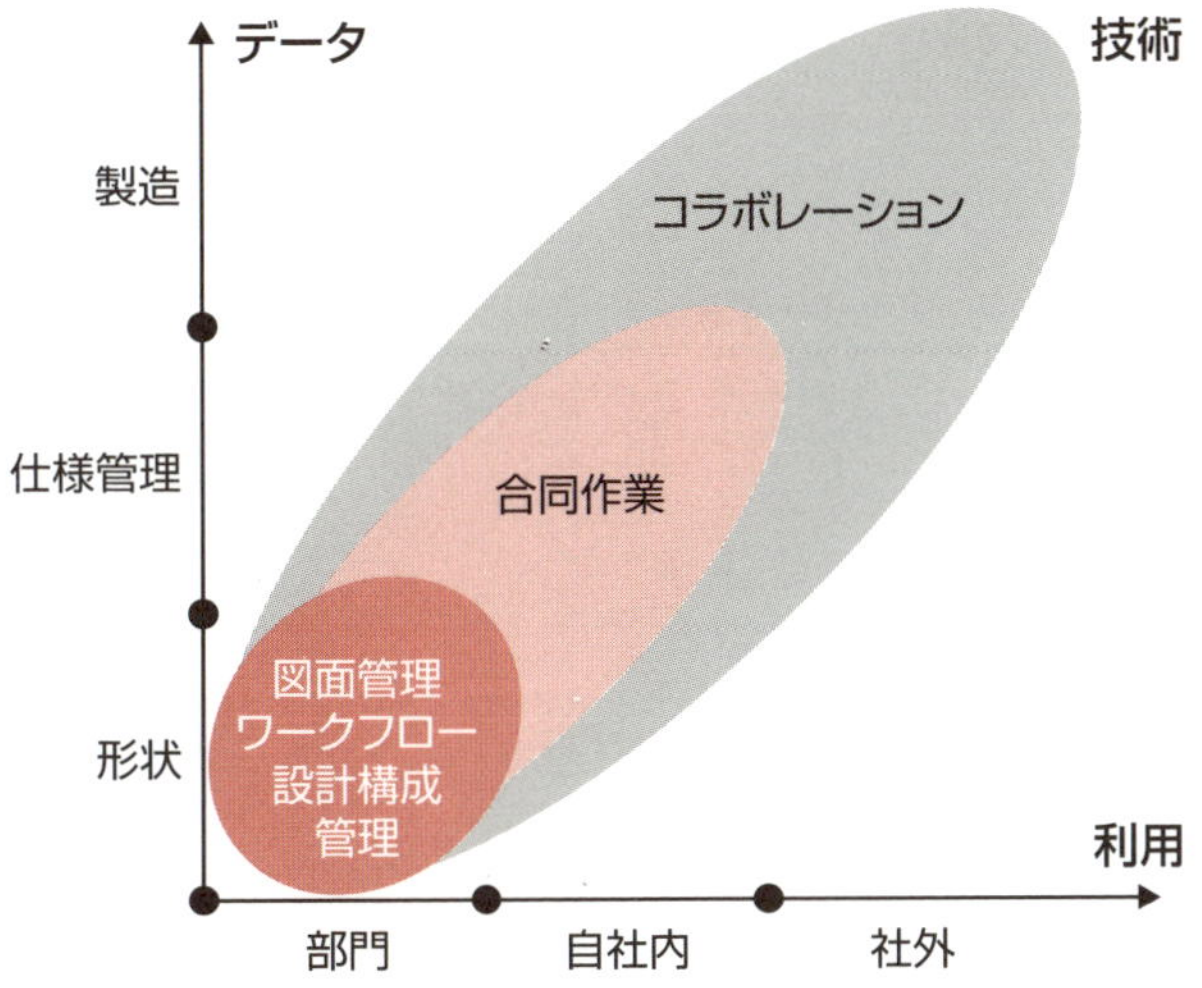

（出所）日本自動車工業会

3 自動車の販売業務に求められる人材

販売店の営業担当者が関わる業務には、「潜在的な顧客への対応」「販売」「アフターサービス」「既存顧客の維持」があります。営業担当者には、やはり一番にコミュニケーション能力が必要とされます。

●自動車の販売業務

自動車を製造しても、販売されないと利益を生み出しません。したがって、顧客への対応を一手に引き受ける販売店の営業担当者は、重要な存在です。営業担当者が関わるすべての業務を体系化すると、四つのプロセスに分類されます。①潜在的な顧客への対応、②販売、③アフターサービス、④既存顧客の維持です。

この四つのプロセスで必要とされる営業担当者の能力は、やはり一番にコミュニケーション能力です。まず、「**潜在的な顧客への対応**」として、販売店やモーターショーに来た顧客に、連絡先や、どのような車が好みなのかを聞いておき、その顧客に適した対応について、コンピュータに入力して、すべての営業担当者が最善の対応ができるようにする必要があります。

次に「販売」がきます。販売店では、最良の営業担当者の行動パターンを、すべての営業担当者が身につけるようにすることです。顧客の時間を無駄にしないことが重要です。例えば、顧客がショールームで待たされていないか、営業担当者がしつこくて顧客が車を十分見ることができないのではないか、顧客は試乗したがっているか、といったことを意識して営業をしなければなりません。販売営業以外にも、事務、経理、車検整備、板金・塗装スタッフが販売店には必要であり、専門学校、高専、大学、大学院から採用しています。

●アフターサービスが既存顧客の維持につながる

三番目の「**アフターサービス**」ですが、J・D・パワー・アジア・パシフィックが「アフターサービス」の満足度を「サービス担当者」「入庫時対応」「店舗施設」「サービス納車」「サービスクオリティ」の五つの要素から評価しています。「サービス担当者」への評価は、営業担当者の行動に直接関係してきます。他の四項目は販売店の組織体制や経営戦略に関わるものです。「二〇二一年日本自動車サービス満足度調査」では、新車購入後一～四年で、新車購入店のアフターサービスを受けた人を調査対象者としています。その結果、**レクサス**が一五年連続のトップとなりました。アフターサービスでは、レクサスをベストプラクティス*として、他の販売店でも見習う必要がありそうです。

　アフターサービス満足度の高い顧客は、次回、新車を購入する際に同じ販売店で購入する割合が高く、さらに潜在顧客である家族や知人へ販売店を推奨する割合も高いという結果が出ました。

　したがって、営業担当者は新車販売後も、顧客と頻繁にコンタクトをとり、販売店で車検を受ける顧客を増加させ、さらには次回の新車販売につなげることが重要になってきます。

カスタマイズ対応の類型

カスタマイズ対応の類型

- 1. フルカスタマイズ型商品：完全オーダーメイド商品。自分の好みで発注。待ち時間が長い
- 2. 機能型商品：量産品で価格志向。提供される「ブランド」の範囲で選択。待ち時間が短い
- 3. 中間型商品：1と2の中間
  - a. フルオプション型商品：量産効果を維持する範囲内で、複数の項目につき選択肢から選択
  - b. 中間加工型商品：中間加工の集積部品の組立てを小売店頭で
  - c. 素材提供型商品：DIYのための部品提供+技術サービス提供。ゆっくり自分で

（出所）日本自動車工業会

用語解説

*ベストプラクティス　世界で最も優れていると考えられる業務プロセスやビジネスノウハウを指す。ベンチマーキングをすることによって、自社を同様の状態に近づけるように努力する対象物となる。

4 生産ラインで求められる人材

日本の自動車工場では、作業員の生産工程を設計について提案したり手伝ったりして、生産性を改善しています。指示に従うだけでなく、自発的に改善を提案できる人材が必要とされています。

●自発的に改善を提案できる人材

日本の自動車組立工場は、世界でも生産性が高く、工場の生産ラインでは、生産性の向上に対する継続的な取り組みが行われています。しかし、生産性が高くても、日本の労務費が高いため、車の製造コストも高くなり、価格競争力がなくなってきています。日本の工場を閉鎖せず今後も維持するためには、製造現場で自発的に改善を提案できる人材が必要とされます。

欧米の工場では、工場の**改善活動**に**インダストリアル・エンジニア**＊が活躍していますが、日本では現場の作業員に改善活動を任せ、生産性を改善しています。

日本の自動車メーカーでは、自主的な小集団活動として、品質向上を目指した**QCサークル**が展開されています。つまり、作業員が生産工程の設計について提案したり手伝ったりして、改善していくのです。そして、現場を経験したあとで工場を管理する立場になった際には、自然と作業員の話をよく聞くことができるようになり、さらには問題の解決策を提案したり、作業員を激励しモチベーションを高めたりできる、よき管理者となることができるのです。

●フランスの工場では労働強化が

プジョー・シトロエン（PSA、現・ステランティス）ではフランスの工場の生産性を高め、雇用を維持しようとしていますが、オルネー工場を閉鎖しました。

一方で、生産性の向上が**労働強化**につながり、フランスの工場の作業員のストレスが問題となっています。

用語解説

＊**インダストリアル・エンジニア**　人・物・金・情報といった経営資源をより効率的に活用するために、工場内の人の配置、作業手順、設備レイアウトの設計、機械や道具の選定、管理方法等を改善して、全体的なシステムを編成し直し、生産性を高める技術（インダストリアル・エンジニアリング）の担当技術者。

生産ラインでは、サイクルタイムが短くなっており、PSAのソショー工場では、二〇年間に組立受け持ち区間が一〇メートルから五メートルに短縮された者もいます。PSAのミュルーズ工場では、部品取り出し区域をコンパクトにしたため、作業員がアクセスできないほど部品が詰め込まれ、その結果、ミスで時間をロスしがちです。二〇〇七年にミュルーズ工場で多くの自殺者が出たことにより、従業員のストレスが表面化しました。これは、休憩などを省き、生産性を改善したことからきています。合理化、生産性を追い求める際には、労働者の十分な管理が必要となります。

先進国の自動車工場が為替変動や労務費の高騰で競争力を失う中、国内工場を閉鎖し海外生産へと向かう流れができつつあります。しかし、自社で製造をしないという選択肢もいまでは可能となっています。電機産業では生産工程だけを請け負うEMSがありますが、自動車産業でも受託生産企業が米国で活躍しています。車のモジュール化が受託生産を容易にしているのです。日本の自動車メーカーも将来、受託生産サービスを活用する日が来るかもしれません。

生産ラインにおける日欧の違い

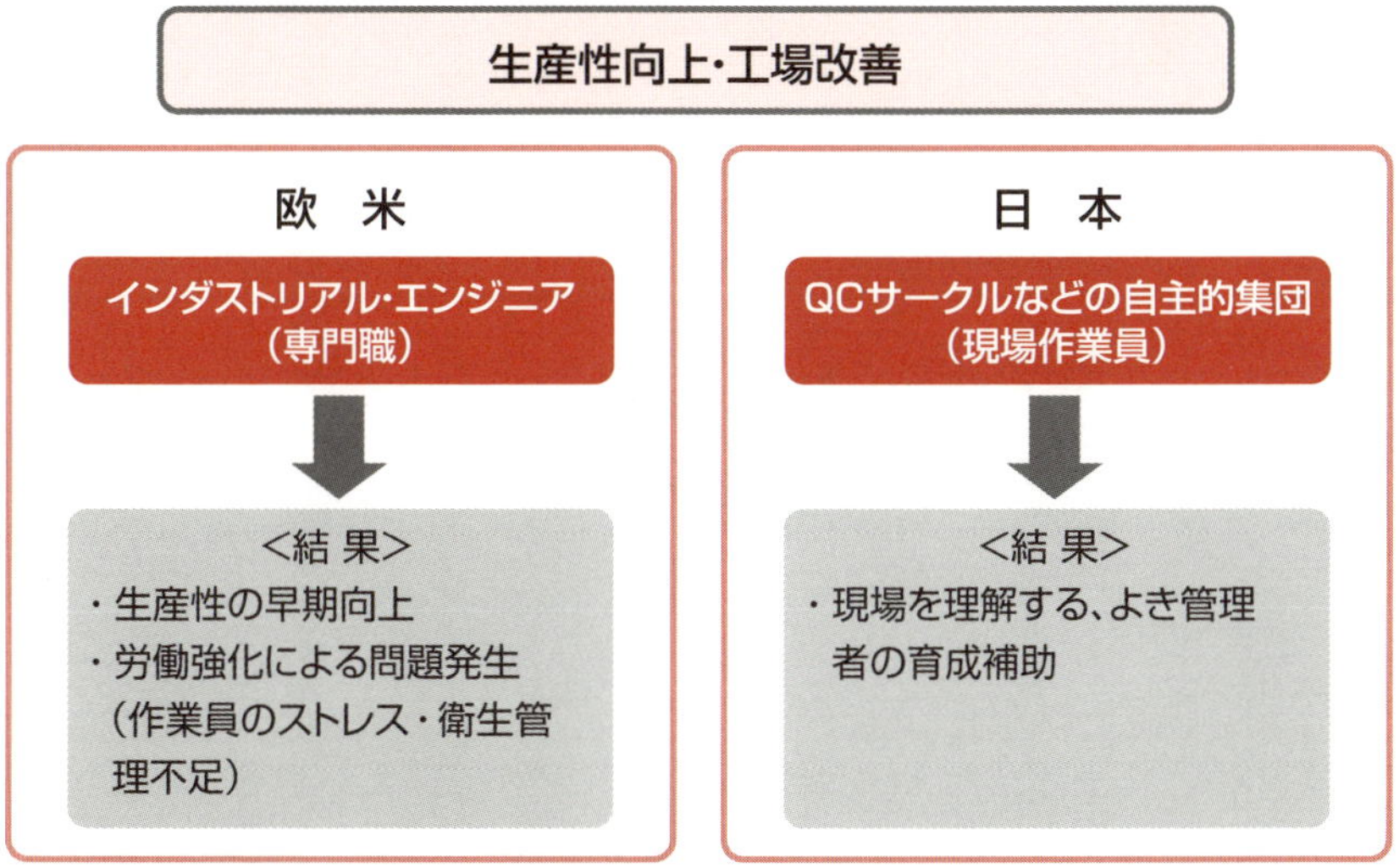

5

経営者に求められる資質

本田宗一郎、トヨタの創業者一族、カルロス・ゴーンを例にとっても、経営者としてのリーダーシップは千差万別です。共通しているのは、それぞれの専門知識と経験を生かして企業を経営していることです。

●本田宗一郎とトヨタの創業家

企業の経営者として望ましい人にはいくつかのパターンがあります。**カリスマ経営者**として名高い**本田宗一郎**は、技術者型経営者であり、起業家です。本田宗一郎の名言は今日に語り伝えられています。「失敗もせず問題を解決した人と、一〇回失敗した人の時間が同じなら、一〇回失敗した人をとる。同じ時間なら失敗した方が苦しんでいる」、「悲しみも、喜びも、感動も、落胆も、常に素直に味わうことが大事だ」、「新しいことをやれば、必ず、しくじる。腹が立つ。だから、寝る時間、食う時間を削って、何度も何度もやる」。このように、経営者として、人間として、技術者として、素晴らしい名言を残しています。ホンダという会社を一流企業にした業績だけでなく、本田は部下にも慕われており、当時は本田に真剣に怒られてみたいと願う部下さえもいました。

トヨタは、**創業者一族**の**豊田家**が組織の求心力となっています。豊田家の言行や精神が理念となって、今日まで脈々と受け継がれてきています。豊田家は、本田宗一郎のような崇拝の対象とはなっていません。豊田佐吉、喜一郎、英二、章一郎は、本田宗一郎のようなカリスマ型経営者ではなく、勤勉で謙虚な経営者です。しかし、英二は「方針管理」の基礎を確立し、章一郎はトヨタ自工と自販を合併して新生トヨタ自動車を誕生させました。トヨタが世界一の自動車メーカーとなった背景には、豊田家から影響を受けた組織風土、価値観、意思決定の仕方、規則などがあります。

●フランスのエリート経営者

フランスのルノーの経営者は、「モノづくり」を尊重するというよりも、提携や買収などの企業戦略を得意とします。というのも、ルノーの経営者は高等教育を受けたエリートであり、現場を経験せずに、最初から幹部や社長として入社してくるからです。例えば、一九九九年に日産との資本提携を決断したルノーのルイ・シュバイツァーも、フランス最高の高等教育機関である**グラン・ゼコール***のＥＮＡを卒業し、首相府官房長官などを経て、一九八六年に四四歳でルノーに入社しました。シュバイツァーは財務・企画部長として人員削減を行い、財務体質を改善して、一九九〇年に社長になりました。

一方、**カルロス・ゴーン**も、グラン・ゼコールの一つであるエコール・ポリテクニックと、理系で最も評価の高い国立パリ鉱山学校を終了しました。カルロス・ゴーンは、ミシュランに部長職で入社し、その後、ルノーに転職しました。カルロス・ゴーンは日産を再生させましたが、その後、私欲に走ってしまいました。

様々なタイプの経営者

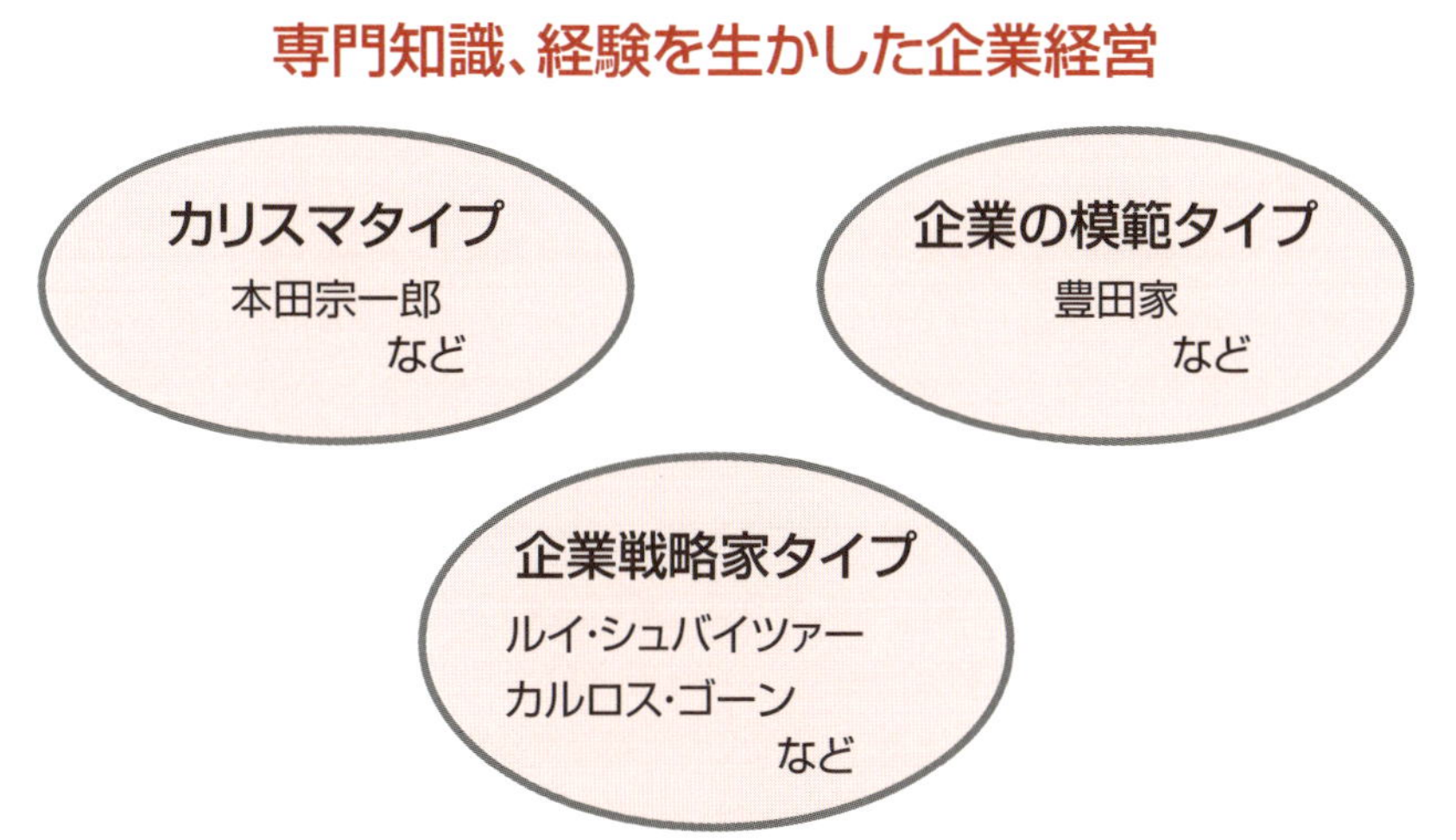

用語解説

*グラン・ゼコール　フランスでは、大学には一般の人が入り、グラン・ゼコールにはエリートが入学する。グラン・ゼコールは、高等専門教育機関であり、エリート養成機関でもある。中でも、ENA（国立行政学院）は超エリート校であり、高級官僚や企業の経営幹部になる人が多い。

column

自動車のLCA(ライフ・サイクル・アセスメント)

企業経営を行う際、社会システム全体と環境面が調和していかなければなりません。企業のトップ・マネジメントは環境担当部門の意見を取り入れ、具体的に経営に生かす意思決定をする必要があります。環境担当部門が取り組むべき最大事項は「環境負荷」の測定とその情報開示です。この部門で把握された環境負荷を、トップ・マネジメントを経て、投資家、地域住民、消費者などに伝達する際に用いる中心的データが**LCA**です。

これが注目を浴びるようになったのは、ISO(国際標準化機構)が重要な構想として提示したことが始まりです。ISO 14040(原則と枠組み)、ISO 14041(目的、定義、インベントリ分析)、ISO 14042(影響評価)、ISO 14043(解釈)、ISO 14047(影響評価事例集)、ISO 14048(データフォーマット)、ISO 14049(目的、調査範囲、インベントリ分析に関わる適用事例)は、すべてLCAに関わる基準です。この基準は、調査目的、定義、インベントリ分析、影響評価とその解釈に関するものです。なお、インベントリ分析とは、どのデータを使用して分析を行うかということで、わが国の環境省は当初、環境負荷項目としてエネルギー消費量とCO_2排出量のみをこの分析の対象としていました。その後、産業環境管理協会が分析対象を拡大し、CO_2、NOx(窒素酸化物)、SOx(硫黄酸化物)、COD(化学的酸素消費量)、BOD(生物化学的酸素要求量)、固形廃棄物などを加えました。

LCAとは、製品の環境に及ぼす負荷、すなわち環境負荷を、製品のすべてのプロセスにわたり総合的に評価することです。つまり、LC(ライフ・サイクル)とは、材料の調達、製品の耐用年数にわたる生産・流通・廃棄の過程(廃棄された製品が再生産されることも含む)であり、A(アセスメント)とは、このプロセスの全体評価です。したがって、材料の調達、製造の各過程でどれだけ資源を使い、環境を汚染し、廃棄物を排出するかについて、トータルな環境負荷評価をすることがLCAなのです。

LCAは、企業の多様な利害関係者への情報開示ばかりでなく、企業内部のコミュニケーションの手段としても注目されています。製品開発担当者と財務担当者の間では、材料選択の意思決定でLCAが使われます。つまり、従来は完成時の製品の機能・品質を考慮して原価計算するしかなかったのですが、LCAデータを活用することで、環境要因を加味して、両者間で意思決定できるようになったのです。

Data

資料編

※資料編は本書発行時点での最新資料をもとに作成いたしました。

自動車産業の年表

年	国内	国外
1770頃		フランスで蒸気自動車発明
1801		イギリスで蒸気機関式自動車試作
1870	九十九商会（三菱商事の前身）土佐藩から分離	世界初のガソリン自動車発明  ベンツ・パテント モトールヴァーゲン
1876		ドイツでガソリンエンジン製作 G・ダイムラーが改良し、走行試験
1885		ダイムラー、ガソリンエンジン車を特許申請
1898	自動車初輸入（フランス産ガソリン車パナール）	
1903		フォード・モーター・カンパニー設立
1907	発動機製造㈱（のちのダイハツ）創立	
1908		ゼネラルモーターズ・カンパニー設立
1911	快進社自動車工場設立（のちの日産）	
1912		ゼネラルモーターズ・カンパニー、ゼネラルモーターズ・コーポレーション（GM）に改組
1913		フォード方式で大量生産
1914～1918	第一次世界大戦	 20世紀初頭のダット41型
1914	国産自動車ダットを大正博覧会に出品	
1917	三菱造船㈱設立	
1924		クライスラー・コーポレーション設立
1925	国産自動車初輸出（上海へ）	
1929	世界大恐慌。自動車産業にも大打撃	

1933	自動車製造㈱（のちの日産）設立 ㈱豊田自動織機製作所自動車部設置	米国でキャデラック、リンカーンなど大型車の生産・発表続く
1934	自動車製造㈱、日産自動車㈱に改称 三菱造船、三菱重工業㈱に改称	
1936	自動車製造事業法制定	
1937	トヨタ自動車工業㈱設立	キャデラック V-16 Aerodynamic Coupe
1941～1945	第二次世界大戦・太平洋戦争 各メーカー、軍需産業へ進出	GM、軍より戦車や爆撃機砲塔のデザイン受託
1946	本田技術研究所開設	
1948	本田技術研究所を継承し、本田技研工業㈱設立	
1951	発動機製造㈱、ダイハツ工業㈱に改称	
1954	鈴木式織機製作所、鈴木自動車工業㈱に改称	
1957	トヨタ、国産乗用車の対米輸出第 1 号	
1958	日産、乗用車の対米輸出開始	
1959	日産、台湾で海外生産開始。以後、南北米大陸へ進出  フェアレディ Z S30 型 本田技研、米ロサンゼルスにアメリカン・ホンダ・モーター（AH）設立	フォード、クライスラー初のコンパクトカー発売
1965		米国交通および自動車安全法制定（1966 年販売の新車から適用）
1966	三菱重工業、電気自動車の開発開始	
1970	三菱重工業から三菱自動車工業㈱が分社・設立。クライスラー社と合弁事業に関する第一次基本契約締結	
1971	三菱自動車、北米で「ダッジ・コルト」販売開始	
1973	本田技研、米フォード社と CVCC エンジン技術供与契約を締結	
1974	オイルショック	
1978	排ガス規制の実施。1974 年に設定された規制。日本版マスキー法	
1980	GM、いすゞ自動車㈱と業務提携	クライスラー初の小型車 K カー発表。12 億ドルの政府保証ローンを受ける
1983	トヨタ、GM と合弁会社発足。1984 年よりトヨタ車現地生産開始	
	スズキ、インド・マルチ社で四輪車生産開始	クライスラー、政府保証ローン完済（7 年前倒し）

資料編

1984	スズキ、中国航空技術進出口公司と四輪車の技術援助契約 日産、ドイツ VW と提携。「サンタナ」生産・販売開始	
1986	スズキ、GM カナダと四輪車合弁生産で合意	
1987		クライスラー、AMC を買収
1990～	原油価格下落  パジェロ（new）92 型	
1992	日産、フォードとの共同事業で「クエスト」販売開始	
1997	トヨタ、ハイブリッドカー「プリウス」発表 本田技研、電気自動車「ホンダ EV Plus」のリース販売を開始	
1998		クライスラー、ダイムラー・ベンツと合併。「ダイムラー・クライスラー」へ改称
1999	日産 CEO にカルロス・ゴーン就任 スズキ、富士重工業㈱と業務提携	
2000	中国・四川トヨタ自動車㈲生産開始 排ガス規制。CO、HC、NOxを約70%低減させる	
2001	ニューヨーク同時多発テロ勃発 スズキと GM、燃料電池技術分野で相互協力	
2002		米運輸省、企業平均燃費規制強化案発表
2007		クライスラー、ダイムラーとの合併解消
2008	サブプライムローン問題勃発	GM、3 兆円の赤字計上
2009	スズキと VW が包括的提携 三菱自動車と日産が電気自動車を発売	GM、クライスラー、破産法申請 GM、「ゼネラルモーターズ・カンパニー」に改称、新生 GM 誕生
2010	ルノー、日産、ダイムラーの資本提携	
		中国の吉利汽車は、スウェーデンのボルボを米フォードから買収
2014		フィアットとクライスラーの合併によりフィアット・クライスラー・オートモービルズ（FCA）が誕生
2016	日産自動車は三菱自動車の株を 34%取得し傘下に収める	
2021		フィアット・クライスラー・オートモービルズ（FCA）と PSA が経営統合し、ステランティスが誕生

（参考資料）『日本車躍進の軌跡』（永田滋　三樹書房 2006）
『日本自動車史年表』（GP 企画センター　グランプリ出版 2006）
『日本自動車産業史』（日本自動車工業会　1988）

環境車をめぐり進む自動車メーカーの提携

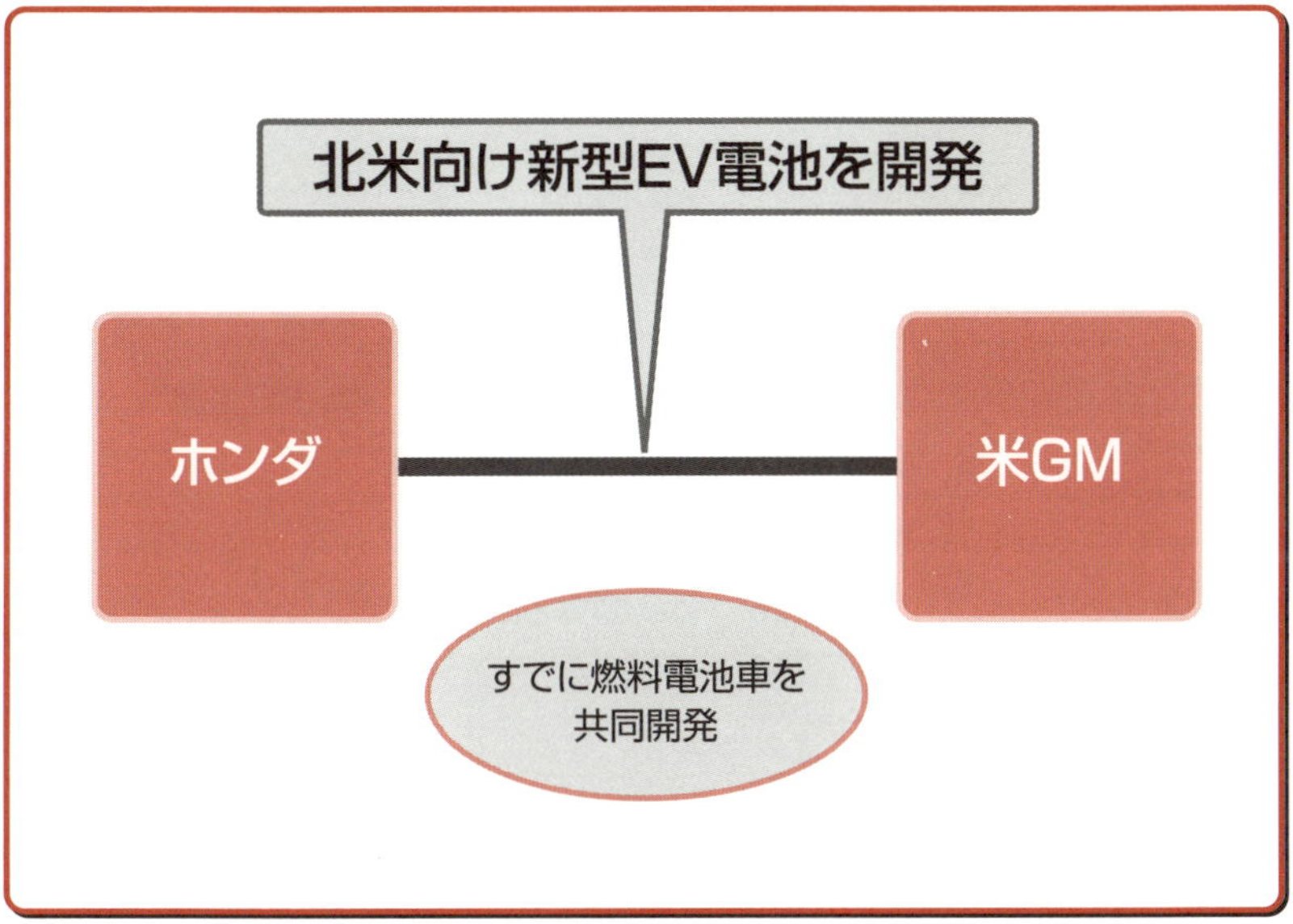

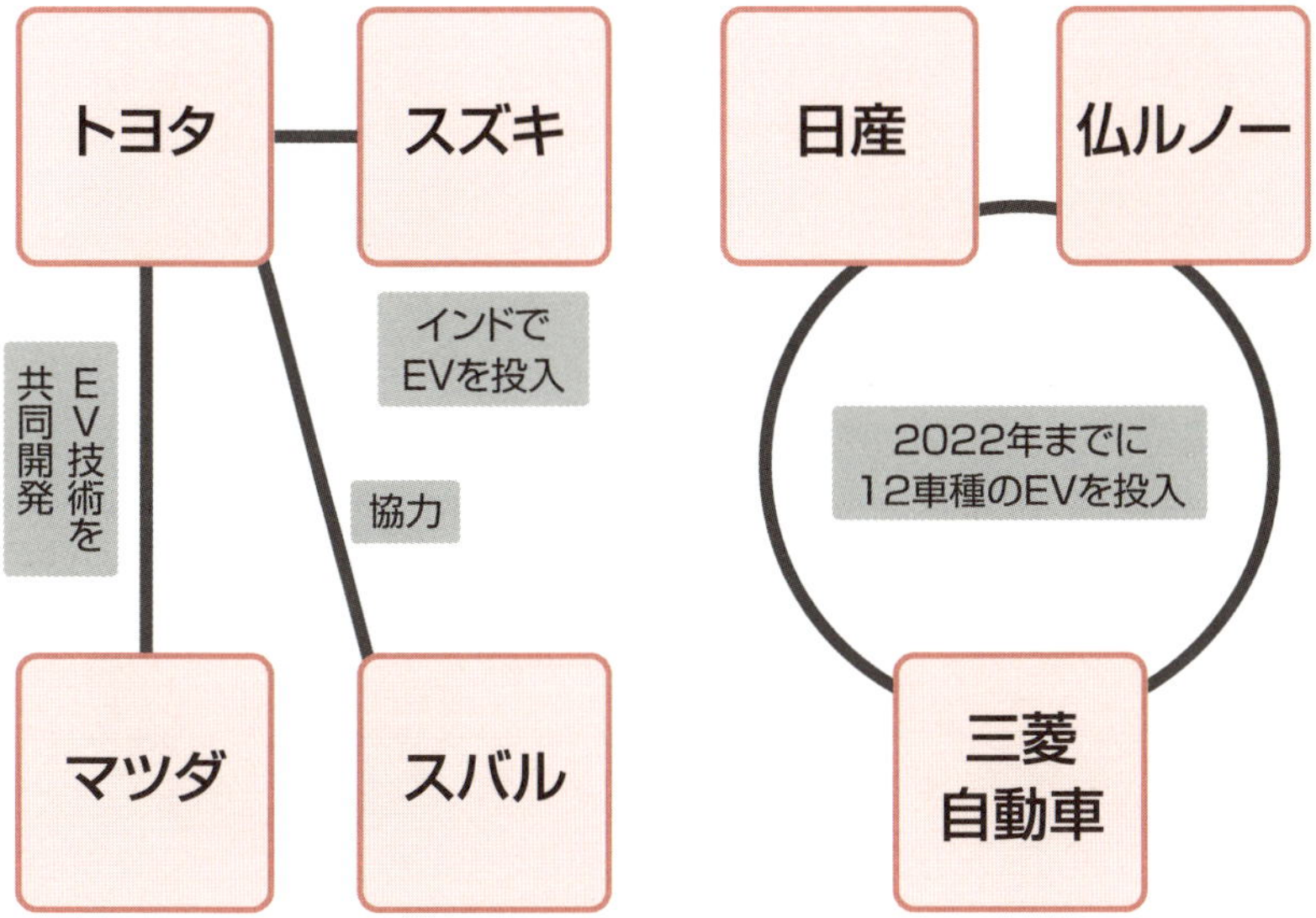

（出所）日経新聞2018年6月8日をもとに作成

自動運転における各社の関係

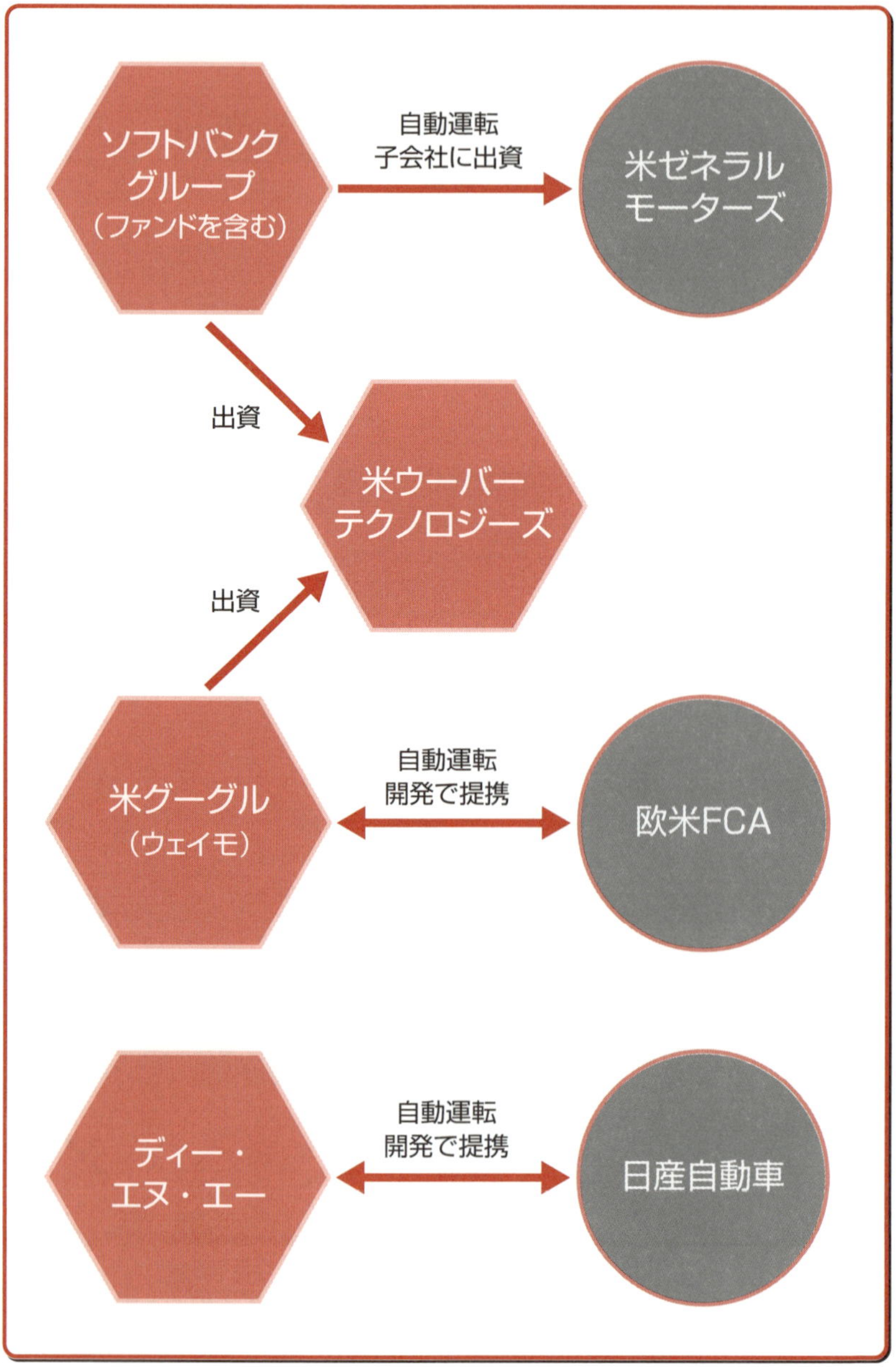

（出所）日経新聞2018年6月2日をもとに作成

自動運転の開発で競う米中の企業

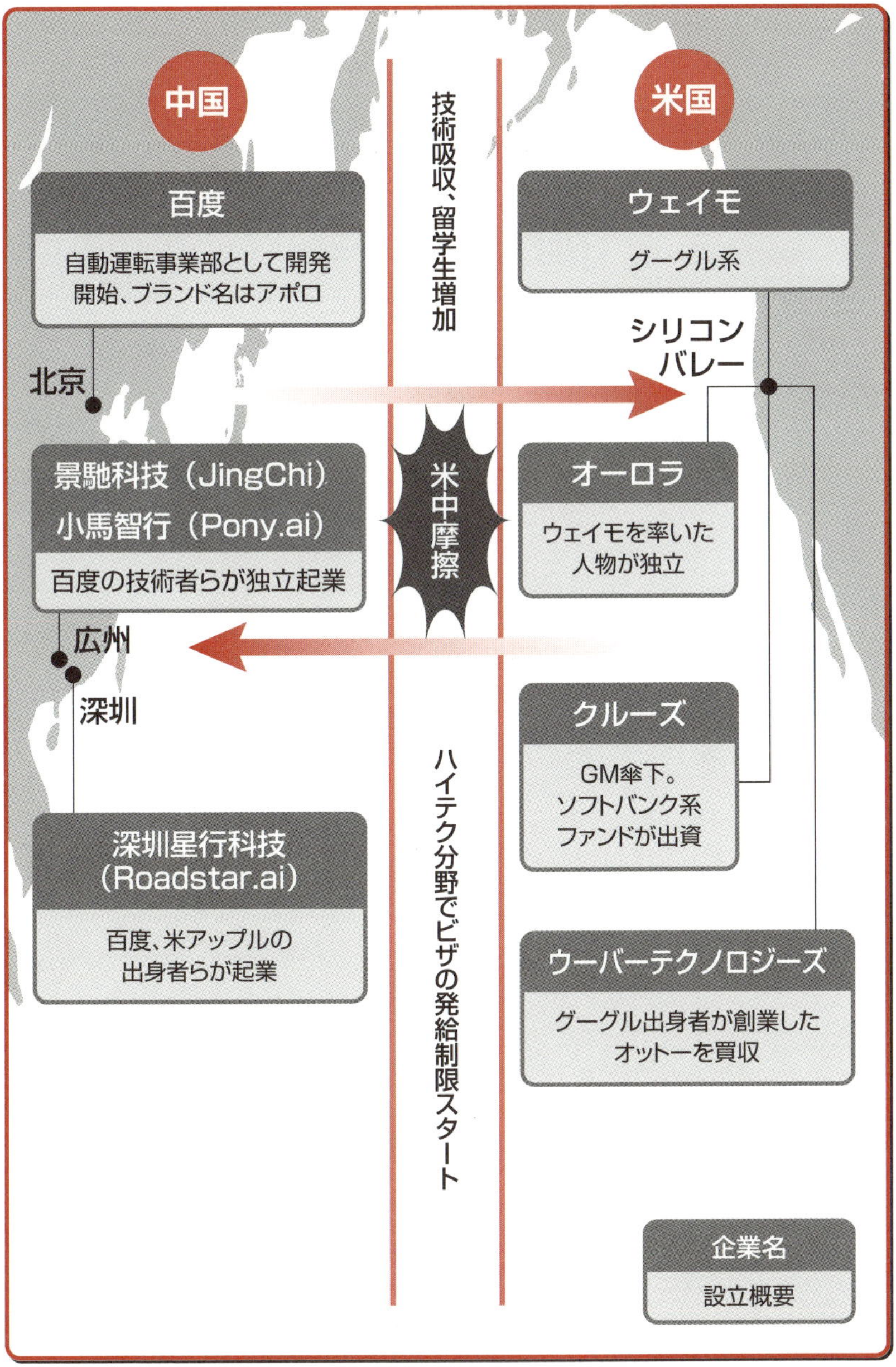

（出所）日経新聞2018年6月8日をもとに作成

自動車生産の世界地図

●主要国の自動車生産台数推移（2017〜2019年）　（単位：万台）

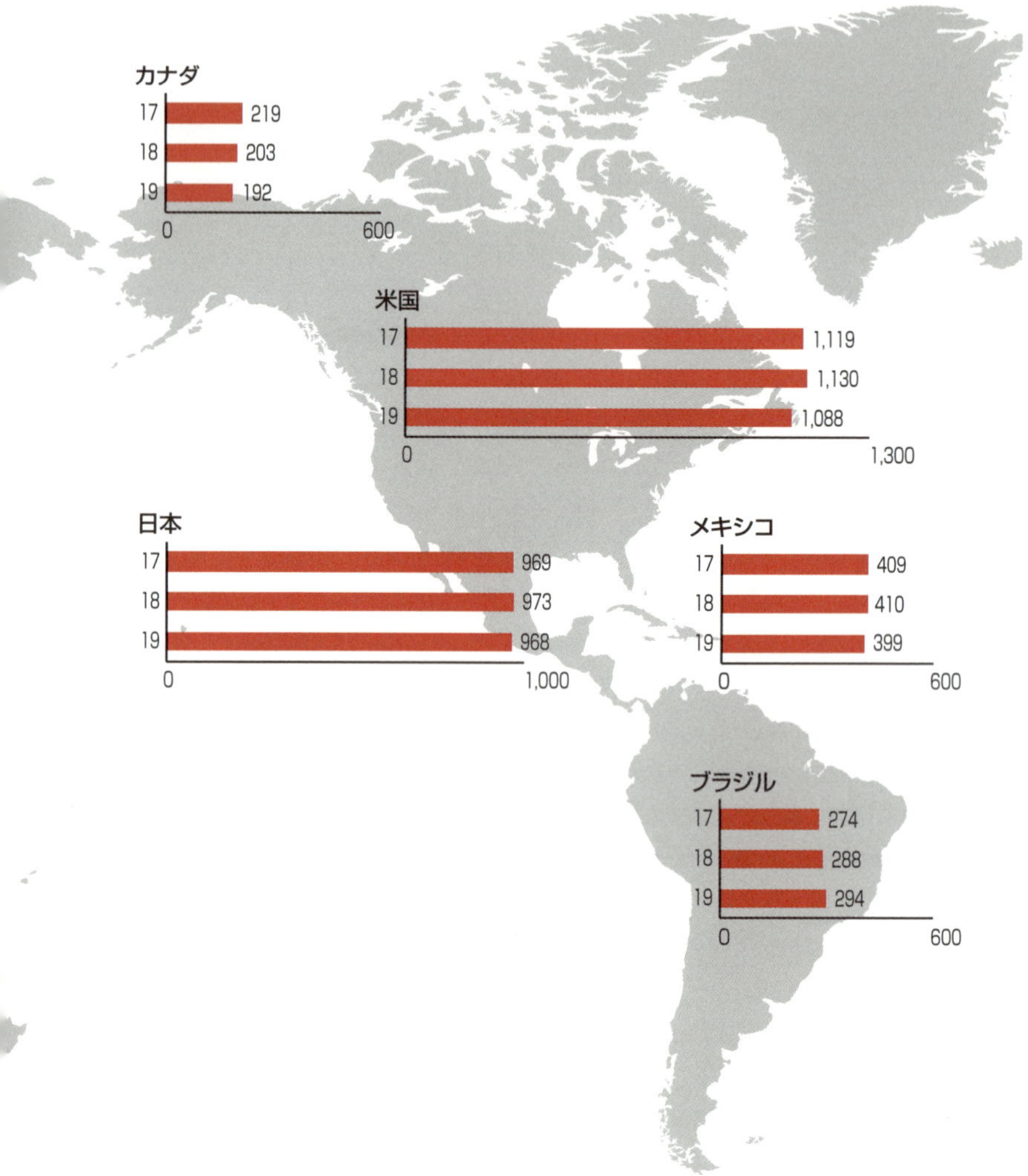

2019 年の世界新車販売台数は 9136 万台となり、金融危機後の 2009 年以来の落ち込みとなった。

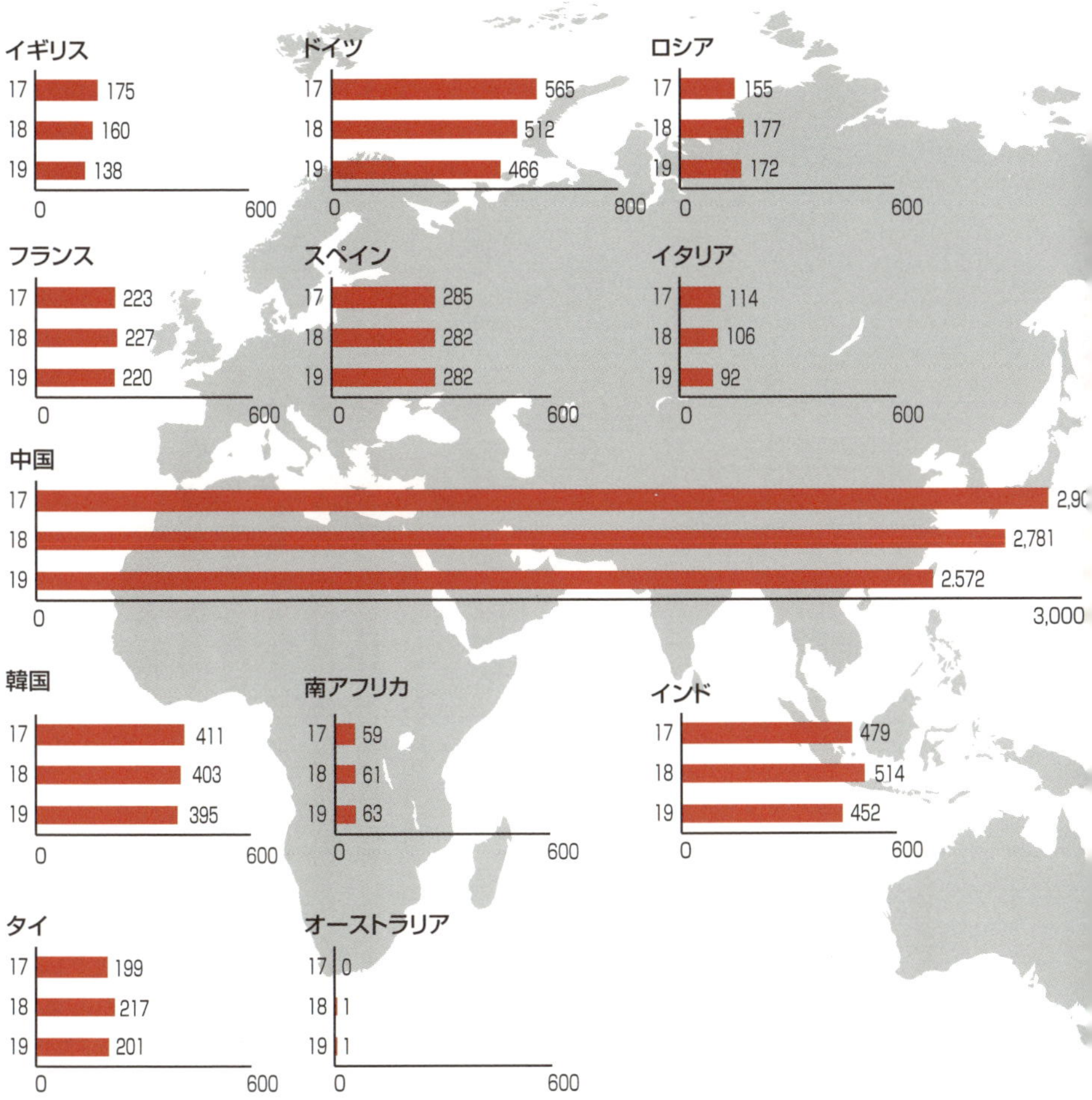

（出所）日本自動車工業会ホームページより作成

世界最大市場の中国の新車販売台数は、2019年に前年比7.4%減の2572万台であった。世界2位の米国では1088万台で前年比3.6%減であった。第3位の日本は968万台であった。

新興国の販売台数の動向

業界新興国であるロシア、ブラジルでは、2014 年頃から販売台数が減少に転じたが、2017 年から回復傾向にある。唯一、インドだけは 2018 年まで販売台数が増加傾向にある。

●自動車国内販売台数の推移

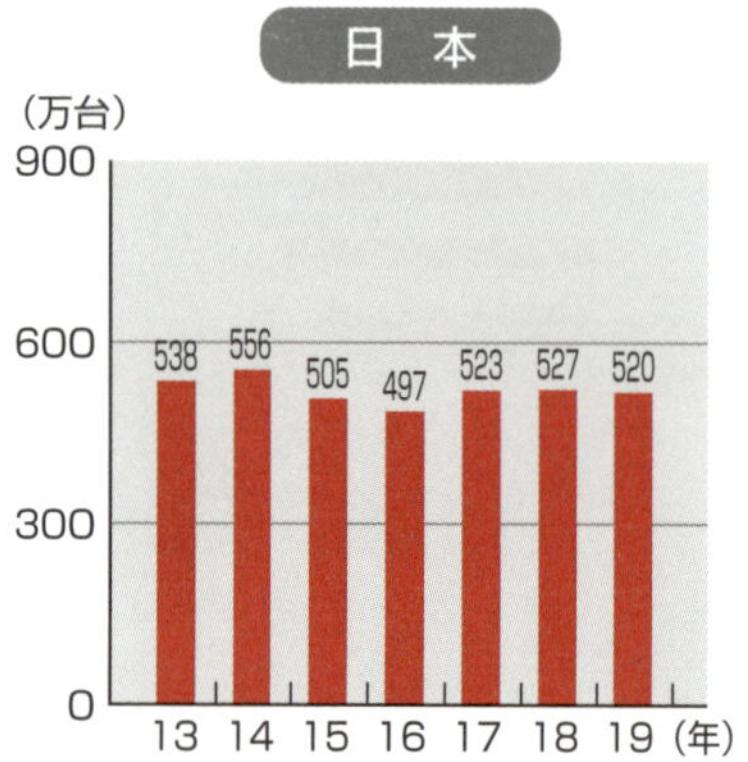

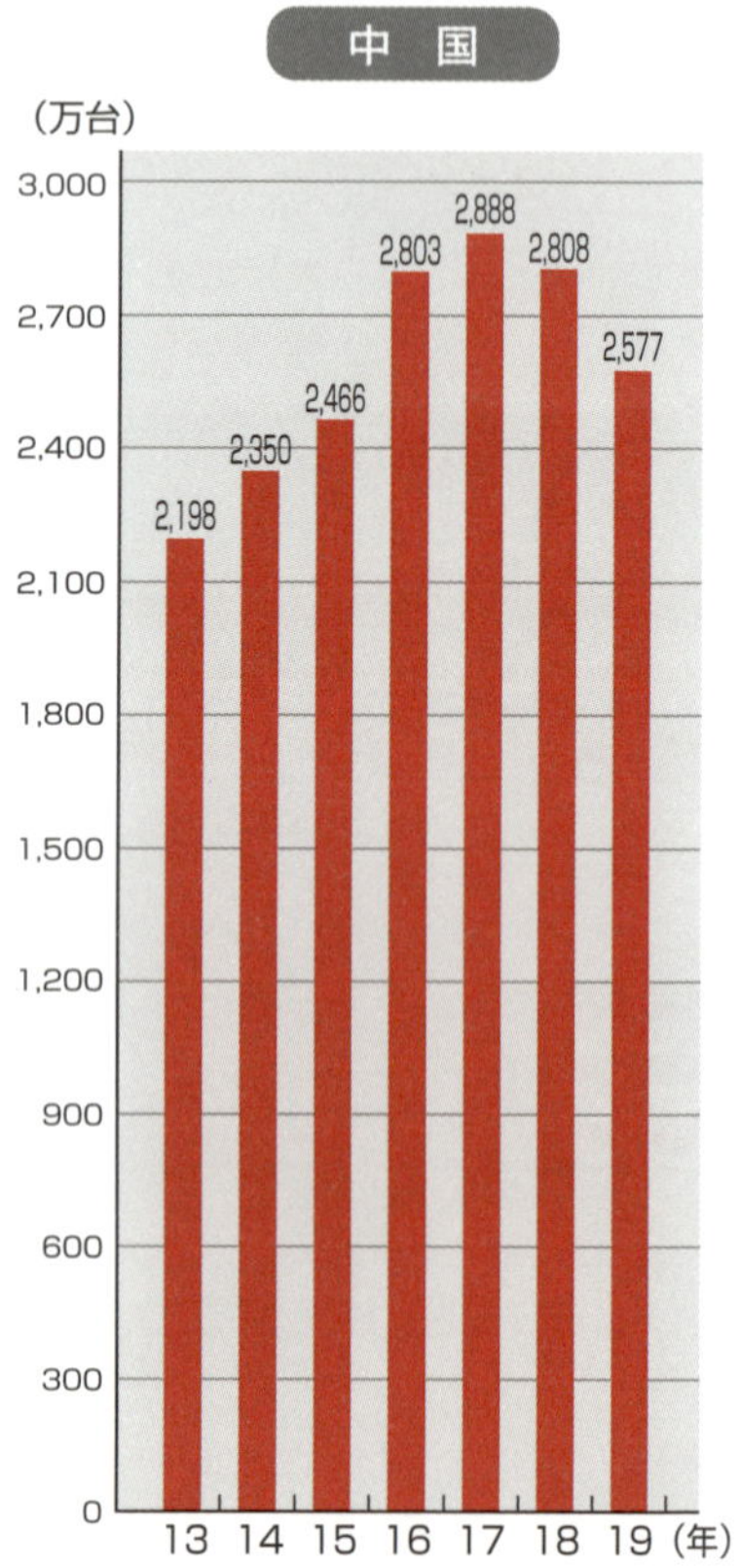

継続的な経済発展による富裕層の拡大で、中国国内での自動車需要が高まり、外資との合弁会社だけでなく民族系自動車メーカーの販売台数も伸びてきた。

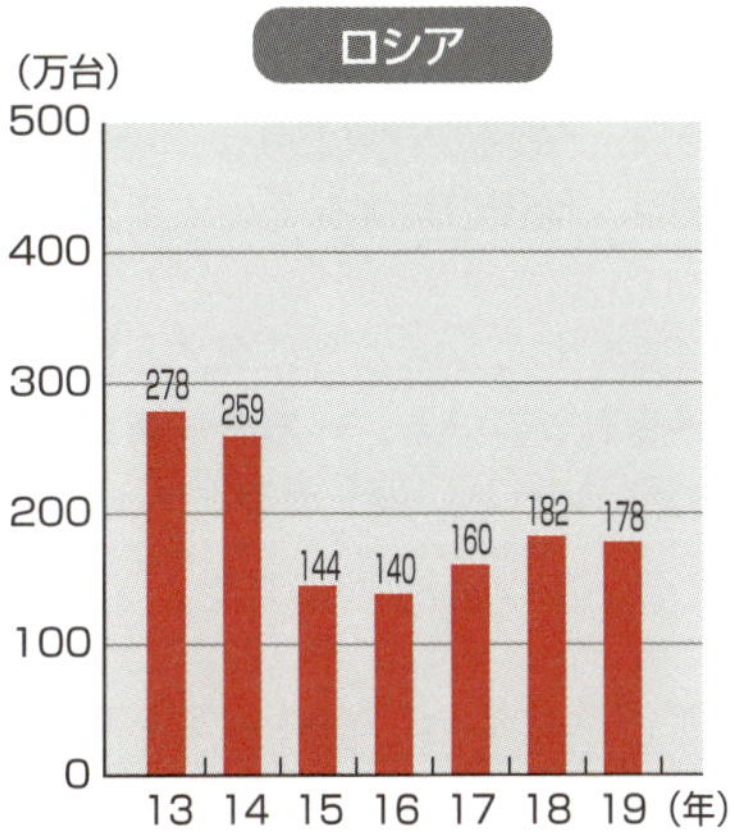

経済の低迷により、近年、大幅に販売が落ち込んでいる。2014年には世界販売台数順位が8位であったが、2016年には14位へと低下した。

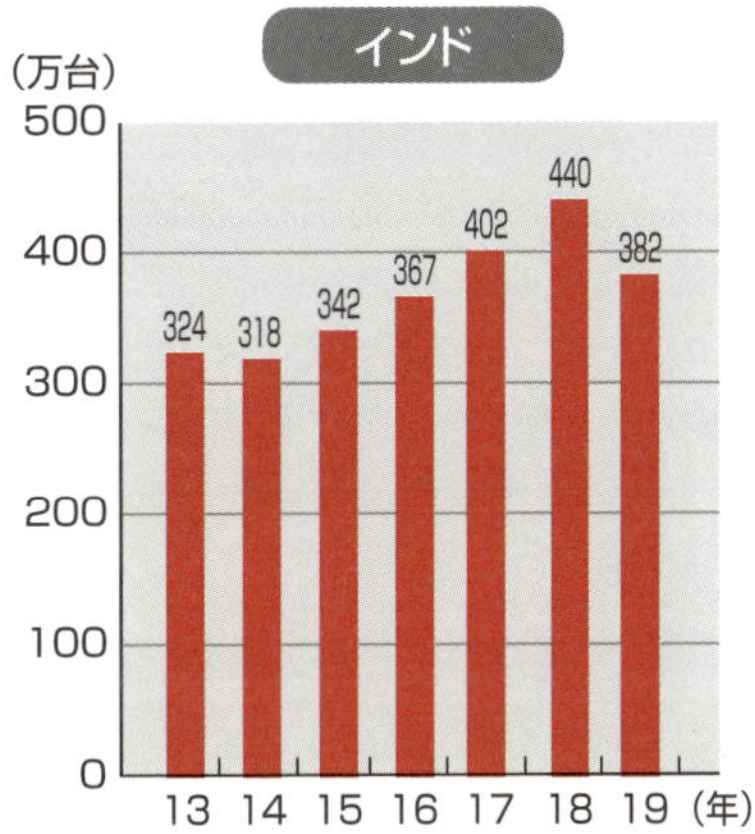

各メーカーによるSUVの新モデル発売や安価な燃料費により、需要が伸びている。

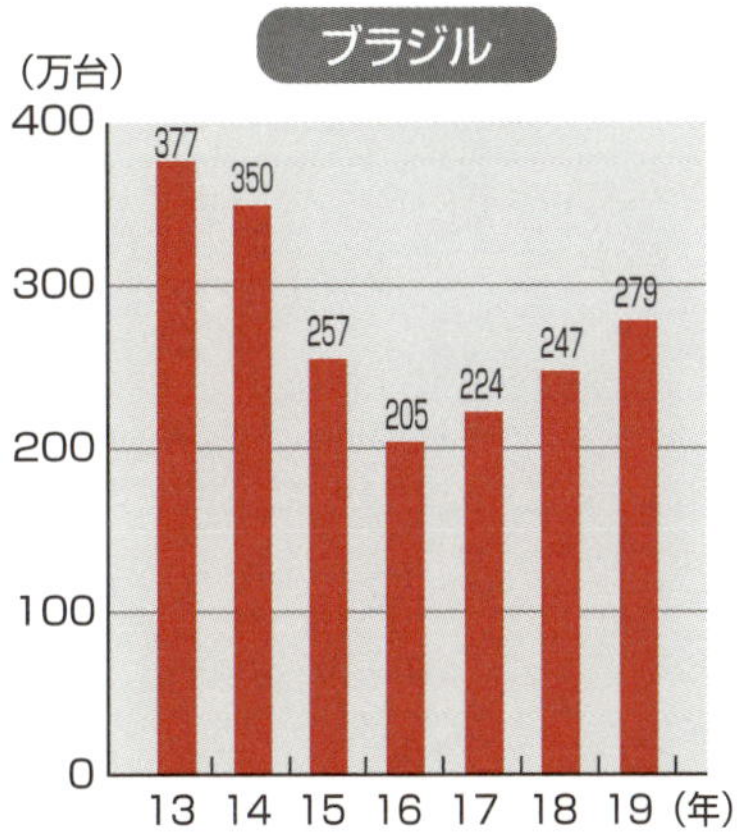

経済低迷により、近年、大幅に販売が落ち込んだ。2014年に世界販売台数順位が4位であったが、2016年には8位へと低下した。

(出所) 日本自動車工業会、中国汽車工業協会（CAAM)、日本貿易振興機構（JETRO)、SIAM（インド自動車工業会)、ANFAVEA（ブラジル全国自動車製造業者協会）の公表資料

排出ガス規制対策

環境保全の観点から、世界各国で、自動車から排出される一酸化炭素（CO)、窒素酸化物（NOx)、炭化水素（HC）類、黒煙などの大気汚染物質の量を規制している。規制される物質・数値に国際統一基準はなく、また、規制の対象となる車種も国・地域ごとに定められている。自動車産業の新興国は、他国の基準をそのまま自国の基準値としている場合が多い。

このように、環境保全のため排出ガスを徹底して規制しているように見えるが、「規制のゆるい車種を中心に製造する」などの回避策をとっているメーカーもあり、排出ガスによる大気汚染が劇的に減少しているとは言い切れない面もある。

●日本の自動車排出ガス規制値（新車）

種別			新短期規制		ポスト新長期規制				備考
			試験モード	成分	試験モード	成分	規制年	規制値	
ガソリン・LPG車	乗用車		10・15モード(g/km)	CO	コンバインモード(g/km)※NOX触媒付直噴車に限る	CO	平成21年	1.92(1.15)	
				HC					
				NOx		NMHC		0.08(0.05)	
			11モード(g/test)	CO					
				HC		NOx		0.08(0.05)	
				NOx		PM		0.007(0.005)	
	トラック・バス	軽自動車	10・15モード(g/km)	CO	コンバインモード(g/km)※NOX触媒付直噴車に限る	CO	平成21年	6.67(4.02)	
				HC					
				NOx		NMHC		0.08(0.05)	
			11モード(g/test)	CO					
				HC		NOx		0.08(0.05)	
				NOx		PM		0.007(0.005)	
		軽量車(GVW≦1.7t)	10・15モード(g/km)	CO	コンバインモード(g/km)※NOX触媒付直噴車に限る	CO	平成21年	1.92(1.15)	
				HC					
				NOx		NMHC		0.08(0.05)	
			11モード(g/test)	CO					
				HC		NOx		0.08(0.05)	
				NOx		PM		0.007(0.005)	

ガソリン・LPG車	トラック・バス	中量車(1.7t<GVW≦3.5t)	10・15モード(g/km)	CO		コンバインモード(g/km)※NOX触媒付直噴車に限る	CO	平成21年	4.08(2.55)	
				HC						
				NOx			NMHC		0.08(0.05)	
			11モード(g/test)	CO						
				HC			NOx		0.10(0.07)	
				NOx			PM		0.009(0.007)	
		重量車(3.5t<GVW)	G13モード(g/kWh)	CO		JE05モード(g/kWh)※NOX触媒付直噴車に限る	CO	平成21年	21.3(16.0)	
				HC			NMHC		0.31(0.23)	
				NOx			NOx		0.9(0.7)	
							PM		0.009(0.007)	
ディーゼル車	乗用車		10・15モード(g/km)	CO		コンバインモード(g/km)	CO	平成21年	0.84(0.63)	ディーゼル乗用車において、「小型」とは等価慣性重量1.25t(車両重量1.265t)以下、「中型」とは、等価慣性重量1.25t(車両重量1.265t)超である。
				HC			MNHC		0.032(0.024)	
				NOx	小型		NOx		0.11(0.08)	
					中型					
				PM	小型		PM		0.007(0.005)	
					中型					
	トラック・バス	軽量車(GVW≦1.7t)	10・15モード(g/km)	CO		コンバインモード(g/km)	CO	平成21年	0.84(0.63)	
				HC			NMHC		0.032(0.024)	
				NOx			NOx		0.11(0.08)	
				PM			PM		0.007(0.005)	
		中量車(1.7t<GVW≦3.5t)	10・15モード(g/km)	CO		コンバインモード(g/km)	CO	平成21年(2.5-3.5t)平成22年(1.7-2.5t)	0.84(0.63)	平成17年規制からは重量区分を変更。(旧)中量車 1.7t<GVW≦2.5t 重量車 2.5t<GVW (新)中量車 1.7t<GVW≦3.5t 重量車 3.5t<GVW
				HC			NMHC		0.032(0.024)	
				NOx			NOx		0.20(0.15)	
				PM			PM		0.009(0.007)	
		重量車(3.5t<GVW)	D13モード(g/kWh)	CO		JE05モード(g/kWh)	CO	平成21年(12t-)平成22年(3.5-12t)	2.95(2.22)	
				HC			NMHC		0.23(0.17)	
				NOx			NOx		0.9(0.7)	
				PM			PM		0.013(0.010)	

※1　CO：一酸化炭素、HC：炭化水素、NMHC：非メタン炭化水素、NOx：窒素酸化物、PM：粒子状物質

※2　規制値1.27(0.67)とは、1台当たりの上限値1.27、型式当たりの平均値0.67を示す。

※3　コンバインモードとは、

平成17年(2005年)からは10・15モードの測定値に0.88を乗じた値と11モードの測定値に0.12を乗じた値との和で算出される値

平成20年(2008年)からは10・15モードの測定値に0.75を乗じた値とJC08Cモードの測定値に0.25を乗じた値との和で算出される値

平成23年(2011年)からはJC08Hモードの測定値に0.75を乗じた値とJC08Cモードの測定値に0.25を乗じた値との和で算出される値

※4　ディーゼル車トラック・バスの重量車のうち、車両総重量2.5t<GVW≦12tについては平成15年10月1日から、車両重量12t<GVWについては平成16年10月1日から適用される。

(出所)国土交通省ホームページ

●自動車からの排出物

◆排出ガス

- NOx（窒素酸化物）
- HC（炭化水素）

→ オゾン生成➡光化学スモッグ

- CO（一酸化炭素）
- SO_2（二酸化硫黄）
- NO_2（二酸化窒素）

→ 大気中での二次粒子生成

- ベンゼン、1,3-ブタジエンなど

◆粒子状物質：一次粒子

- Soot（Solid Carbon など）
- SOF（Soluble Organic Fraction）
- サルフェート
- 潤滑油添加剤

➡ **健康影響**
- 呼吸器疾患
- 循環器疾患
- 発癌性
- 喘息 など

◆温室効果ガス

- CO_2 など

（出所）日本自動車工業会ホームページ

●各国のガソリン乗用車の排出ガス規制の推移

（2004～2015年）

地域		04	05	06	07	08	09	10	11	12	13	14	15
米国	連邦	暫定	Tier2										
米国	カリフォルニア州	LEV Ⅰ	LEV Ⅱ										
EU		ユーロ3	ユーロ4				ユーロ 5					ユーロ6	
日本		新短期	新長期規制				ポスト新長期規制						
中国		ユーロ 2				ユーロ 3			ユーロ 4				
インド		ユーロ1	ユーロ 2					ユーロ 3					
南アフリカ			ユーロ1	ユーロ2									

（出所）日本自動車工業会ホームページ

●日欧のディーゼル乗用車の排出ガス規制値

	NOx（g/km）	PM（g/km）
ユーロ5（2009年）	0.18	0.005
ユーロ6（2014年）	0.08	0.005
新長期規制（2005年）	0.14	0.013
ポスト新長期規制（2009年）	0.08	0.005

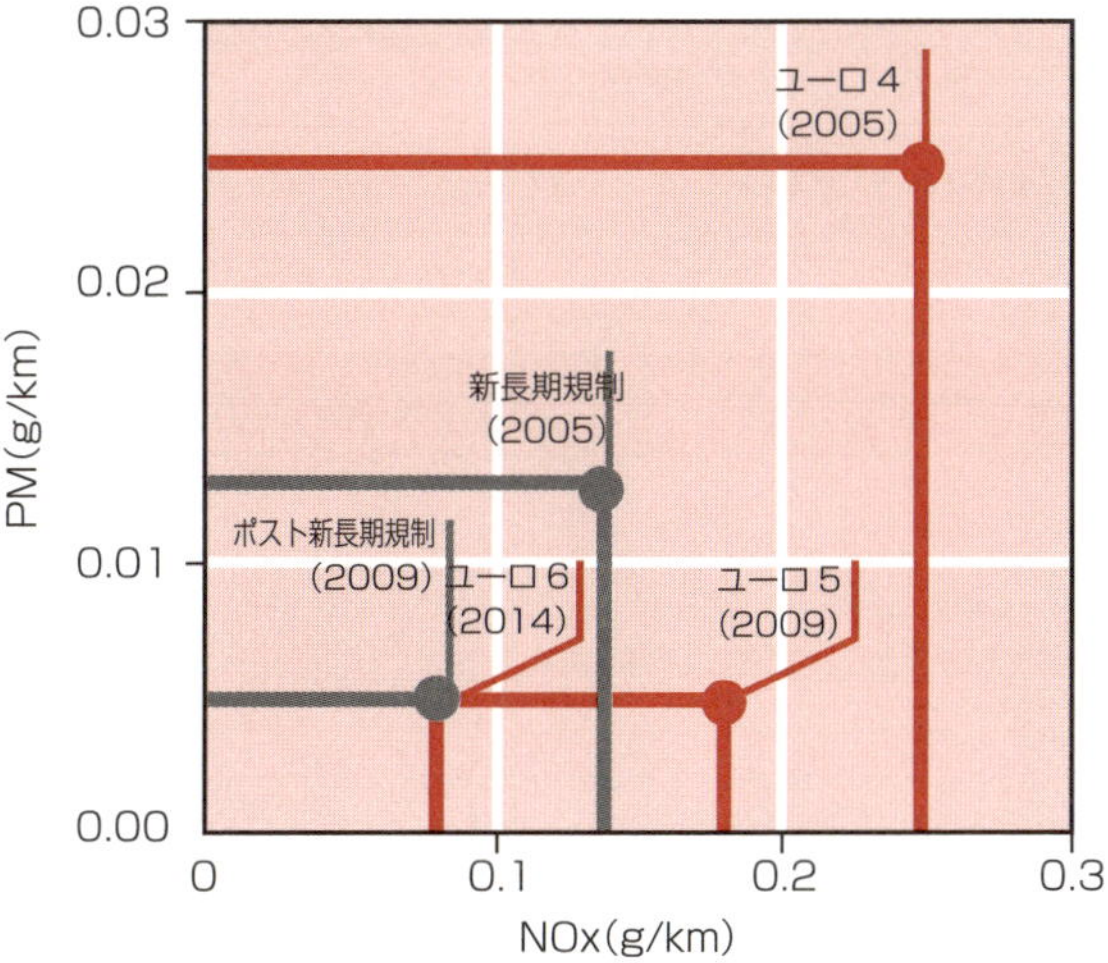

(出所)JAFホームページ

エコカーの世界市場予測

●世界におけるエコカー生産台数予測

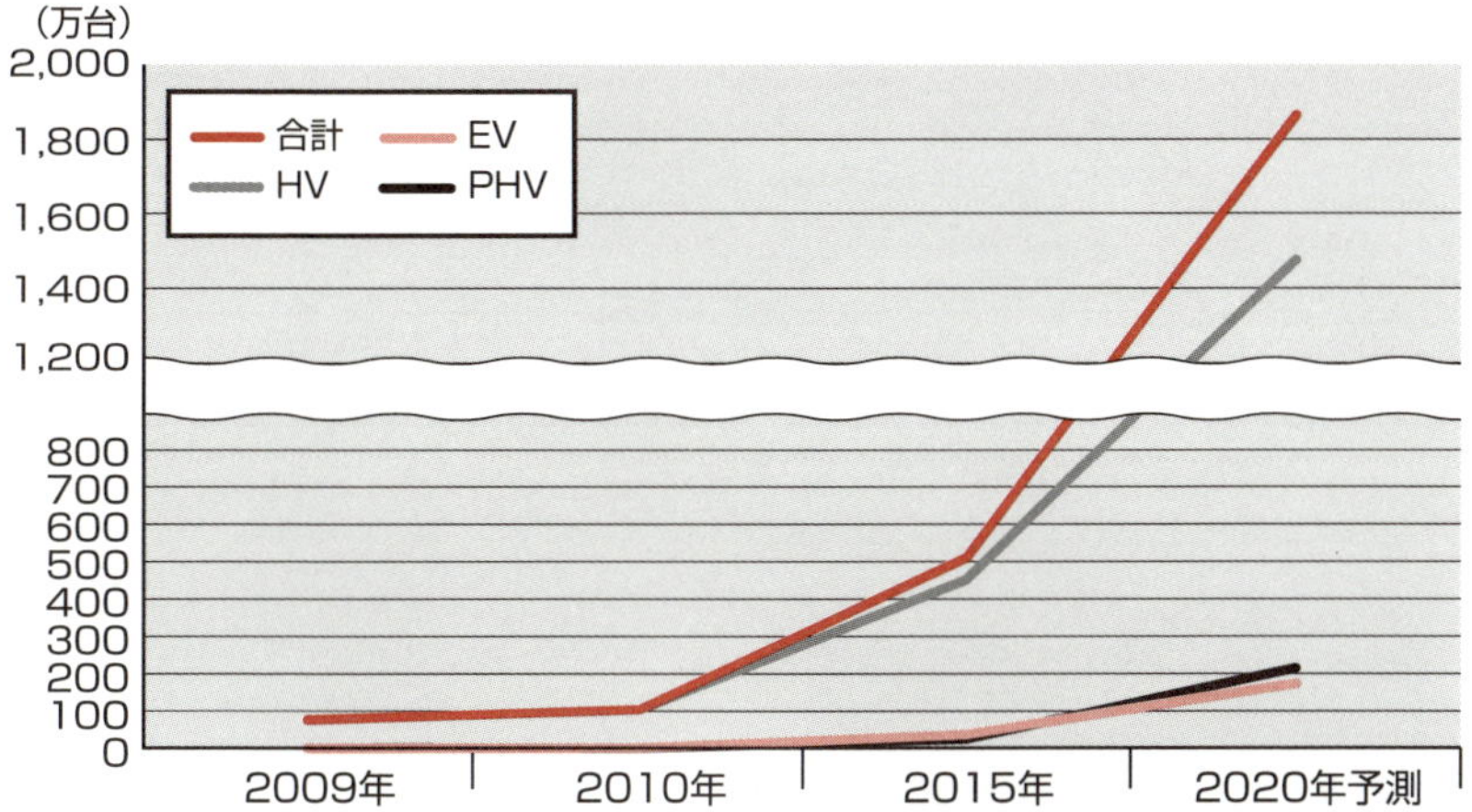

三菱 RVR　E スタイル G

トヨタ　プリウス

資料編

環境性能割の概要

〔適用期間〕 令和３年４月１日～令和５年３月31日
〔適用内容〕 上記の期間中に車両を取得した場合に、車両の取得価額に対して環境性能に応じた税率を課税。
※令和３年４月１日～令和３年12月31日までの間に取得した自家用乗用車（軽自動車を含む）については、税率を1%分軽減する。

1. 乗用車（登録車）

<table>
<tr><th colspan="2">対象・要件等</th><th>自家用・営業用別</th><th colspan="6">特例措置の内容</th></tr>
<tr><td colspan="2">・電気自動車
・燃料電池自動車
・天然ガス自動車（平成21年排出ガス規制NOx 10%以上低減又は平成30年排出ガス規制適合）
・クリーンディーゼル乗用車（平成21年排出ガス規制適合又は平成30年排出ガス規制適合）※1
・プラグインハイブリッド自動車</td><td>自家用及び営業用</td><td colspan="6">非課税</td></tr>
<tr><td rowspan="2"></td><td rowspan="2">燃費性能
排出ガス性能</td><td rowspan="2"></td><td colspan="6">令和12年度燃費基準※2</td></tr>
<tr><td>60%未満</td><td>60%</td><td>65%</td><td>75%</td><td>85%</td><td>達成</td></tr>
<tr><td rowspan="2">ガソリン車・LPG車
（ハイブリッド車を含む）</td><td rowspan="2">平成17年排出ガス規制75%低減
又は
平成30年排出ガス規制50%低減</td><td>自家用</td><td>3%</td><td colspan="2">2%</td><td>1%</td><td colspan="2">非課税</td></tr>
<tr><td>営業用</td><td>2%</td><td>1%</td><td>0.5%</td><td colspan="3">非課税</td></tr>
</table>

上記の要件に該当しない車両については、自家用は3%、営業用は2%の税率が適用。
※１　令和４年４月１日以降に取得したクリーンディーゼル車については、令和２年度燃費基準達成の車両であって、令和12年度燃費基準60%以上達成車に限り、上記の要件を適用。
※２　減免対象は、令和２年度燃費基準達成の車両に限る。

2. 乗用車（軽自動車）

<table>
<tr><th colspan="2">対象・要件等</th><th>自家用・営業用別</th><th colspan="7">特例措置の内容</th></tr>
<tr><td colspan="2">・電気自動車
・燃料電池自動車
・天然ガス自動車（平成21年排出ガス規制NOx 10%以上低減又は平成30年排出ガス規制適合）</td><td>自家用及び営業用</td><td colspan="7">非課税</td></tr>
<tr><td rowspan="2"></td><td rowspan="2">燃費性能
排出ガス性能</td><td rowspan="2"></td><td colspan="7">令和12年度燃費基準</td></tr>
<tr><td>55%未満</td><td>55%</td><td>60%</td><td>65%</td><td>75%</td><td>85%</td><td>達成</td></tr>
<tr><td rowspan="3">ガソリン車
（ハイブリッド車を含む）</td><td rowspan="3">平成17年排出ガス規制75%低減
又は
平成30年排出ガス規制50%低減</td><td>自家用</td><td colspan="2">2%</td><td colspan="2">1%※1</td><td colspan="3">非課税※1</td></tr>
<tr><td rowspan="2">営業用</td><td rowspan="2">2%</td><td rowspan="2">1%</td><td colspan="2">0.5%※1</td><td colspan="3">非課税※1</td></tr>
<tr><td colspan="5">1%</td></tr>
</table>

上記の要件に該当しない車両については、2%の税率が適用。
※１　減免対象は、令和２年度燃費基準達成の車両に限る。

【令和12年度燃費基準への読み替え】

令和12年度燃費基準	55%	60%	65%	75%	85%
平成22年度燃費基準	119%	130%	141%	162%	184%

【令和12年度燃費基準への読み替え】

令和12年度燃費基準	55%	60%	65%	75%	85%
令和２年度燃費基準	80%	87%	94%	109%	123%

3. 軽量車（車両総重量 2.5t 以下のトラック）

<table>
<tr><th colspan="2">対象・要件等</th><th>自家用・
営業用別</th><th colspan="6">特例措置の内容</th></tr>
<tr><td colspan="2">・電気自動車
・燃料電池自動車
・天然ガス自動車（平成 21 年排出ガス規制 NOx10% 以上低減又は平成 30 年排出ガス規制適合）
・プラグインハイブリッド自動車</td><td>自家用
及び
営業用</td><td colspan="6">非課税</td></tr>
<tr><td rowspan="2"></td><td rowspan="2">燃費性能
排出ガス性能</td><td rowspan="2"></td><td colspan="6">平成 27 年度燃費基準</td></tr>
<tr><td>未達成</td><td>達成</td><td>+10%</td><td>+15%</td><td>+20%</td><td>+25%～</td></tr>
<tr><td rowspan="3">ガソリン車
（ハイブリッド車を含む）</td><td rowspan="3">平成 17 年排出ガス規制
75% 低減
又は
平成 30 年排出ガス規制
50% 低減</td><td>自家用（登録車）</td><td colspan="3">3%</td><td>2%</td><td>1%</td><td>非課税</td></tr>
<tr><td>自家用（軽自動車）</td><td colspan="4">2%</td><td>1%</td><td>非課税</td></tr>
<tr><td>営業用（登録車及び軽自動車）</td><td colspan="3">2%</td><td>1%</td><td>0.5%</td><td>非課税</td></tr>
</table>

上記の要件に該当しない車両については、自家用は 3%、営業用は 2% の税率が適用（軽自動車については一律 2% が適用される）。

スマートグリッドへの取り組みの違い

スマートグリッドの主眼である電力供給の安定化に加えて、CO_2 削減や省エネなど環境問題対策の狙いからも、電気自動車の普及と同様に、スマートグリッド導入の傾向が世界的にも強くなっている。

2018 年現在、国際標準はなく、各国・地域の状況によって概念や取り組み方は異なっている。ここでは、各国・地域の取り組み方について表を使って比較する。

国　名	到達度	特　徴
日　本	★★★☆	「最新の IT 技術を活用して電力供給、需要に係る課題に対応する次世代電力系統である」と経済産業省によって定義されている。ネットワーク制御網の高機能化を目指している。 先進技術を使った国際標準化を提唱している。
米　国	★★☆☆	原子力、火力、水力等の集中型電源では補えない、高品質、高効率、高信頼度の電力供給システムを実現するために、太陽光、風力等の分散型電源やユーザー情報を統合・活用する通信ネットワークを目指している。
欧　州	★★★★	CO_2 排出量の少ない再生可能エネルギーを使用し、拡大する電力需要に対して、安全で高品質な電力の供給を目指している。イタリアでは全世帯の 85%にスマートメーターが普及しており、EU 全体でも 2020 年までに域内の全世帯・企業の 80%にスマートメーターを設置する計画が進んでいる。
中　国	☆☆☆☆	IT と送電システム、エネルギー貯蔵などを高次元で結合した新しい電力供給の形として定義。不安定になりがちな供給と需要のバランスを総合的に調整できるシステムを目指している。管理技術、情報システム開発を終え、一部地域では導入が開始されている。電力平準化のための蓄電池の輸出なども視野に入れている。

●EVを用いたスマートグリッド関連システム実証実験

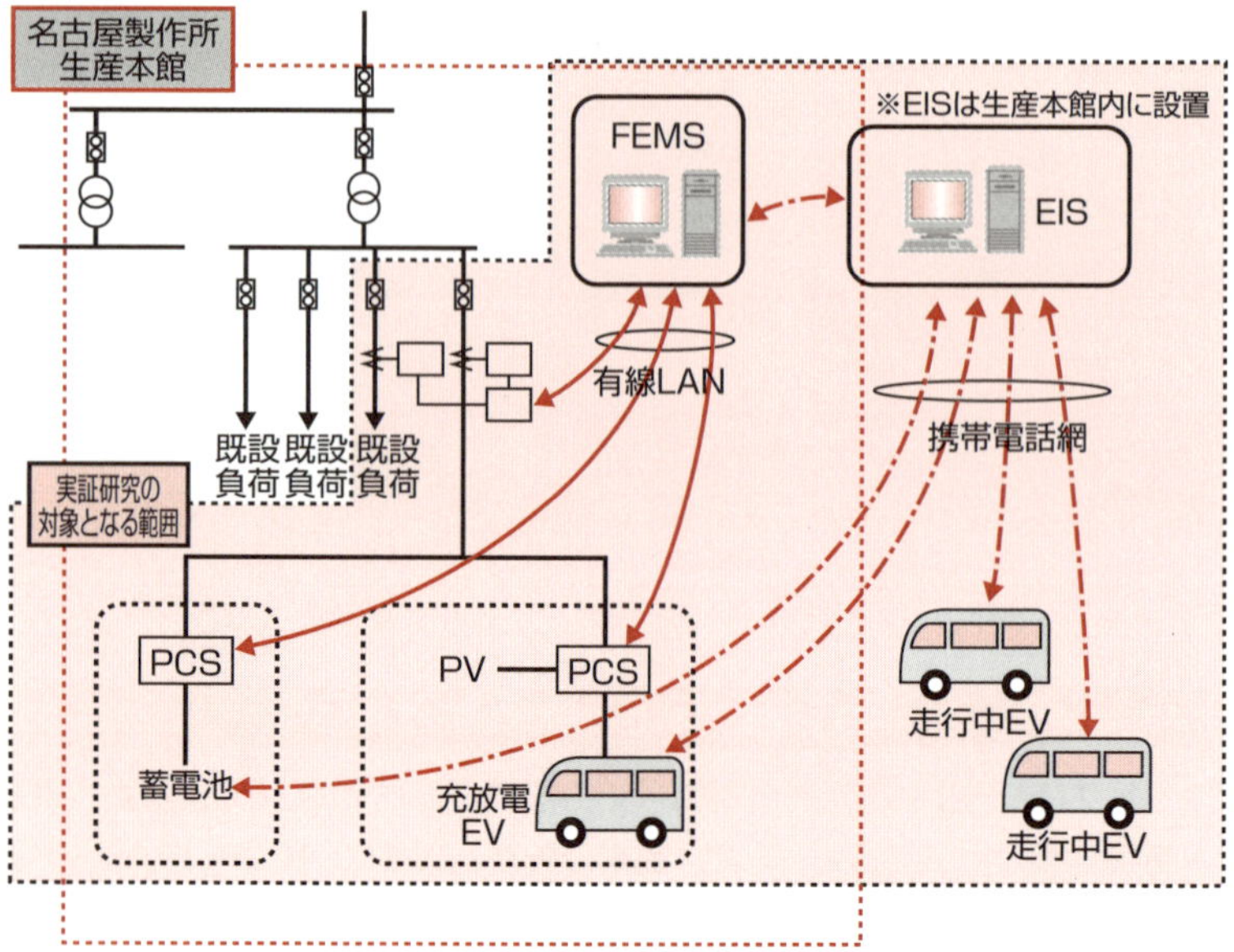

EIS：経営情報システム
FEMS：工場エネルギー管理システム
PCS：パワーコンディショナー
PV：太陽光発電

●EIS最終成果イメージ

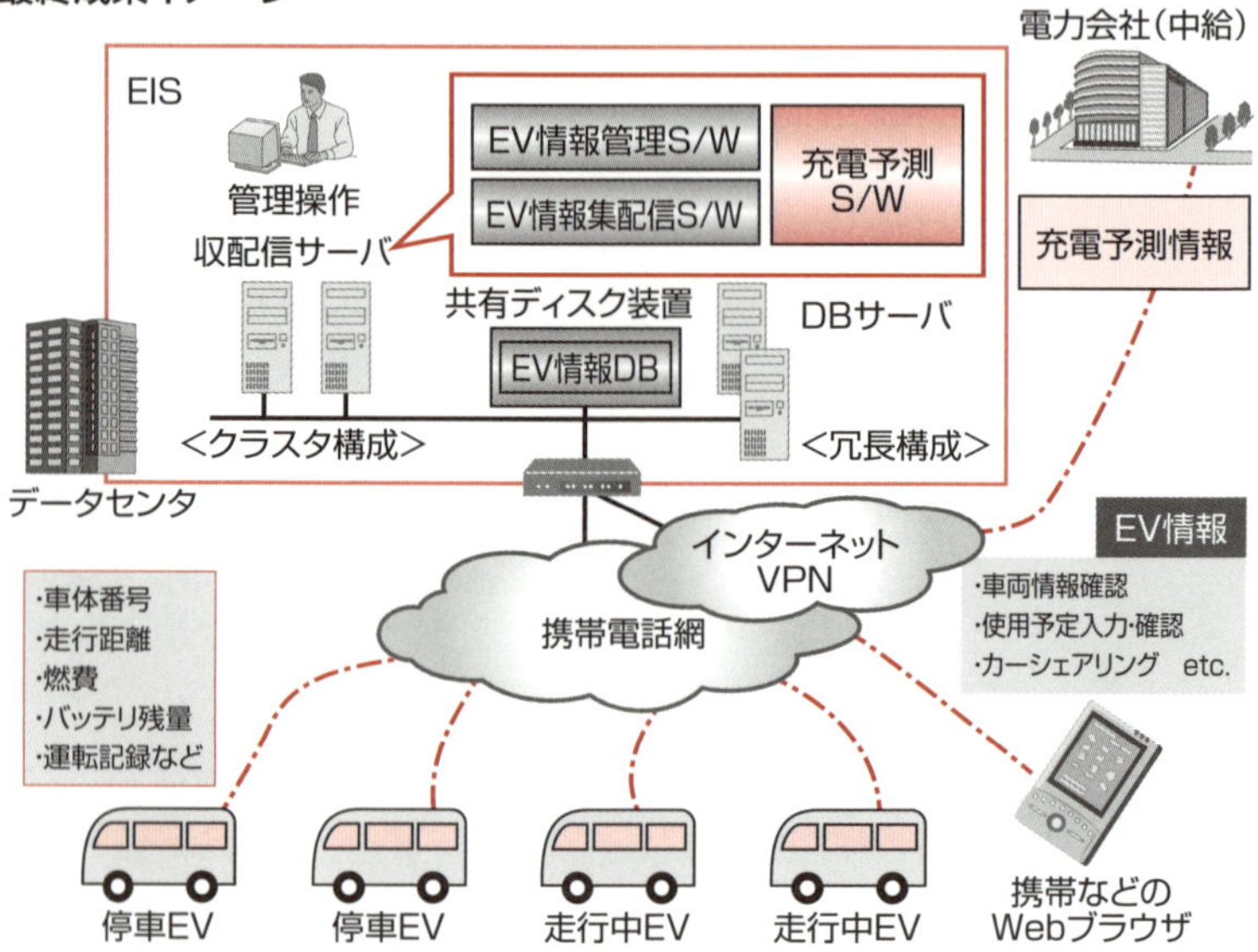

（出所）三菱自・三菱電機・三菱商事 3 社合同プレスリリース

資料編

スズキの地域別電動車販売比率（2020 年度）

●世界

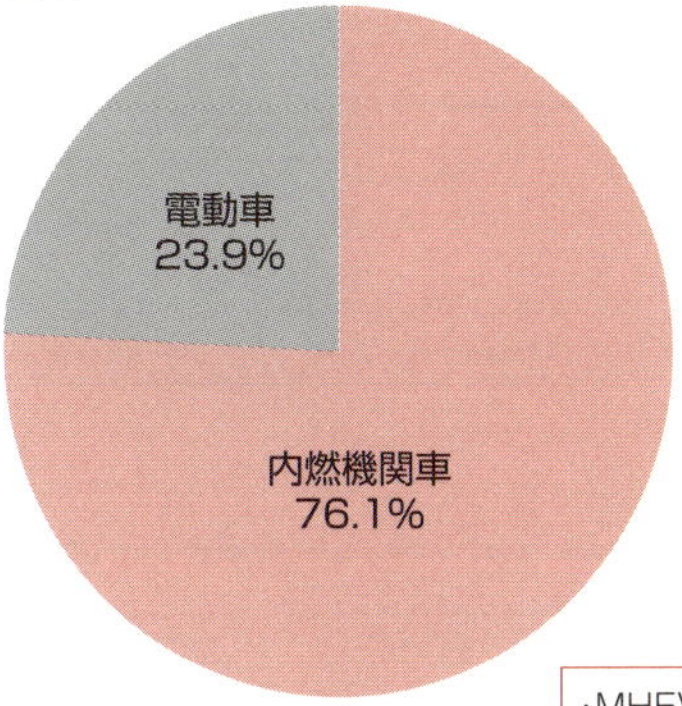

●日本

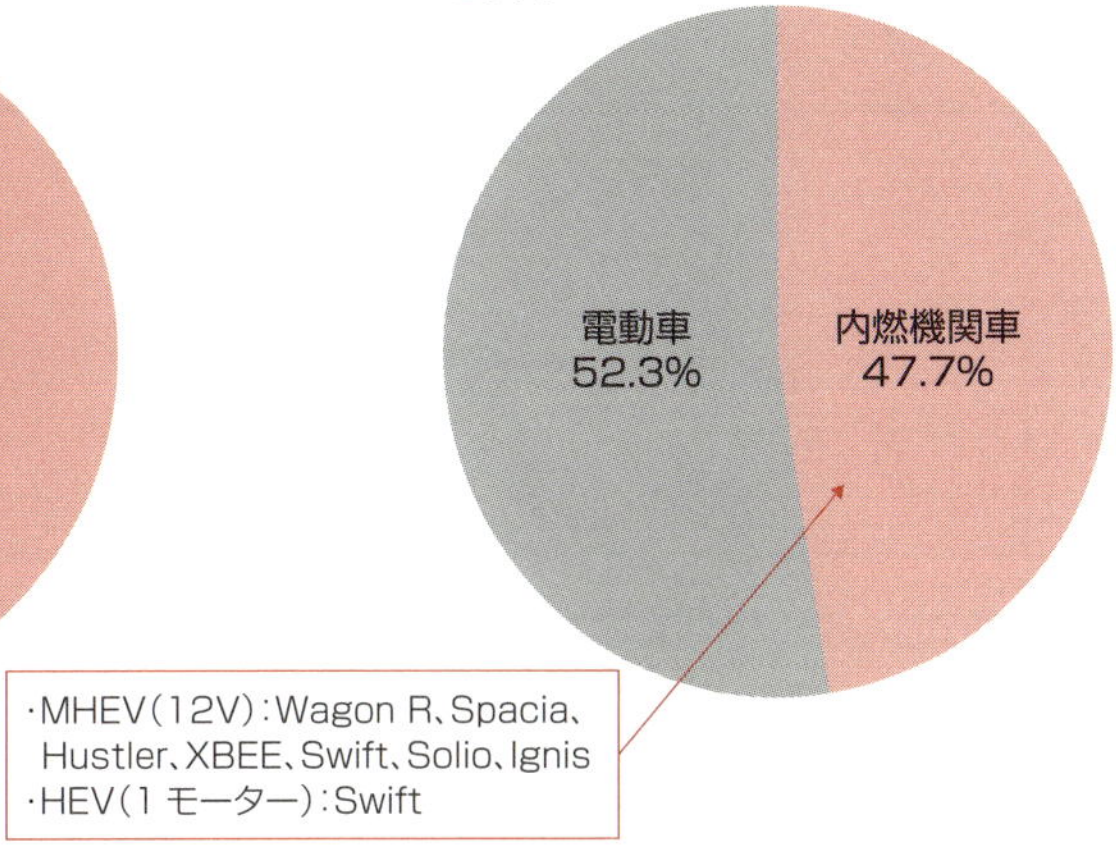

●インド

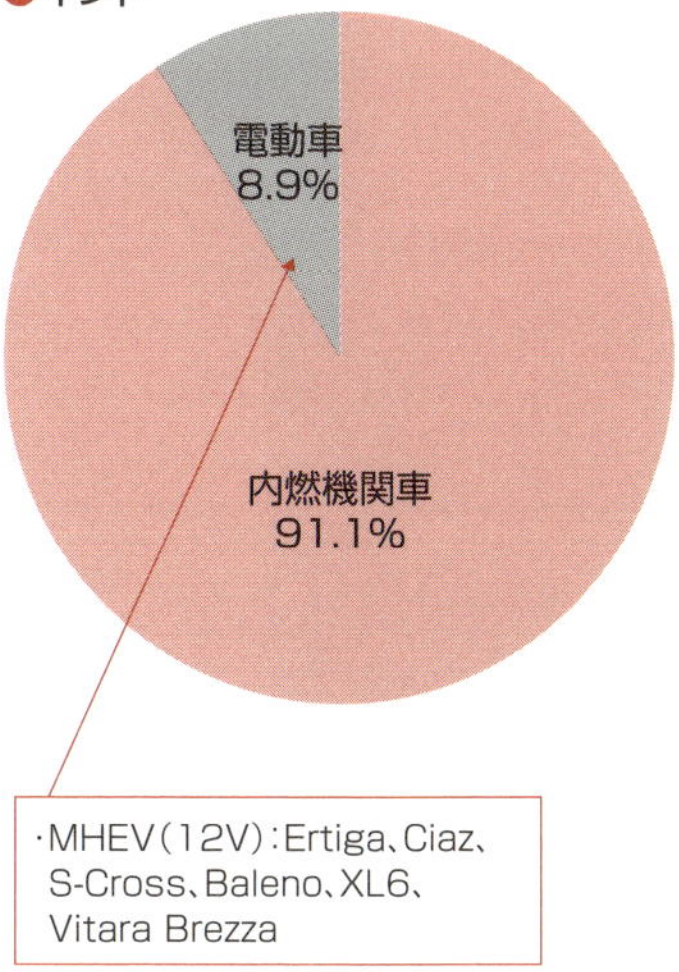

●欧州

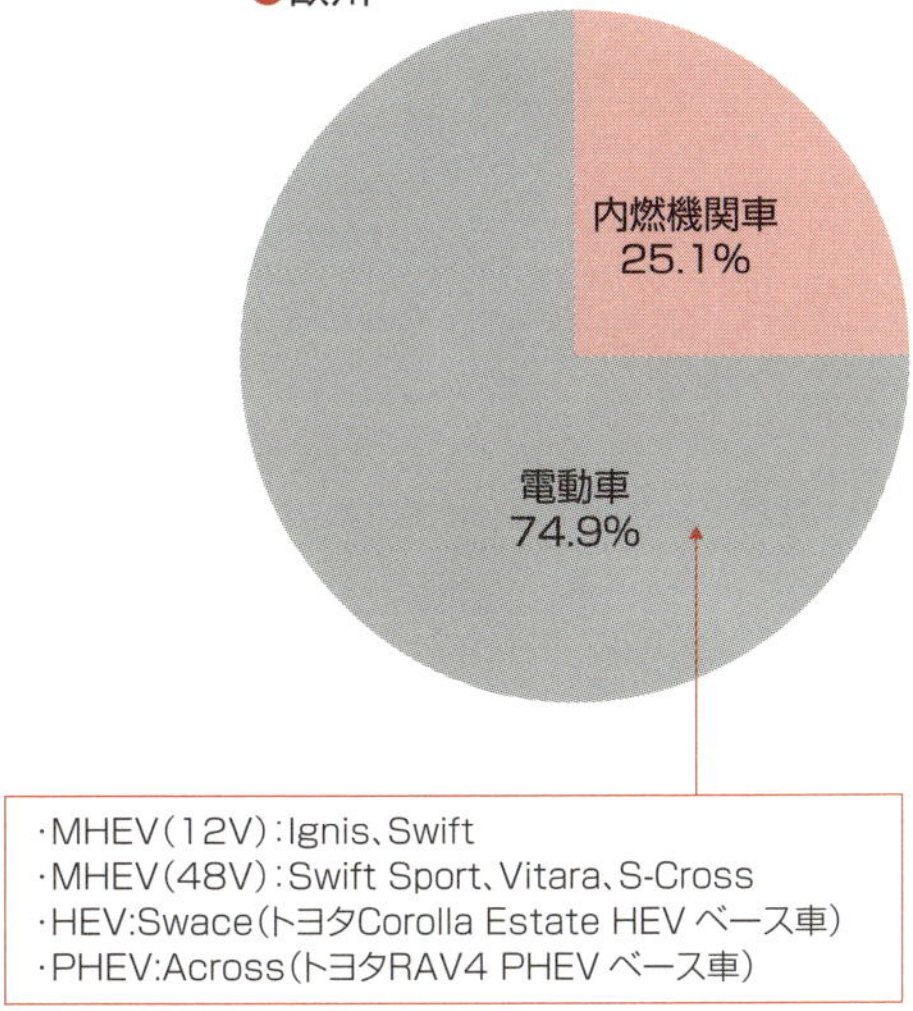

（出所）FOURIN　日本自動車調査月報、No.269　2021.8（27）

スズキのインドでのセグメント別シェア推移（2015～2020年）

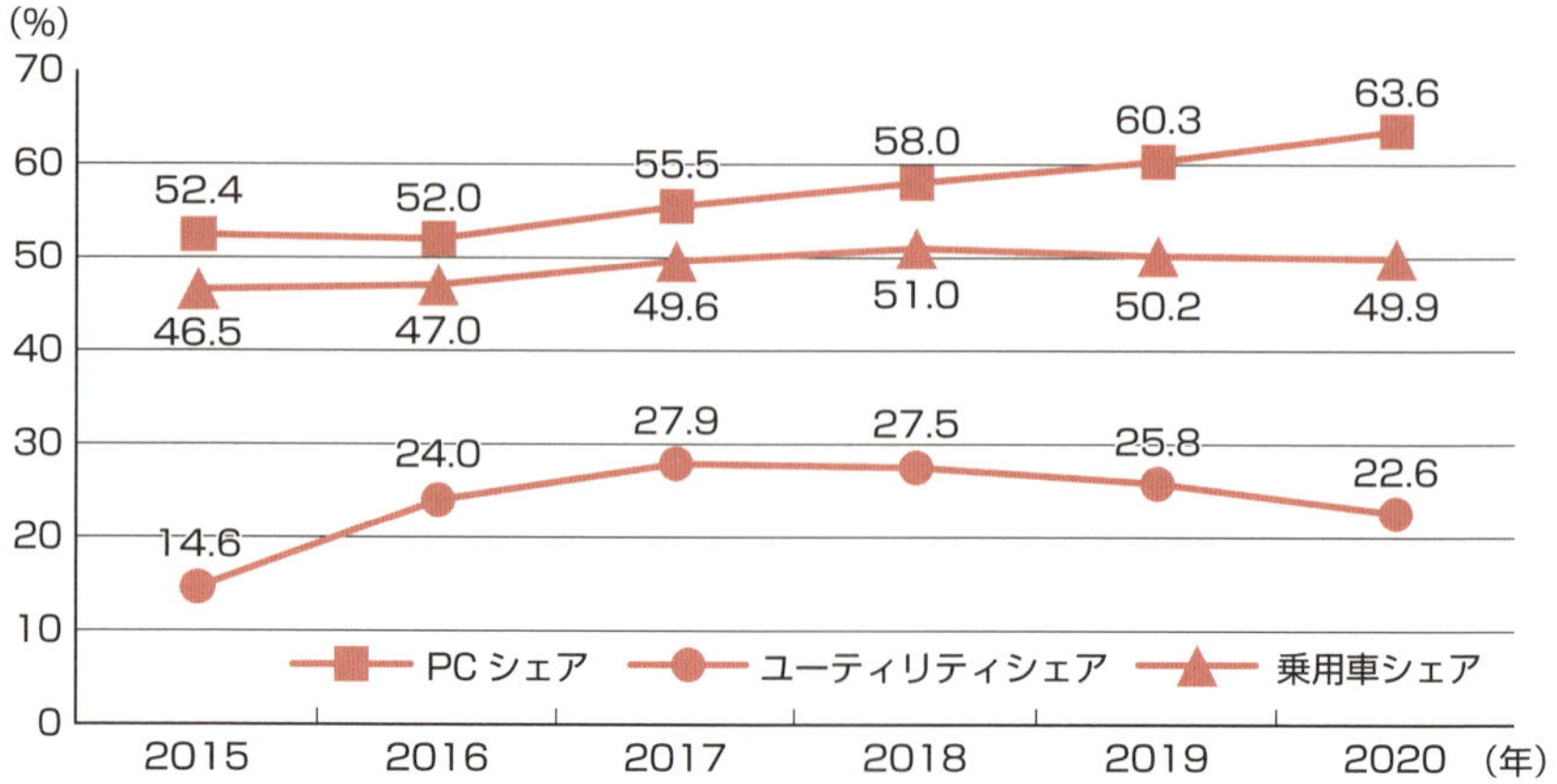

注）PC はセダン、ハッチバック、クーペ、スポーツなど、ユーティリティは SUV、MPV など、乗用車は PC ＋ユーティリティ＋小型バン。

（SIAM 資料より作成）

（出所）FOURIN　日本自動車調査月報、No.266　2021.5（32）

従来と CASE 時代の業界構造比較

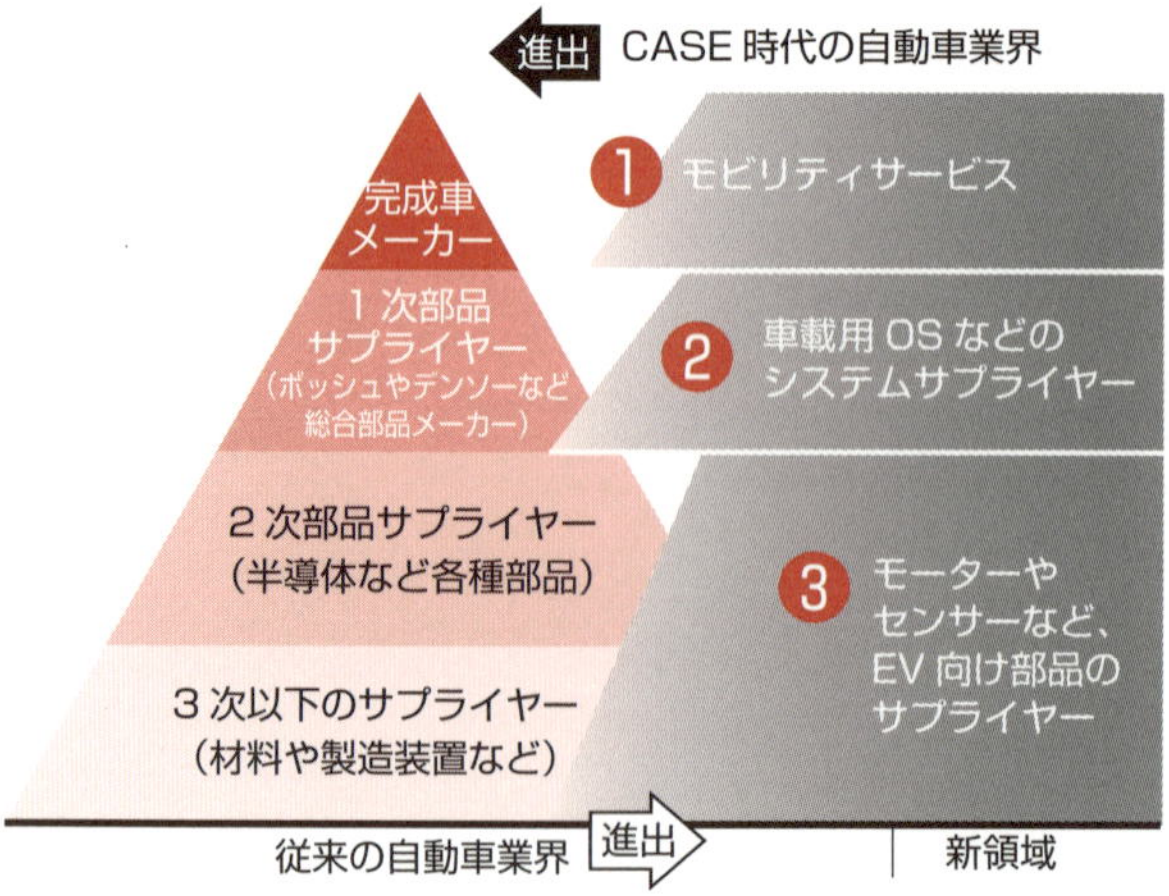

（出所）週刊東洋経済、2021.10.9

世界の電動車市場規模の推移（2008 ～ 2020 年）

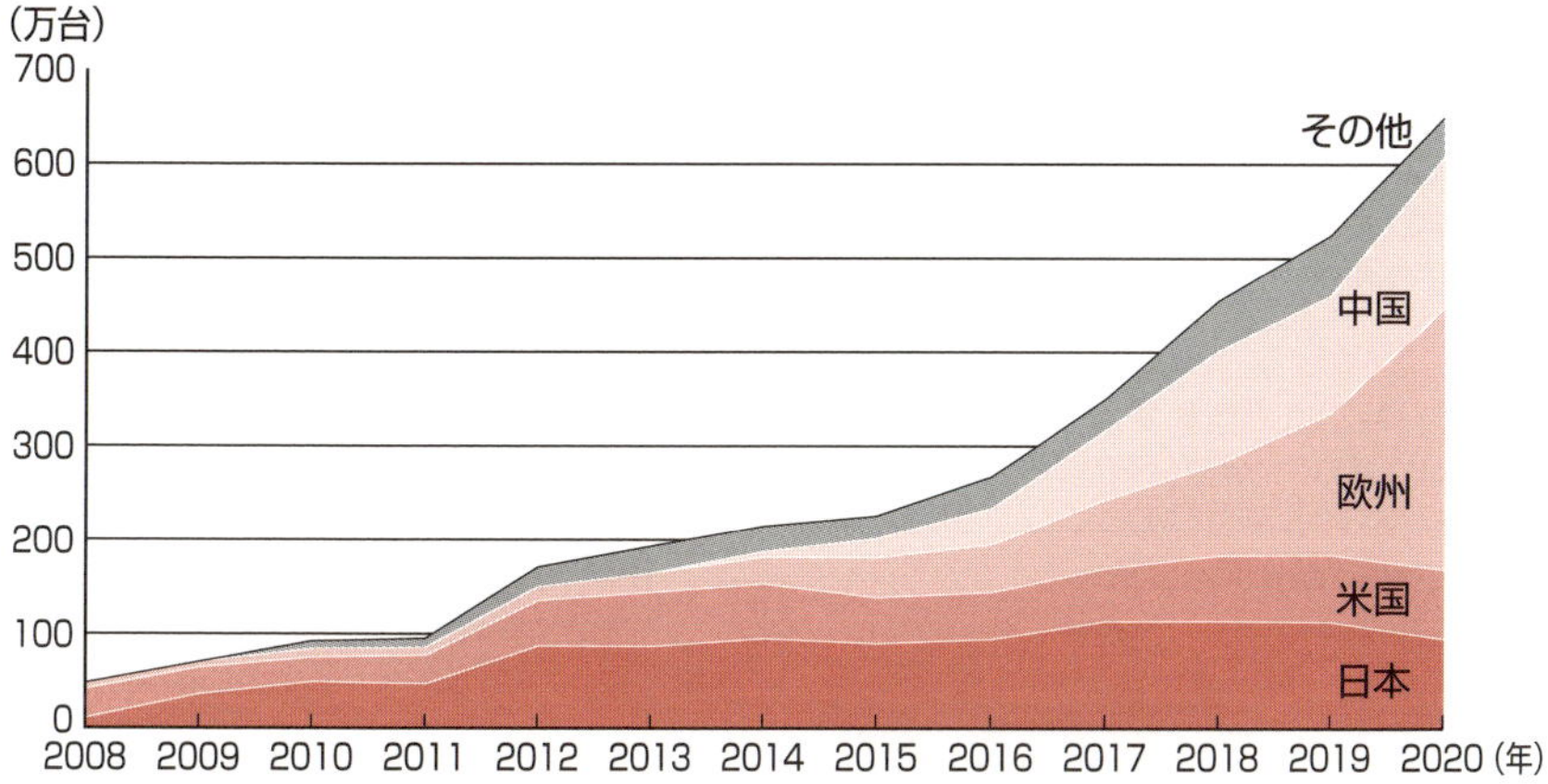

注）小型自動車のハイブリッド車（HV）、プラグインハイブリッド車（PHV）、電気自動車（EV）の販売が対象。HV に MHV を含む。一部水素燃料電池車（FCV）を含む。中国は 2014 年まで生産台数ベース。各国自工会およびそれに準ずる機関のデータ、各社広報資料、各種報道などの情報から算出。

（出所）FOURIN　世界自動車調査月報、No.432　2021.8（22）

日系メーカー 5 社の西欧における販売台数国別構成（2020 年）

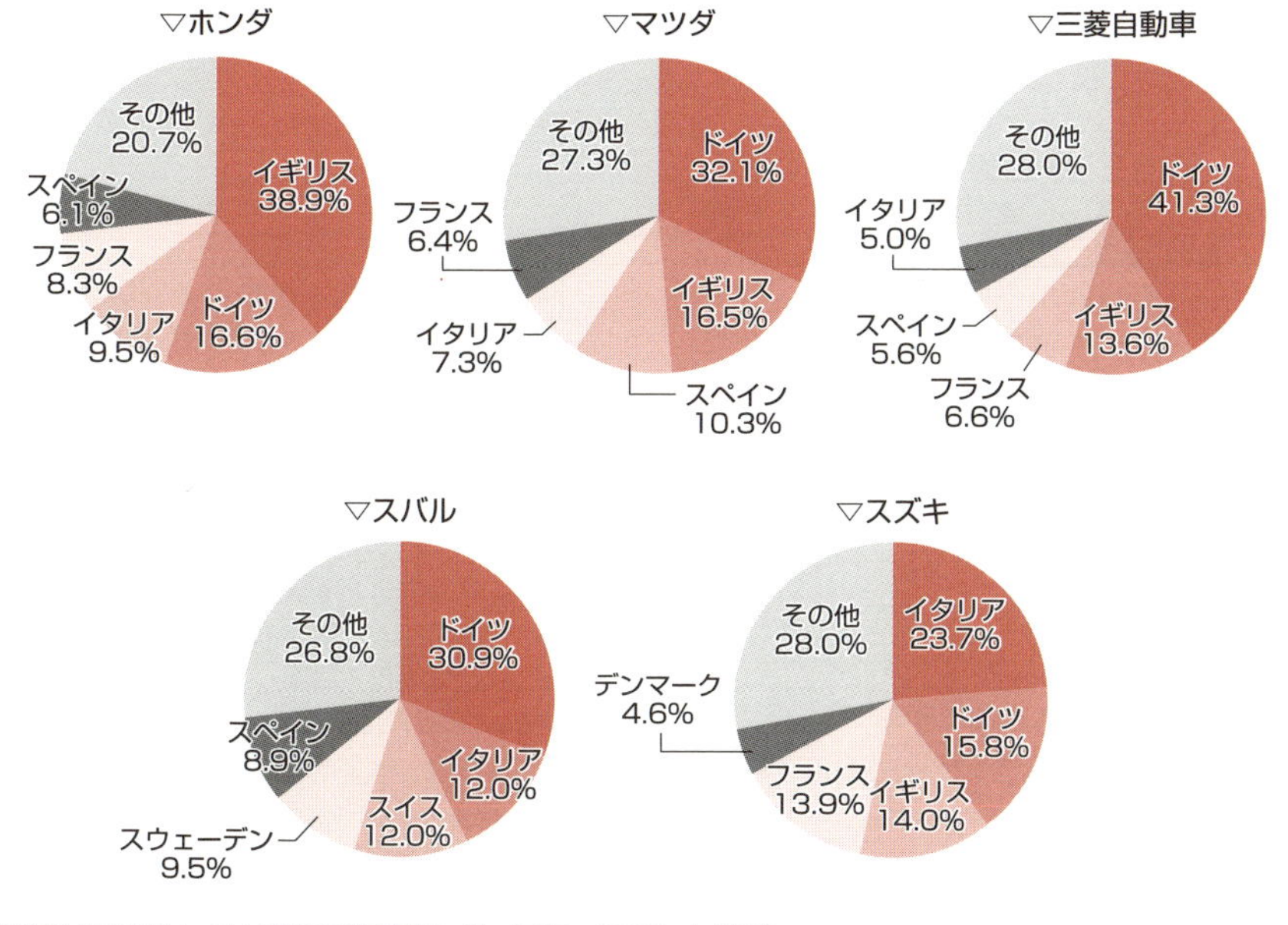

（出所）FOURIN　日本自動車調査月報、No.265　2021.4（33）

主な自動車関連団体一覧

公益社団法人自動車技術会
〒102-0076　東京都千代田区五番町 10-2
五番町センタービル 5 階
TEL：03-3262-8211
https://www.jsae.or.jp/

一般社団法人自動車公正取引協議会
〒100-0014　東京都千代田区永田町 1-11-30
TEL：03-5511-2111
https://www.aftc.or.jp/

一般社団法人全国軽自動車協会連合会
〒105-0012　東京都港区芝大門 1-1-30
日本自動車会館 11 階
TEL：03-5472-7861
https://www.zenkeijikyo.or.jp/

全日本自動車部品卸商協同組合
〒110-0005　東京都台東区上野 7-12-13
協和ビル 5 階
TEL：03-5830-2566
https://www.zenbukyo.or.jp/

一般社団法人全国レンタカー協会
〒105-0012　東京都港区芝大門 1-1-30
日本自動車会館 15 階
TEL：03-5472-7328
http://www.rentacar.or.jp/

公益社団法人全日本トラック協会
〒160-0004　東京都新宿区四谷 3-2-5
TEL：03-3354-1009
https://jta.or.jp/

一般社団法人電池工業会
〒105-0011　東京都港区芝公園 3-5-8
機械振興会館内
TEL：03-3434-0261
https://www.baj.or.jp/

国土交通省自動車局
〒100-8918　東京都千代田区霞が関 2-1-3
TEL：03-5253-8111
https://www.mlit.go.jp/about/file000080.html

一般財団法人機械振興協会
〒105-0011　東京都港区芝公園 3-5-8
機械振興会館
TEL：03-3434-8224
http://www.jspmi.or.jp/

一般財団法人日本自動車研究所
〒105-0012　東京都港区芝大門 1-1-30
日本自動車会館 12 階
TEL：03-5733-7921
〒305-0822　茨城県つくば市苅間　2530
TEL：029-856-1112（総務部）
https://www.jari.or.jp/

一般財団法人自動車検査登録情報協会
〒101-0032　東京都千代田区岩本町 3-11-6
PMO 秋葉原 7 階
TEL：03-5825-3671
https://www.airia.or.jp/

一般財団法人日本自動車査定協会
〒105-0003　東京都港区西新橋 2-34-4
KC ビル 3 階
TEL：03-5776-0901
http://www.jaai.or.jp/

公益財団法人自動車リサイクル促進センター
〒105-0012　東京都港区芝大門 1-1-30
日本自動車会館 11 階
TEL：03-5733-8300
https://www.jarc.or.jp/

日本自動車車体整備協同組合連合会
〒101-0027　東京都千代田区神田平河町 1
第 3 東ビル
TEL：03-3866-3620
https://jabra.or.jp/

一般社団法人日本自動車整備振興会連合会
〒106-6117　東京都港区六本木 6-10-1
森タワー 17 階
六本木ヒルズ郵便局　私書箱第 27 号
TEL：03-3404-6141
https://www.jaspa.or.jp/

一般社団法人日本自動車タイヤ協会
〒105-0001　東京都港区虎ノ門 3-8-21
虎ノ門 33 森ビル 8 階
TEL：03-3435-9091
https://www.jatma.or.jp/

一般社団法人日本自動車部品工業会
〒108-0074　東京都港区高輪 1-16-15
自動車部品会館 5 階
TEL：03-3445-4211
https://www.japia.or.jp/

一般社団法人日本自動車販売協会連合会
〒105-8530　東京都港区芝大門 1-1-30
日本自動車会館 15 階
TEL：03-5733-3100
http://www.jada.or.jp/

一般社団法人日本損害保険協会
〒101-8335　東京都千代田区神田淡路町 2-9
TEL：03-3255-1844
https://www.sonpo.or.jp/

一般社団法人日本中古自動車販売協会連合会
〒151-0053　東京都渋谷区代々木 3-25-3
あいおいニッセイ同和損保新宿ビル 10 階
TEL：03-5333-5881
https://www.jucda.or.jp/

一般社団法人日本機械工業連合会
〒105-0011　東京都港区芝公園 3-5-8
機械振興会館 5 階
TEL：03-3434-5381
http://www.jmf.or.jp/

一般社団法人日本産業車両協会
〒107-0051　東京都港区元赤坂 1-5-26
東部ビル 3 階
TEL：03-3403-5556
http://www.jiva.or.jp/

一般社団法人日本自動車会議所
〒105-0012　東京都港区芝大門 1-1-30
日本自動車会館 15 階
TEL：03-3578-3880
https://www.aba-j.or.jp/

一般社団法人日本自動車機械器具工業会
〒105-0011　東京都港区芝公園 3-5-8
機械振興会館 304 号室
TEL：03-3431-3773
https://www.jamta.com/

一般社団法人日本自動車機械工具協会
〒160-0022　東京都新宿区新宿 7-23-5
TEL：03-3203-5131（代）
https://www.jasea.org/

一般社団法人日本自動車工業会
〒105-0012　東京都港区芝大門 1-1-30
日本自動車会館 16 階
TEL：03-5405-6118
https://www.jama.or.jp/

一般社団法人日本自動車車体工業会
〒105-0012　東京都港区芝大門 1-1-30
日本自動車会館 15 階
TEL：03-3578-1681
https://www.jabia.or.jp/

自動車用品小売業協会
〒108-0014　東京都港区芝 5-1-7
HT ビル 3 階
TEL：03-3454-1427
http://www.apara.jp/

全国自動車電装品整備商工組合連合会
〒111-0043　東京都台東区駒形 1-2-6
緑川第 2 ビル 3 階
TEL：03-5826-7361
http://www.jidosha-densou.or.jp/

全国自動車用品工業会
〒102-0083　東京都千代田区麴町 4-5
海事センタービル 6 階
TEL：03-6261-2973
https://www.jaama.gr.jp/

損害保険料率算出機構
〒163-1029
東京都新宿区西新宿 3-7-1
新宿パークタワー 28・29 階
TEL：03-6758-1300
https://www.giroj.or.jp/

一般社団法人日本オートケミカル工業会
〒102-0083　東京都千代田区麴町 4-5
海事センタービル 6 階
TEL：03-6261-1382
https://www.j-chemi.jp/

日本機械輸出組合
〒105-0011　東京都港区芝公園 3-5-8
機械振興会館 4 階
TEL：03-3431-9507
https://www.jmcti.org

一般社団法人日本自動車部品協会
〒105-0001　東京都港区虎ノ門 1-11-7
第 2 文成ビル 7 階
TEL：03-3580-5231
http://www.japa.gr.jp/

一般社団法人日本塗料工業会
〒150-0013　東京都渋谷区恵比寿 3-12-8
東京塗料会館 1 階
TEL：03-3443-2011
https://www.toryo.or.jp/

公益社団法人日本バス協会
〒100-0005　東京都千代田区丸の内 3-4-1
新国際ビル 9 階
TEL：03-3216-4011
https://www.bus.or.jp

一般社団法人日本ばね工業会
〒101-0038　東京都千代田区神田美倉町 12
MH-KIYA ビル 3 階
TEL：03-3251-5234
https://www.spring.or.jp/

一般社団法人日本ベアリング工業会
〒105-0011　東京都港区芝公園 3-5-8
機械振興会館 3 階
TEL：03-3433-0926
https://www.jbia.or.jp/

一般社団法人日本陸用内燃機関協会
〒162-0842　東京都新宿区市谷砂土原町 1-2-31
TEL：03-3260-9101
https://www.lema.or.jp/

軽自動車検査協会
〒160-0023　東京都新宿区西新宿 3-2-11
新宿三井ビル 2 号館 15 階
TEL：03-5324-6611
https://www.keikenkyo.or.jp/

外国自動車輸入協同組合
〒156-0041　東京都世田谷区大原 2-1-18
TEL：03-5355-6411
https://www.faia.or.jp/

一般社団法人日本自動車リサイクル部品協議会
〒105-0004　東京都港区新橋 3-15-8
精工ビル 6 階
TEL：03-5472-4182
https://www.japra.gr.jp/

一般社団法人日本自動車リサイクル機構
〒105-0004　東京都港区新橋 3-2-2
ラヴィーナ新橋 5 階
TEL：03-3519-5181
https://www.elv.or.jp/

日本自動車輸入組合
〒105-0014　東京都港区芝 3-1-15
芝ボートビル 5 階
TEL：03-5765-6811
http://www.jaia-jp.org/

一般社団法人日本自動車リース協会連合会
〒105-0014　東京都港区芝 2-23-1
村中ビル 3 階
TEL：03-5484-7037
https://jala.or.jp/

一般社団法人日本中古自動車販売協会連合会
〒151-0053　東京都渋谷区代々木 3-25-3
あいおいニッセイ同和損保新宿ビル 10 階
TEL：03-5333-5882
https://www.jucda.or.jp/

日本中古車輸出業協同組合
〒141-0031　東京都品川区西五反田 2-19-3
五反田第一生命ビル 8 階
TEL：03-5719-3441
https://www.jumvea.or.jp/

主な国産車メーカー

いすゞ自動車株式会社
〒140-8722　東京都品川区南大井 6-26-1
大森ベルポート A 館
TEL：03-5471-1141
設立：1937 年 4 月
資本金：406.44 億円（2021 年 3 月末現在）
https://www.isuzu.co.jp/

川崎重工業株式会社
（東京本社）
〒105-8315　東京都港区海岸 1-14-5
TEL：03-3435-2111
（神戸本社）
〒650-8680　神戸市中央区東川崎町 1-1-3
神戸クリスタルタワー
TEL：078-371-9530
設立：1896 年 10 月 15 日
資本金：104,484 百万円（2021 年 3 月末現在）
https://www.khi.co.jp/

日野自動車株式会社
〒191-8660　東京都日野市日野台 3-1-1
TEL：042-586-5111
設立：1942 年 5 月 1 日
資本金：72,717 百万円(2021 年 3 月末現在)
https://www.hino.co.jp/

株式会社 SUBARU
〒150-8554　東京都渋谷区恵比寿 1-20-8
エビスズバルビル
TEL：03-6447-8000
設立：1953 年 7 月 15 日
資本金：153,795　百万円（2021 年 3 月末現在）
https://www.subaru.jp/

本田技研工業株式会社
〒107-8556　東京都港区南青山 2-1-1
TEL：03-3423-1111(代表)
設立：1948 年 9 月
資本金：860 億円(2021 年 3 月末現在)
https://www.honda.co.jp/

マツダ株式会社
(広島本社)
〒730-8670　広島県安芸郡府中町新地 3-1
TEL：082-282-1111
(東京本社)
〒100-6025　東京都千代田区霞ヶ関 3-2-5
霞が関ビルディング 25 階
設立：1920 年 1 月 30 日
資本金：2,840 億円
https://www.mazda.co.jp/

株式会社光岡自動車
〒939-8212　富山県富山市掛尾町 508-3
TEL：076-494-1500
設立：1979 年 11 月
資本金：1 億円
https://www.mitsuoka-motor.com/

スズキ株式会社
〒432-8611　静岡県浜松市南区高塚町 300
TEL：053-440-2061
設立：1920 年 3 月
資本金：138,262 百万円（2021 年 3 月末現在）
https://www.suzuki.co.jp/

株式会社ゼロスポーツ
〒504-0934　岐阜県各務原市大野町 6-101-2
TEL：058-380-2022
設立：2011 年 5 月
資本金：3,000 万円
https://www.zerosports.co.jp/

ダイハツ工業株式会社
〒563-0044　大阪府池田市ダイハツ町 1-1
TEL：072-751-8811
設立：1907 年 3 月 1 日
資本金：284 億円
https://www.daihatsu.co.jp/

トヨタ自動車株式会社
〒471-8571　愛知県豊田市トヨタ町 1
TEL：0565-28-2121
設立：1937 年 8 月 28 日
資本金：6,354 億円（2021 年 3 月末現在）
https://www.toyota.co.jp/

日産自動車株式会社
〒220-8686　神奈川県横浜市西区高島 1-1-1
TEL：045-523-5523
設立：1933 年 12 月 26 日
資本金：6,058 億 13 百万円
https://www.nissan.co.jp/

UD トラックス株式会社
(旧　日産ディーゼル工業株式会社)
〒362-8523　埼玉県上尾市大字壱丁目 1
TEL：048-612-9853
設立：1935 年 12 月
資本金　775 億円
https://www.udtrucks.com/japan

ヤマハ発動機株式会社
〒438-8501　静岡県磐田市新貝 2500
TEL：0538-32-1115
設立：1955 年 7 月 1 日
資本金：857 億 97 百万円（2021 年 9 月末現在）
https://global.yamaha-motor.com/jp/

三菱自動車工業株式会社
〒108-8410　東京都港区芝浦 3-1-21
msb Tamachi 田町ステーションタワー S
TEL：03-3456-1111
設立：1970 年 4 月 22 日
資本金：284,382 百万円
https://www.mitsubishi-motors.com/

三菱ふそうトラック・バス株式会社
〒212-8522
神奈川県川崎市中原区大倉町 10
TEL：044-330-7700（代）
設立：2003 年 1 月 6 日
資本金：350 億円
https://www.mitsubishi-fuso.com/

主な輸入車メーカー

ゼネラルモーターズ・ジャパン株式会社
TEL：0120-711-276
設立：1927 年
https://www.gmjapan.co.jp/

ジャガー・ランドローバー・ジャパン株式会社
〒141-0001　東京都品川区北品川 6-7-29
TEL：03-5775-1866
設立：2008 年 4 月 1 日
資本金：4 億 8,000 万円
https://jaguarlandrover-dealerrecruit.jp

アウディジャパン株式会社
（フォルクスワーゲン一部事業）
TEL：0120-598-106
設立：1998 年 4 月
https://www.audi.co.jp/
※ 2022 年 1 月、フォルクスワーゲングループジャパン株式会社を存続会社として吸収合併

エルシーアイ株式会社
〒145-0061　東京都大田区石川町 2-1-1
TEL：03-5754-0805
設立：2002 年 12 月 6 日
資本金：9,875 万円
http://www.lotus-cars.jp/

コーンズ・アンド・カンパニー・リミテッド
〒105-0014　東京都港区芝 3-5-1
コーンズハウス
TEL：03-5730-1660
設立：1947 年 5 月 27 日
資本金：香港通貨　1 億 5,600 万ドル
https://www.cornes.co.jp/

ボルボ・カー・ジャパン株式会社
〒105-0011　東京都港区芝公園 1-1-1
住友不動産御成門タワー 11 階
TEL:0120-55-8500
設立:1977 年 4 月
資本金:29 億円
https://www.volvocars.com/jp/

株式会社ヤナセ
〒105-8575　東京都港区芝浦 1-6-38
TEL:03-3452-4311
設立:1920 年 1 月 27 日
資本金:6,975,872,000 円
https://www.yanase.co.jp/

日産トレーディング株式会社
〒244-0805
神奈川県横浜市戸塚区川上町 91-1
BELISTA タワー東戸塚
TEL:050-3360-2021
設立:1978 年 4 月 10 日
資本金:3 億 2,000 万円
http://www.nitco.co.jp/

ルノー・ジャポン株式会社
〒220-0011
神奈川県横浜市西区高島 1-1-2
TEL:0120-676-365
設立:2012 年 4 月 2 日
https://www.renault.jp/

メルセデス・ベンツ日本株式会社
〒140-0002
東京都品川区東品川 4-12-4
品川シーサイドパークタワー
TEL:0120-190-610
設立:1986 年 1 月 21 日
資本金:156 億円
https://www.mercedes-benz.co.jp/

ビー・エム・ダブリュー株式会社
〒105-7308　東京都港区東新橋 1-9-1
東京汐留ビルディング 8 階
TEL:0120-269-437
設立:1981 年 9 月 22 日
https://www.bmw.co.jp/

現代自動車ジャパン株式会社
〒220-0012　神奈川県横浜市西区みなとみらい 3-6-1　みなとみらいセンタービル 16 階
TEL:045-307-6400
設立:2000 年 1 月 7 日
資本金:1 億円
https://www.hyundai-motor.co.jp/

Stellantis ジャパン株式会社
(旧 FCA ジャパン株式会社、
Group PSA Japan 株式会社)
〒108-0014　東京都港区芝 5-36-7
三田ベルジュビル
TEL:0120-404-053
設立:2022 年 3 月 1 日
https://www.stellantis.jp

フォルクスワーゲングループジャパン株式会社
〒441-8550　愛知県豊橋市明海町 5-10
TEL:0120-993-199
設立:1983 年 7 月
資本金:231 億 7,410 万円
https://www.volkswagen.co.jp/

ベントレーモーターズジャパン
(フォルクスワーゲン一部事業)
TEL:0120-97-7797
設立:1919 年
https://www.bentleymotors.jp/

ポルシェジャパン株式会社
〒105-6329　東京都港区虎ノ門 1-23-1
虎ノ門ヒルズ森タワー 29 階
TEL:0120-846-911
設立:1995 年 11 月 17 日
資本金:8 億円
https://www.porsche.com/japan/jp/

主なメーカー別販売店協会

ダイハツ自動車販売協会
〒103-0023
東京都中央区日本橋本町 2-2-10
信和ビル 6 階
ダイハツ工業（株）東京支社内
TEL：03-3277-7445

いすゞ自動車販売店協会
〒140-8722　品川区南大井 6-26-1
大森ベルポート A 館 13 階
TEL：03-5471-1417

日野自動車販売店協会
〒100-0005　千代田区丸の内 3-4-1
新国際ビル 831
TEL：03-6810-0206

UD トラックス販売協会
〒135-8551　東京都江東区東雲 2-12-43
UD トラックス（株）関東支社 5 階
TEL：03-6683-8838

トヨタ自動車販売店協会
〒102-0074　千代田区九段南 2-3-18
TEL：03-3263-6456

日産自動車販売協会
〒104-0061　中央区銀座 7-17-2
アーク銀座ビルディング 3 階
TEL：03-3543-2341

ホンダ自動車販売店協会
〒351-0188　和光市本町 8-1
本田技研工業（株）内
TEL：048-452-0214

三菱自動車販売協会
〒108-0023　港区芝浦 3-1-21
田町ステーションタワー S　24 階
TEL：03-3454-4561

三菱ふそう自動車販売協会
〒108-0023　港区芝浦 3-1-21
田町ステーションタワー S　24 階
TEL：03-3454-4564

全国マツダ販売店協会
〒104-0032　中央区八丁堀 1-9-8
八重洲通ハタビル 8 階
TEL：03-3552-3015

全国スバル自動車販売協会
〒150-0013　渋谷区恵比寿 1-20-8
エビススバルビル 7 階
TEL：03-6447-8965

スズキ自動車販売店協会
〒105-0021　港区東新橋 2-2-8
スズキ（株）東京支店内
TEL：03-5425-2158

索引

INDEX

あ行

か行

索引

さ行

な行

は行

た行

ま行

や行

ら行

索引

数字

わ行

アルファベット

索引

MEMO

黒川　文子（くろかわ　ふみこ）

獨協大学経済学部教授。専門は自動車産業の経営戦略。『製品開発の組織能力』（中央経済社）、『21世紀の自動車産業戦略』（税務経理協会）、『自動車産業のESG戦略』（中央経済社）など著書も多い。三菱重工業（株）にて「自動車産業における効率的なサプライチェーン」、科学工学技術委員会にて「製品開発の組織能力」、名古屋工業大学工場長養成塾にて「自動車産業における製品開発とサプライチェーン戦略」など講演も多数行い、社会貢献を心がけている。

編集協力　**株式会社エディポック**
イラスト　**中村浩之**

図解入門業界研究《ずかいにゅうもんぎょうかいけんきゅう》
最新《さいしん》自動車業界《じどうしゃぎょうかい》の動向《どうこう》としくみが
よ〜くわかる本《ほん》[第《だい》4版《はん》]

発行日　2022年 5月 2日　　第1版第1刷

著　者　黒川《くろかわ》　文子《ふみこ》

発行者　斉藤　和邦
発行所　株式会社　秀和システム
〒135-0016
東京都江東区東陽2-4-2　新宮ビル2F
Tel 03-6264-3105（販売）Fax 03-6264-3094
印刷所　三松堂印刷株式会社　　Printed in Japan

ISBN978-4-7980-6709-4 C0033

定価はカバーに表示してあります。

乱丁本・落丁本はお取りかえいたします。

本書に関するご質問については、ご質問の内容と住所、氏名、電話番号を明記のうえ、当社編集部宛FAXまたは書面にてお送りください。お電話によるご質問は受け付けておりませんのであらかじめご了承ください。